Андрей
ВОРОНИН

Русская Княжна
МАРИЯ

МИНСК
СОВРЕМЕННЫЙ ЛИТЕРАТОР
2002

УДК 882(476)
ББК 84(4Беи-Рус)
В 75

Воронин А.
В 75   Русская Княжна Мария: Роман.— Мн.: Современный литератор, 2002.— 352 с.
ISBN 985-14-0086-6.

Действие романа, в основе которого похищение бесценной реликвии государства российского — чудотворной иконы святого Георгия Победоносца — происходит на фоне всенародного бедствия, вызванного нашествием наполеоновских орд на русские земли. Горит захваченный и разоренный врагом Смоленск, впереди — столбовая дорога на Москву...

В это смутное время в спасении сокровища, с невероятными лишениями и приключениями, на грани жизни и смерти самое действенное участие принимает юная Княжна Мария Андреевна и рыцарь ее сердца, бесстрашный юнкер гусарского полка корнет Вацлав Огинский.

УДК 882(476)
ББК 84(4Беи-Рус)

ISBN 985-14-0086-6

Глава 1

Утро в Смоленской губернии — это, господа, вещь просто расчудесная, особенно если утро это августовское. Случалось ли вам видеть, как встает солнце над полями в Смоленской губернии в августе месяце? Доводилось ли вам вдыхать этот воздух, чище и слаще которого, ей-богу, нет в целом свете? Видали ль вы этот туман, который жемчужной кисеей подымается из оврагов и лощин, чтобы укутать пуховой периною луга и перелески? Ежели не видали, то, право же, многое вы потеряли в своей жизни, и многое еще вам следует повидать на этом свете. Поезжайте в Смоленскую губернию и посмотрите, как золотится в утренних лучах луковка деревенского храма в селе Вязмитиново, где настоятелем уже двадцать пять годков служит тишайший отец Евлампий, любящий, чего греха таить, ублажить свое чрево цыплячьей ножкой и стаканчиком вишневой наливки. Грешен, грешен отец Евлампий, да и кто не грешен на этом свете?

Стоя по утрам на резном своем крылечке в одном заношенном подряснике, отец Евлампий частенько думал о том, что Сатана хитер истинно как змий. Разные обличья может принимать враг рода человеческого, чтобы смущать слабый людской разум. То подразнит куском ветчины в постный день, то девок на речку с бельем пошлет в тот самый миг, когда батюшка там прогуливается. Тоже, знаете ли, соблазн, да и матушка сердится. Опять, кричит, старый греховодник, за свое?! Глаза, кричит, твои бесстыжие, куда ты пялишься? Архиерею, кричит, пожалуюсь... А батюшка нешто виноват? Ох, ох, грехи наши тяжкие...

В последние дни, однако ж, отец Евлампий нечувствительно позабыл и про крепкие, цвета сливок, ноги деревенских девок и молодиц, что выглядывали из-под подоткнутых подолов, и про прискорбное свое

3

чревоугодие перед ликом новой, доселе невиданной и неслыханной угрозы. Враг рода людского, приняв на сей раз обличье маленького человека с толстым бритым лицом и с жирными, обтянутыми белыми лосинами ляжками, скорым ходом надвигался на приход отца Евлампия. Два дня громыхало на западе, полыхало зарницами и заволакивало черными дымами небо в той стороне, где стоял град Смоленск, а вчера под вечер мимо села пошла армия — пыльная, закопченная, в кровавых бинтах, с обозами и лазаретами, с одинаковой угрюмостью на лицах.

Ночью отец Евлампий самолично, в кровь сбив неумелые свои руки, закопал на погосте церковное золото и драгоценные, шитые самоцветными каменьями ризы. Поутру он, как всегда, вышел на крыльцо и стал там, потирая ноющую с непривычки поясницу, но глядел при этом не на восход, где вот-вот должно было подняться над лесом солнце, а на запад, где небо темнело от дымов Смоленского пожара. Взгляд выцветших голубых глазок отца Евлампия то и дело с беспокойством обращался на дорогу: не пылит ли по ней наступающее войско? Но войско все не шло, и только под вечер, когда батюшка, махнув рукою на свои тревоги, уже успел переделать все дневные дела и даже принять стаканчик любимой своей наливки, из дымного закатного зарева выступила вдруг и пошла по деревенской улице конница.

Дрогнуло сердце у сидевшего подле окна с графинчиком в руке отца Евлампия при виде колышущихся киверов и блеска закатного солнца на остром железе, дрогнуло и сжалось болезненно в предчувствии беды. А тут еще и матушка подлила масла в огонь, сказавши:

— Дождались. Сказывала я тебе, батюшка, убегать надобно. Пропадать нам теперь, как есть пропадать...

И, осенив себя крестным знамением, поклонилась иконам.

— Дура ты, матушка, — степенно ответствовал отец Евлампий, также перекрестясь. — Куда ж это я от своего прихода побегу? Не пристало духовному лицу, рясу подобравши, от лягушатников бегать. Господь не допустит, а коли будет на то его воля, так за веру православную и смерть принять не грех.

Отец Евлампий хотел было добавить, что за такую мученическую погибель священный синод запросто может причислить его к лику святых, но сдержался, своевременно припомнив, что гордыня относится к числу смертных грехов и не пристала скромному приходскому свящснику.

— И-эх! — махнув фартуком, скорбно промолвила матушка Пелагия Ильинична и хотела, видимо, что-то добавить, но тут звонарь вверенного попечительству отца Евлампия храма углядел, наконец, вступившего в деревню неприятеля и, по всему видать, спьяну, ударил в набат, словно где-то случился пожар или из леса выскочили на своих коротконогих лошаденках раскосые татары.

Тревожный гул поплыл над опустевшей деревней. Передний всадник на высоком гнедом жеребце недовольно покрутил головой, дернул себя за длинный русый ус и, поворотившись к своему ближайшему товарищу, сказал на чистом русском языке:

— Дурак народ! Ей-богу, дурак! Что он, очумел, что ли?

Товарищ его, щелчком взбив бакенбарды, из которых при этом вылетели два облачка пыли, в точности как из старой перины, отвечал ему с кривой усмешкой:

— За французов, видно, приняли. То-то будет ладно, коли они нас в рогатины возьмут!

Передний всадник совершенно по-лошадиному фыркнул в усы и, вынувши из кармана расшитый бисером кисет, принялся набивать носогрейку.

— В рогатины — это еще что, — сказал он, перекрикивая дребезжащий набатный колокол. — Сказывали, что Бонапарт по деревням подметные письма раскидывает, волю мужичкам сулит.

— Брешут, — уверенно отвечал его приятель, но руку при этом зачем-то опустил на рукоять сабли.

Деревня словно вымерла, и непонятно было, для кого гудит набат. По обе стороны дороги стояли весьма крепкие и зажиточные с виду дома, носившие на себе неизгладимые следы краткого присутствия отступавшей армии и торопливого исхода своих обитателей. Передний всадник недовольно повел усом сначала в одну сторону, потом в другую и принялся стучать огнивом, высекая огонь.

— Брешут или не брешут, — проворчал он сквозь стиснутые зубы, в которых зажата была носогрейка, — а твои, брат Званский, мечты о парном молоке и мягкой постели — пфуй!

С последним словом он выпустил из сложенных трубочкой губ струйку табачного дыма и помахал в воздухе грязной ладонью, показывая, как улетели по ветру мечты его товарища.

Набат вдруг стих едва ли не на половине удара — звонарь, как видно, признал, наконец, во всадниках соотечественников, а может быть, просто устал дергать веревку. Смуглый Званский поправил на голове кивер, нервно дернув его за козырек. В наступившей тишине стала слышна усталая поступь лошадей и позвякиванье сбруи.

— Слава те, господи, — сказал Званский, — замолчал. А то, не поверишь, все кажется, будто где-то пожар.

— Пожар там, — мрачно проговорил его усатый товарищ по фамилии Синцов, указывая большим пальцем через плечо — туда, где догорал оставленный ими в числе последних Смоленск.

Все, что осталось от N-ского гусарского полка — немногим более сорока всадников и десяток раненых на двух бричках, — являло собою жалкое зрелище. Блестящая гусарская форма, при виде которой замирали сердца уездных барышень, запылилась, изорвалась, местами была прожжена насквозь и покрылась бурыми пятнами засохшей крови. Там и тут в нестройной колонне мелькали грязные кровавые бинты. Усталые лошади лениво передвигали ноги, уныло мотая головами. И они, и сидевшие в седлах люди отчаянно нуждались в отдыхе. Временами кто-нибудь из раненых принимался слабым голосом просить воды. Между конскими крупами мелькали драные мундиры и белые наплечные ремни двух или трех прибившихся к отряду пехотинцев, которые отстали от своих частей. Ружья свои с примкнутыми багинетами они держали на плечах, как держат возвращающиеся с полевых работ крестьяне какие-нибудь косы или грабли.

Поручик Синцов, возглавивший отступление того, что язык как-то не поворачивался назвать полком, развалясь в седле, угрюмо посасывал свою носогрейку. Был он худого рода, но славился в полку как первейший храбрец, игрок, дамский угодник, задира и бретер. В горячем деле равных ему сыскать было трудно. Был он вспыльчив, горяч и скор как на руку, так и на язык. За дуэль его разжаловали было в солдаты, но Синцов благодаря своей храбрости довольно скоро получил прежний чин и вернулся в полк, ничуть не изменившись за время своего отсутствия — все такой же дерзкий, бесстрашный и вечно в долгу, как в шелку. «Вот гусар, — говорили про него офицеры, — как есть гусар!» Командир полка, однако же, во время таких разговоров помалкивал, кусая черный с проседью ус и глядя в сторону, как будто имел на счет Синцова собственное, отличающееся от остальных, мнение.

Дернув за повод, Синцов поворотил коня и шагом подъехал к бричке, в которой лежал, закрыв глаза и запрокинув к небу бледное от потери крови лицо, до подбородка укрытый ментиком командир полка полковник Белов.

— Господин полковник, — позвал он, — Василий Андреевич! Деревня, господин полковник. Надо бы здесь на ночлег остановиться.

Полковник не отвечал — он был без сознания. Синцов, хмурясь и грызя, в подражание полковнику, длинный ус, огляделся по сторонам. Деревня выглядела вымершей: жители бежали все до единого, прихватив с собой все, что могли унести. Правда, кто-то бил же только что в набат! Да только много ли проку будет от деревенского дьячка полусотне голодных, измученных гусар и такому же количеству лошадей!

— Черти, — проворчал поручик, терзая ус, — попрятались, мерзавцы! А вот изловить этого звонаря и пороть до тех пор, пока не скажет, где его земляки вместе с провиантом прячутся!

Он уже начал вертеть головой, прикидывая, кого бы отправить на поиски звонаря, но тут к нему, отделившись от нестройной колонны всадников, подъехал молодой человек в запыленной и прожженной у плеча зеленой юнкерской куртке. Поверх пыльных шнуров на груди у него висел солдатский крест, ножны офицерской сабли с темляком звякали о стремя. Его загорелое лицо с легким черным пушком на том месте, где полагалось быть усам, носило то же выражение угрюмой озабоченности, что и у всех его товарищей, но у него это выражение несколько смягчалось юношеской округлостью черт.

— Деревня пуста, господин поручик, — сообщил он новость, которая для Синцова новостью не являлась.

— Сам вижу, — буркнул Синцов. Едва заметный польский акцент молодого человека заставил его поморщиться. Поручик не любил поляков и не желал понимать, какого дьявола поляк делает в русском гусарском полку. Для него этот недавно произведенный в корнеты и еще не успевший обмундироваться семнадцатилетний мальчишка был почти готовым перебежчиком и шпионом. Кроме того, он, по слухам, был чертовски богат, что делало его присутствие здесь, на Московской дороге, окончательно непонятным для Синцова. В самом деле, какого черта?! Сидел бы себе в своем имении, пил бургундское и любезничал с французскими офицерами, как остальные его соотечественники!

Впрочем, подолгу размышлять о подобных вещах поручик Синцов не привык. Мальчишка неплохо держался под огнем и всегда вовремя отдавал долги — чего же боле?! Если бы еще не этот его акцент, не эта его польская шляхетская фанаберия...

— С фуражом и провиантом здесь будет туго, — с видимым трудом пропустив мимо ушей грубость Синцова, продолжал корнет. — Крестьяне прячутся где-то в лесу, и...

— Вот что, корнет, — перебил его Синцов, хмурясь сильнее прежнего, — диспозиция мне ясна и без тебя. Ежели у тебя есть что сказать, говори, а коли нет, не обессудь. У меня и без пустой болтовни башка трещит.

Корнет закусил губу и несколько секунд молчал, комкая в кулаке поводья. Справившись с раздражением, он снова заговорил прежним ровным тоном.

— Я хотел лишь сообщить вам, — сказал он, сделав заметное ударение на слове «вам», — что неподалеку отсюда расположен дом князя Вязмитинова. Возможно, он покинут так же, как и деревня, но там нам будет удобнее во всех смыслах. Быть может, в кладовых дома остались кое-какие припасы, которые нам очень пригодятся. К тому же, дом стоит в стороне от большой дороги, что на время обезопасит нас от внезапного нападения неприятеля.

— Гм, — с глубокомысленным видом произнес поручик, мигом оценивший все выгоды сделанного корнетом предложения, — что ж... А далеко ли до дома?

— Версты четыре, — отвечал корнет, — никак не дальше. Место там уединенное, дом просторный...

— Да ты бывал здесь, что ли? — спросил Синцов, удивленный познаниями поляка в географии Смоленской губернии.

— Да, — отвечал корнет, — мне приходилось гостить у князя. Я был представлен ему в Петербурге и имел честь быть приглашенным в гости.

— Знатно! — насмешливо проговорил Синцов. — А уж нет ли у князя хорошенькой дочки?

Насмешка его была вызвана жгучей завистью: Синцов не мог даже мечтать быть принятым в круги, где свободно вращался этот полячишка, у которого всего-то и было, что громкое имя да огромное отцовское состояние.

— Полагаю, поручик, что это к делу не относится, — сухо ответил корнет и выпрямился в седле, как на параде.

— Ну, может, и не относится, — буркнул Синцов, с несвойственным ему благоразумием решив, что сейчас не самое подходящее время для ссоры. — Добро, корнет, веди к князю. А что, богатые у него погреба? Я бы сейчас рейнвейну — у-ух-х!..

Не дожидаясь ответа, он пришпорил гнедого и хриплым от усталости и забившей горло пыли голосом прокричал команду. Дойдя до околицы, отряд повернул в сторону княжеского дома и вскоре скрылся в лесу.

* * *

В то время, как отставший от арьергарда корпуса Дохтурова отряд гусар входил в лес, навстречу ему по лесной дороге двигался одинокий всадник на крупном вороном жеребце. Всадник был одет в форму ротмистра Орденского кирасирского полка и имел потрепанный, усталый вид человека, чудом уцелевшего в сражении и вдобавок отставшего от своей части. Его черная кираса была покрыта пылью и вмятинами, каска с высоким волосяным гребнем и медным налобником, на котором была вычеканена звезда ордена святого Георгия, сбилась на сторону, длинный палаш в поцарапанных ножнах глухо звякал о стремя, а карабин в чехле висел под рукой так, чтобы его в любой момент можно было без промедления пустить в дело. Коротко говоря, вид он имел довольно странный; и не столько странна была его усталая фигура, сколько направление, в котором двигался кирасир. Не то заблудившись, не то по какой-то иной причине, но ехал он прямиком навстречу наступающему неприятелю. К тому же, конь его, великолепный вороной жеребец, хоть и был до самых ноздрей покрыт вездесущей дорожной пылью, в отличие от своего седока не выказывал никаких признаков усталости. Поступь его была ровной и уверенной; он даже не вспотел, словно перед дорогой успел хорошенько отдохнуть и подкормиться.

Внезапно кирасир насторожился, натянул поводья и, еще больше сдвинув на сторону каску, стал чутко вслушиваться в лесной шум. Его рука в грязной белой перчатке с раструбом легла на рукоять торчавшего из-за пояса пистолета. Через некоторое время привлекший его внимание шум сделался более явственным, и в нем можно было различить стук лошадиных копыт, людские голоса и громыхание повозок. Это могли быть как русские, так и французы. Не желая, по всей видимости, без нужды испытывать судьбу, кирасир торопливо спешился и, взяв коня под уздцы, увлек его в гущу леса, откуда стал наблюдать за дорогой, держа наготове взведенный пистолет.

Вскоре из-за поворота лесной дороги показались первые всадники. На них были зеленые ментики и синие рейтузы N-ских гусар. Судя по их виду, они недавно вышли из арьергардного сражения и никак не могли догнать армию. Кирасир при виде соотечественников почему-то не проявил радости, напротив, он, сунув за пояс пистолет, обеими руками обхватил морду коня, чтобы тому не вздумалось ржанием выдать его местонахождение.

Передний гусар, русый усатый красавец с квадратным подбородком и наглыми, навыкате, светло-голубыми глазами, дымил короткой трубкой, пропуская дым через густые усы и невнимательно вслушиваясь в то, что говорил ему ехавший рядом юнец в юнкерской тужурке с солдатским крестом, но·при этом с офицерской саблей на боку. Разглядев как следует этого юнца, засевший в кустах кирасир забыл об осторожности и, выпустив конский храп, снова потянулся за пистолетом.

— Каков случай! — чуть слышно прошептал он. — Нет, каков случай, черт возьми!

Конь его, словно только того и дожидался, захрапел и издал короткое пронзительное ржание, тряся головой и бренча кольцами уздечки. Пробормотав ругательство, ротмистр поспешно схватил коня под уздцы, но было поздно: его обнаружили. Четыре десятка сабель со свистом выпрыгнули из ножен, и не менее пятнадцати пистолетных стволов уставились в его сторону широкими черными зрачками. Защелкали взводимые курки, и усатый поручик, зажав в кулаке носогрейку, хрипло крикнул в лес:

— А ну, выходи, кто там! Выходи, не то велю стрелять!

Кирасир зло толкнул пистолет за пояс и в последний раз посмотрел на юношу в юнкерской тужурке. Тот, закаменев от напряжения лицом, целился в лесную чащу из пистолета, и кирасиру почудилось, будто дуло его смотрит прямо в георгиевскую звезду у него на лбу.

— Не везет, — пробормотал он. — Матка боска, до чего же не везет!

По-прежнему держа под уздцы коня и подняв кверху пустую правую ладонь, он вышел на дорогу под дула нацеленных на него пистолетов и ружей нескольких затесавшихся в гущу гусар пехотных солдат.

— Не стреляйте! — густым, не лишенным приятности баритоном воскликнул он. — Я свой! Ротмистр Орденского кирасирского полка Огинский!

— Ба! — крикнул, как выстрелил, поручик Синцов. — Кирасир! Нашего полку прибыло! Ну, теперь держись, Бонапарт! Как, как? Огинский?

Он с удивлением во взгляде обернулся на ехавшего рядом с ним корнета.

— Еще один Огинский? Что за черт? Родственник?

— Кузен, — отвечал корнет Огинский, также удивленно подняв брови.

Впрочем, удивление на его лице быстро уступило место выражению неподдельной радости от нежданной встречи с сородичем. Гремя саблей, он спешился и, бросив поводья на луку, шагнул навстречу кузену.

— Какими судьбами, брат? — спросил он, раскрывая объятия. — Глазам своим не верю! Откуда ты?

— Отстал от своих, как видишь, — отвечал кирасир с радостной улыбкой на лице — такой чрезмерно широкой, что она напоминала волчий оскал, и только такой молодой и неискушенный в дипломатии человек, как корнет, мог не видеть всей фальши, что была заключена в этой улыбке. — Ну и чертово же пекло было там, у моста! Я вижу, поручик, — продолжал он, обращаясь к Синцову, — что старший здесь вы. Не позволите ли присоединиться к вашему отряду?

— Не раньше, чем вы объясните, по какой причине отсиживались в лесу, — хмурясь и кусая ус, ответил Синцов, не любивший поляков и не помнивший, чтобы в бою у переправы участвовали кирасиры Орденского полка.

— Право же, — выпуская из объятий кузена и горделиво выпрямляясь, сказал кирасир, — ваш тон оставляет желать много лучшего. В чем, позвольте узнать, вы изволите меня подозревать? В лесу я скрывался потому, что не знал, кто вы. Ваши люди, поручик, тоже не очень похожи на регулярную армию...

— Они-то как раз и есть регулярная армия, — возразил Синцов и по примеру полковника Белова подкрутил левый ус. Про правый ус он позабыл, и тот остался висеть книзу, отчего физиономия гусара сделалась неуловимо похожей на морду драчливого кота. — Да и люди все наши, русские... А впрочем, виноват. Прошу простить. Устал, видите ли, как пес. Имею честь предложить вам место в нашем строю, коли вы еще не передумали.

— Благодарю, поручик, — сказал кирасир и легко забросил свое крупное тело в седло.

Поправив каску и разобрав поводья, он легонько тронул коня шпорами и занял место в колонне между Синцовым и своим кузеном.

— А ваш родственник, видите ли, вызвался нас проводить, — сказал Синцов кирасиру, когда колонна тронулась. — Этакий, знаете, Иван Сусанин шиворот навыворот: там русский мужик поляков в болоте потопил, а тут поляк русских гусар в лес тащит. Ну, шутка, шутка! — закричал он, заметив, как поджал губы молодой Огинский. — Корнет наш молодец хоть куда, это вам любой скажет. Шуток только не понимает. Что, корнет, далеко ли еще до имения?

— Близко, — коротко отвечал корнет и, дабы не испытывать более своего терпения, отстал от Синцова с кузеном, хотя его и подмывало поговорить с родственником поподробнее.

Ему было одиноко. По собственному желанию и вопреки воле отца он отказался от выхлопотанного для него места в гвардии, записавшись в армейский гусарский полк, в то время как многие, если не подавляющее большинство его соотечественников, радостно приветствовали Бонапарта. Наследник титула и огромного по любым меркам состояния, юный Огинский со всем пылом молодости стремился к ниспровержению тирана и узурпатора, каковым полагал Наполеона. Он считал, что его место в действующей армии, и был доволен полученным назначением — вернее, был бы доволен, если бы не ядовитые шутки Синцова. Честь польского шляхтича возмущалась от

14

этих шуток, и много раз корнет Огинский удерживался от того, чтобы бросить поручику вызов. Причиной его сдержанности был не страх перед более сильным и опытным противником, как ошибочно полагал Синцов, но понимание того, что фронт — не самое лучшее место для дуэлей. Перед лицом неудержимо наступающего неприятеля глупые шутки и мелочные обиды представали совсем в ином свете, нежели в мирное время; кто бы ни одержал верх в поединке, смерть или ранение одного из дуэлянтов были бы на руку французам, и никому более.

Глядя по сторонам на заросшие густым лесом обочины знакомой дороги, корнет с трудом удерживал вздох. Ему представлялся брошенный, опустевший дом, в котором некогда он провел столько сладостных часов в обществе внучки старого князя, очаровательной Марии Андреевны. Словно наяву видел он пустой бальный зал с выбитыми стеклами, в котором сквозняк с шорохом гонял по паркету нанесенные сухие листья, и вспоминал, как вальсировал в этом зале с незабвенной Мари... Корнет был влюблен так, как бывают влюблены люди в семнадцать лет, когда им кажется, что их любовь будет длиться вечно и что такого чувства не испытывал до них никто в целом свете.

С грустью думал он о том, что старый князь Александр Николаевич благосклонно поглядывал в его сторону, когда он танцевал с Марией. Дело, казалось, верно шло к помолвке, но теперь между корнетом и помолвкой пролегла война — не скоротечная кампания, которая начинается и заканчивается в течение одного месяца, а настоящая война, полная тягот, крови и смертей. Даже дом, в котором жила его возлюбленная, должен был вот-вот достаться неприятелю на позор и разграбление.

Думая о том, что дом покинут, корнет испытывал одновременно и грусть, и радость. Он отдал бы пол-жизни за то, чтобы еще раз увидеться с княжной, но то, что она, без сомнения, покинула свое имение вместе с отцом и прислугой, не могло его не радовать. Галантность французов хороша в бальных залах; то, во что превратился взятый ими Смоленск, говорило само за себя. Юным барышням не место на войне. Да что там французы! Один Синцов чего стоит! Право, когда бы не война, не миновать бы ему дуэли с корнетом Огинским! Либо стреляться, либо рубиться на саблях, как это принято в Польше — но до конца, до смерти!

Пока корнет Огинский предавался своим невеселым размышлениям, в голове колонны между его кузеном и поручиком Синцовым происходил весьма любопытный разговор.

Ради удовольствия видеть новое лицо и говорить с ним поручик преодолел свою природную неприязнь к полякам и поначалу неохотно, а потом все более увлекаясь, поддержал навязанную ему кирасирским ротмистром беседу. Старший Огинский угостил Синцова табаком, который оказался много лучше того, которым гусар обыкновенно набивал свою носогрейку, а когда тот в очередной раз заявил, что был бы весьма не прочь выпить глоток рейнвейну, с улыбкой отстегнул от пояса флягу и повернул ее поручику. Синцов понюхал пробку и поворотил к попутчику лицо с удивленно вздернутыми бровями: во фляге был именно рейнвейн. После доброго глотка, а вернее сказать, после пяти добрых глотков, чувства поручика Синцова к незнакомому кирасиру значительно потеплели, и он незамедлительно перешел с ротмистром на «ты».

— А что, брат Огинский, — проговорил он, с удовольствием попыхивая трубкой и облизываясь после вина, как кот после сливок, — я гляжу, ты не слишком жалуешь своего родственника?

Огинский тонко улыбнулся, не подавая вида, что его покоробила фамильярность армейского гусара. Он окинул быстрым косым взглядом вольно раскинувшуюся в седле фигуру поручика, покосился через плечо назад и снова посмотрел на Синцова. Этот человек был ему в общих чертах ясен; понятно было, что его можно использовать в своих целях.

— Родственные отношения — штука сложная, — уклончиво отвечал он на хорошем, почти без акцента, русском языке. — Бывает так, что брат за брата жизнь готов отдать, а бывает... Бывает и иначе. Я вижу, поручик, что вы человек чести и не станете разглашать подробности нашего разговора. Антр ну, как говорят французы, между нами... Вы меня понимаете, надеюсь?

— Не дурак, — подтвердил Синцов и затянулся трубкой. — Сроду не болтал. Не люблю болтунов, шаркунов паркетных... Зубами бы рвал, в куски рубил бы!

Было видно, что, хоть он и привык держаться орлом, но выпитое на голодный желудок вино основательно ударило ему в голову. Окинув его еще одним внимательным взглядом из-под черных бровей, ротмистр Огинский решил, что момент настал. Все-таки судьба была на его стороне, давая ему шанс между делом достигнуть цели, даже не замарав при этом рук.

— Так вот, — на всякий случай понизив голос, продолжал он начатый разговор, — как вы верно заметили, большой любви между мною и моим кузеном нет. Говоря по совести, я дорого бы отдал за то, чтобы он пал под Смоленском от французской пули. А ежели бы кто подстрелил его на дуэли, да так, чтобы наверняка... не знаю даже. Я бы для такого человека чего угодно не пожалел.

Синцов покосился на него, грызя ус, и недобро усмехнулся.

— Девицу, что ли, не поделили? Нет, врешь, какие там девицы! Молчи, сам угадаю. Наследство?

Ротмистр только дернул плечом, давая понять, что вопрос Синцова неуместен. Нимало не смущенный этим жестом поручик коротко хохотнул и снова принялся грызть ус, который у него уже сделался заметно короче другого.

— Точно, наследство, — сказал он. — И что вы за народ такой — поляки? Не пойму я вас. А впрочем, в чужой монастырь со своим уставом... Ладно, пустое. Ну, а так, любопытства ради: сколько бы ты за такое дело не пожалел?

Ротмистр снова улыбнулся тонкой, хищной улыбкой, блеснувшей на его закопченном лице, как лезвие сабли.

— Что ж говорить, когда пустое, — тоном притворного равнодушия промолвил он. — Ну, скажем, тысячу бы дал, не думая. Золотом, — добавил он, рассеянно глядя в сторону.

— Тысяча — это, не спорю, деньги, — выбивая трубку о ладонь и пуская по ветру пепел, задумчиво сказал Синцов. — А только я бы на такое черное дело меньше, чем за пять тысяч, не пошел бы. Да что рядиться, когда это все так, только для разговора!

— Для разговора, верно, — без нужды оправляя портупею, сказал Огинский. — Однако, пять тысяч — это, сами посудите, ни с чем не соразмерно. Полторы — это еще куда ни шло, да и то... У меня ведь при себе только тысяча и есть.

Гусар подобрался в седле и пошарил глазами по фигуре кирасира, словно стараясь нащупать кошелек. Финансовое положение поручика Синцова можно было, не кривя душой, назвать отчаянным: он задолжал товарищам по полку не менее трех тысяч золотом, а денег взять было неоткуда. Многие из его кредиторов полегли под Смоленском, отбивая кавалерию Мюрата от моста через Днепр, но у них остались родные, да и среди тех, кто ехал сейчас следом за ним по этой лесной дороге, можно было с трудом насчитать пять человек, которым поручик не задолжал хотя бы небольшую сумму. Поэтому сделанное прямо в лоб предложение кирасира, хоть и было, как понимал Синцов, совершенно бесчестным и даже подлым, могло в случае успеха решить все его проблемы. А уж в успехе-то поручик не сомневался ни минуты: из пистолета он попадал в пикового туза с тридцати шагов, а на саблях мог побить любого.

— В таком деле, — лениво, словно через силу, проговорил Синцов, — и в долг поверить можно. Под расписочку, конечно. Что такое полторы тысячи, когда речь идет о наследстве? Тьфу, и растереть! Меньше, чем за четыре, охотника не сыскать.

— Ну, ну, поручик, — с усмешкой сказал Огинский, — остыньте. Мы ведь не в Париже! Здесь, в России, людей режут за копейку. Две, — добавил он, подумав. — Одна вперед, одна в долг. И никаких расписок. Мы же с вами дворяне, какие могут быть между нами расписки, да еще в таком деле!

— А! — вполголоса воскликнул Синцов с весьма довольным видом. — Так ты это серьезно!

— Помилуйте, поручик, как можно! Не вы ли давеча обвиняли моего кузена в том, что он шуток не понимает? А теперь сами туда же...

— Экий ты, брат, шутник, — после тяжелой паузы сказал Синцов неприятным голосом. — Только не худо бы тебе меру в своих шутках знать, а то я ведь могу того... бесплатно кого-нибудь продырявить.

— Полно, полно, поручик, — примирительно сказал ротмистр. — Что же вы, право, как порох... В серьезном деле горячиться не след, не то как раз останешься и без денег, и без головы. А деньги... Говорю же вам, что с собой у меня всего одна тысяча. Расписки — чепуха, ведь война кругом. А вдруг которого из нас завтра убьют? Что вам тогда в моей расписке? А коли живы останемся — сочтемся как-нибудь. Получу наследство — отсыплю все пять, как вы просили, и от себя еще добавлю. Дядюшка мой, признаться вам по чести, дышит на ладан, так что...

Он нарочно не договорил, предоставив Синцову возможность самостоятельно сообразить, что синица в руках лучше журавля в небе. Поручик поразмыслил, снова попросил у ротмистра флягу, хлебнул вина, утер губы и сказал:

19

— Неловко, черт... Да только мальчишка давно волком смотрит, и я его, признаться, не люблю. И потом, ведь ты, ротмистр, все одно его со свету сживешь — не мытьем, так катаньем. А, пропади оно все пропадом! Согласен. Только деньги вперед.

— Нынче же вечером, — пообещал ротмистр. — Только без шуток, поручик.

— Да уж какие тут шутки, — криво ухмыльнулся в усы Синцов. — Так, для разговору только...

Десятью минутами позже, когда все было окончательно решено, лес расступился, и всадники выехали на косогор, с которого открывался вид на имение старого князя Вязмитинова. Они пустили коней в галоп, и кони, почуяв близость жилья, с охотой понесли их под гору навстречу ночлегу.

Глава 2

Князь Александр Николаевич Вязмитинов характер имел тяжелый и неуживчивый, что стало особенно бросаться в глаза ближе к старости. В выражении своих мыслей и чувств князь никогда не стеснялся, из-за чего при императоре Павле Петровиче угодил в опалу и был удален из Петербурга в свое имение под Смоленском. Император Александр Павлович звал его обратно, но старый ворчун к тому времени окончательно разочаровался в свете и отправил в столицу письменный ответ, составленный с оскорбительной вежливостью и выражавший полный и недвусмысленный отказ от участия в светской жизни.

Тем не менее, влияние, хоть и невольное, князя Вязмитинова на жизнь высшего общества до сих пор оставалось велико. Так, не желая того и ничего о том не ведая, влияет большая планета на обращение малых — не потому, что ей того надобно, а просто в силу своего существования. Состояние и связи могущественного екатерининского вельможи были столь велики и обширны, что их просто невозможно было сбросить со счетов. Многие не избегали соблазна прибегнуть к протекции старого затворника, но мало кто добивался в том успеха. Случалось, что старый князь, сохранивший в свои семьдесят с лишком лет замечательную живость ума и крепость тела, самолично потчевал гостей клюкою, на которую опирался при ходьбе — опять же, не потому, что имел нужду в подпорке, а в силу какой-то необъяснимой старческой причуды.

Чудачества старого князя вошли в поговорки, а потом вдруг в одночасье прекратились, словно их отрезало ножом. Причина тому была проста и общеизвестна: у князя появилась воспитанница, для блага которой ему поневоле пришлось несколько усмирить свою гордыню и снова начать принимать гостей.

Воспитанница эта была его внучкой. Невестка князя Вязмитинова умерла родами, а его сын, полковник Андрей Александрович Вязмитинов, пал под Шенграбеном во время наполеоновской кампании 1805 года. Получив печальное известие, старый князь обозвал убитого сына дураком, страшно накричал на своего прослезившегося камердинера Архипыча и удалился в кабинет, гулко ударив дверью. В кабинете он до самого утра в полной тишине жег свечи, наводя тем самым тревогу и страх на прислугу, а поутру велел запрягать и самолично отправился в имение сына, где под присмотром нянек и гувернантки жила его внучка Мария Андреевна, коей в ту пору едва исполнилось девять лет.

Он привез внучку к себе вместе с гувернанткой-француженкой и стал воспитывать ее (понятно, что внучку, а не гувернантку) на свой лад. Правда, гувернантке досталось тоже: с той самой минуты, как пришло известие о гибели сына, старый князь, в совершенстве владевший парижским диалектом, не сказал по-французски ни единого слова и, более того, наотрез отказывался понимать французскую речь, что сделало жизнь француженки в его доме трудно переносимой. Отныне бедняга могла общаться только с юной княжной, чему старый чудак нимало не препятствовал: он вовсе не желал, чтобы у его внучки имелись пробелы в воспитании. Он даже удвоил француженке жалованье, однако в ответ на высказанные по-французски слова благодарности лишь сердито пожал плечами и скрипучим старческим голосом проговорил:

— И что лопочет, ни слова не пойму!

Во внучке Александр Николаевич души не чаял и, как уже было сказано, занимался ее воспитанием сам. В силу какой-то своей причуды старый князь не хотел, чтобы княжна со временем превратилась в пустоголовое украшение петербургских салонов, и тщился дать ей по возможности обширное образование. Когда пришла пора, он выписал из столицы учителя музыки и танцев, которого решительно и беспощадно удалил из дома, как только решил, что его услуги более не требуются княжне.

Княжна Мария Андреевна в свое время, как и следовало ожидать, выросла, превратившись в настоящую красавицу. Сердито кряхтя и бормоча под нос слова, которых не знала его внучка, князь начал давать приемы и балы. Недостатка в гостях на его приемах не было, поелику речь шла об одной из богатейших и завиднейших невест не только в Смоленской губернии, но, пожалуй, и во всей Российской империи. Князь почти перестал чудить на людях и даже забросил свою клюку — подальше от соблазна, как объяснил он однажды внучке, на что та звонко рассмеялась и чмокнула его в лысину. Мария Андреевна едва ли не одна в целом свете знала, что за человек скрывался под личиной старого своенравного ворчуна, и понимала его полностью — не только то, что он говорил, но и то, что оставалось невысказанным.

Нашествие Бонапарта старый князь воспринял спокойно. «Этот выскочка пытается откусить больше, чем может проглотить, — ворчливо заявил он. — С нашими генералами откусить — не фокус, а вот каково-то будет глотать? Как бы не подавился ваш хваленый корсиканец».

Корсиканец, однако, и не думал давиться, победоносно завоевывая губернию за губернией. Когда французские войска подошли к Смоленску, князь, недовольно кряхтя и с большой неохотою, велел укладывать вещи. Отъезд был назначен на утро, а в последний вечер случилась вещь вполне естественная, но менее всего ожидаемая и пришедшаяся как нельзя более некстати в столь тревожный момент: восьмидесятилетнего старца хватил удар.

Он лежал на подушках, усохший и тихий, и правая, разбитая параличом половина лица его составляла разительный и страшный контраст с живой левой. До полуночи вокруг него суетилась заплаканная прислуга. После полуночи князь впал в тяжелое забытье. Мария Андреевна провела эту ночь у его постели, а наутро как-то вдруг оказалось, что вся прислуга в одночасье покинула дом. Исчезли не только лакеи, повара, конюхи и горничные; исчезли даже гувернантка-француженка и старый камердинер князя Архипыч. Придя в себя и узнав о случившемся, князь утешительно похлопал внучку по руке сухой и слабой ладонью левой, не затронутой параличом руки, и с трудом, невнятно пробормотал:

— Нечему тут удивляться. Верный раб есть вещь, противная натуре. А натура насилия над собой не прощает. Разбежались тараканы... А и тебе таки пора.

Княжна на это лишь улыбнулась и со спокойствием, которое дорого ей далось, отвечала, что покинет дом не ранее, чем он сумеет подняться с постели и отправиться в путь вместе с нею.

— Хвостом-то не юли, — одной половиной рта трудно выговорил князь. — Видишь ведь, что ездок из меня теперь никудышный. Отныне и присно, как в писании сказано. Видно, пришло мое время. Да и то сказать, уж девятый десяток годков небо копчу. Пора и честь знать... Ну, ну, реветь не смей! Знаешь ведь, что сырости этой не терплю! Поди, займись там чем-нибудь! Ну, ступай, ступай!

Княжна пошла бродить по опустевшему дому, безучастно отмечая в уме следы поспешного бегства прислуги. Кладовые оказались разграблены подчистую; исчезло также кое-что из фамильных драгоценностей. Мария Андреевна ничего не сказала об этом деду, с неожиданной для ее шестнадцати лет трезвостью ума рассудив, что ежели он выздоровеет, то и драгоценностей не жаль, а ежели, не дай бог, умрет, так ничего не жаль и подавно: на что ей камни и золото, коли не будет больше рядом самого родного, самого доброго и любимого человека?

Ближе к полудню неожиданно вернулся Архипыч, неся в сумке двух пойманных силками зайцев. «Говори мне после этого, что ты не браконьер», — проворчал при виде его добычи князь, на что привычный к такому обращению Архипыч только низко поклонился.

Княжна немного поплакала над зайцами (плакать над князем она не решалась, боясь разгневать больного и тем приблизить конец), а после, несмотря на протесты Архипыча, помогла ему освежевать тушки и приготовить еду.

За работой Архипыч рассказал ей новости. Дворня, по его словам, разбежалась кто куда, что и без него было понятно. Смоленск, сказал Архипыч, сдан французу и вторые сутки горит свечою; через Вязмитиново прошло отступающее русское войско, так что селяне в чаянии бед и напастей разбрелись по окрестным лесам, забрав с собой скотину и все, что можно было унести. Округа опустела, и не сегодня-завтра следует ждать в гости Бонапарта. О том, что не худо было бы и самим унести ноги подалее от супостата, Архипыч умолчал, за что княжна была ему весьма признательна. Старик-камердинер, конечно же, понимал, что ни бросить старого князя, ни перевозить в теперешнем его состоянии просто нельзя, и принимал уготованную ему судьбу со спокойным смирением. Кроме того, лошадей из конюшни увели всех, и Архипыч благодарил Господа за то, что князь уж много лет как забросил псовую охоту. Псарни были пусты, и старому камердинеру не приходилось хотя бы заботиться о пропитании собак, коих в иные времена у князя насчитывалось до двух сотен.

Слушая его, княжна грустила все более. Представлялся ей разоренный, разломанный ядрами, горящий Смоленск, хотя она не могла в полной мере вообразить степень разрушений, причиненных городу длившимся двое суток сражением двух великих армий. Она не могла не думать о том, как это будет, когда придут французы; рассказы гувернантки мадмуазель Тьери о галантности парижских кавалеров вряд ли можно было примспить к военному времени. Кавалеры кавалерами, а голодные, потные и озлобленные вражеские солдаты, наверное, не станут говорить комплименты и вежливо проситься на постой. Французы представлялись княжне Марии огнедышащими чудищами, драконами с конскими хвостами на головах. Ведь недаром же по-французски «дракон» и «драгун» — одно и то же слово... Эти самые драконы семь лет назад до смерти убили ее отца, так что им стоит расправиться с дочерью?

Княжна тряхнула головкой, прогоняя тревожные мысли. Уж верно, дед отчитал бы ее за подобные рассуждения, когда бы только узнал о них. Еще, чего доброго, обругал бы «салонной мамзелью», что на его языке означало то же, что у иных людей просто «дура». Быть салонной мамзелью и, уж тем более, дурой княжне не хотелось. Старый князь не шутил, когда брался дать внучке разностороннее образование; главным результатом этого его образования стали умышленно взращенные им в юной княжне твердость духа и трезвость мысли, о которых сама она до поры даже не подозревала. Эти качества должны были непременно пригодиться богатой и знатной девице, оставшейся в свете без родительского попечения и надзора. Князь Александр Николаевич не предполагал жить вечно и сомневался даже, что успеет устроить брак своей внучки. Добро, коли вовремя сыщется достойный супруг; а ежели нет, тогда как?

Лежа на высоких подушках в своей спальне и с брюзгливой миной на морщинистом сухом лице наблюдая за тем, как суетится вокруг, по-стариковски шаркая подошвами, верный Архипыч, князь думал о том, что многого не успел довершить из того, что начал. Вот и внучку, Машеньку, не пристроил как полагается. Добро хоть завещание составил по всей форме, так что никакая седьмая вода на киселе не сумеет наложить на наследство свои жадные лапы; ну, да это уж давно, сразу же после смерти сына...

Болезнь и предчувствие близкой смерти слегка затуманили острый разум старого князя; он и думать забыл о Наполеоне, о падении Смоленска и о том, что надобно бежать в Москву. Предательское бегство прислуги, воспринятое им с таким философским спокойствием, было им забыто спустя какой-нибудь час. В спальне то и дело мелькал Архипыч, заходила внучка, а более ничего и никого старому князю не требовалось. Спокойно, не торопясь, но и не медля, он готовился отправиться в последний путь без надежд и разочарований, как бывалый странник собирается в дальнюю дорогу.

Мысли княжны Марии Андреевны между тем самым естественным образом перешли с ужасов войны на военных и, в частности, на некоего молодого человека, который в это самое время приближался к усадьбе на гнедой гусарской кобыле, устало и несколько обиженно глядя в спину своему кузену, увлеченно беседовавшему с его недругом поручиком Синцовым.

Княжна не испытывала к молодому Огинскому той пылкой любви, которую чувствовал или думал, что чувствует, он. Она была увлечена, спору нет; но ей казалось, что настоящая любовь — такая, как бывает в романах, — имеет мало общего с теми чувствами, которые она питала в отношении молодого польского дворянина. Ей было с ним весело, легко и интересно, она любила танцевать с ним и расспрашивать его о том, что это за Польша такая и как живут в ней люди. Он был католик, а приходской священник отец Евлампий не жаловал католиков, говоря, что все они — слуги дьявола. Старый князь, впрочем, имел по сему поводу свое персональное мнение, как всегда, отличное от общепринятого. Он называл отца Евлампия старым дурнем, после чего обыкновенно крестился и просил прощения у господа с таким видом, будто говорил: прости, господи, но мы-то с тобой хорошо понимаем, что я имел в виду!

Он подробно разъяснил княжне разницу между православным и католическим вероисповеданием, поминутно глубоко забираясь то в древнюю историю, то в откровенную ересь. Княжне все это было смешно: она понимала то, что говорил ей князь, но не понимала, зачем. Вообразить себя женой и, тем паче, матерью она не умела, и сложности, которые могли возникнуть при венчании ее с молодым Огинским, были ей чужды и неинтересны.

Однако она часто вспоминала поляка и восхищалась решительностью, с которой тот встал под знамена русской армии при первом известии о нападении французов. Мария Андреевна знала, что молодой Огинский получил назначение юнкером в армейский гусарский полк, но более ей ничего не было известно. Сидя у окна в гостиной и глядя на густые кроны запущенного, ставшего более похожим на лес регулярного парка, княжна с печалью думала о том, что блестящий и милый ее сердцу молодой польский дворянин, может быть, уже убит французской пулей или картечью. «Пулей или картечью», — прошептала она вслух со значительным выражением, прислушиваясь к этим словам, которые, по правде, очень мало были ей понятны.

За окном меж тем сгустились сумерки, небо из голубого сделалось синим, а сочная зелень деревьев потемнела до черноты. В гостиную вошел Архипыч со свечой и, шаркая подошвами, пошел вдоль стен, зажигая канделябры. Очнувшись от раздумий, Мария Андреевна спросила о самочувствии князя и получила ответ, что его сиятельство почивают.

Она встала, зябко ежась, хотя в доме было тепло, и собиралась пойти в библиотеку за книгой, чтобы хоть чем-нибудь занять одинокий и тоскливый вечер, как вдруг внизу, на подъездной аллее, забили копытами лошади, загремело железо и раздались голоса, говорившие, к великому облегчению встревоженной княжны, по-русски. Кликнув Архипыча со свечой, она стремглав бросилась по лестнице вниз, навстречу приехавшим гостям.

* * *

К дому подъехали уже в почти полной темноте. Летние сумерки обманчивы: кажется, что им конца нет, ан, глядишь, а на дворе уже такая темень, что собственной руки не рассмотреть. В полумраке проплыли мимо призрачно белеющие каменные столбы парковой ограды с цветочными вазами на верхушках. Кованые узорчатые створки ворот стояли настежь и вид имели покинутый и сиротливый. Поперек главной аллеи торчала почему-то брошенная крестьянская телега — пустая, даже без сена на дне. Эти признаки запустения и покинутости, эти следы поспешного исхода были всеми ожидаемы и всем понятны, но у корнета Огинского болезненно сжалось сердце, когда он увидел впереди, в конце аллеи, темную громаду неосвещенного дома. Смешно было бы ожидать, что дом, как в былые времена, встретит его сиянием огней, суетой услужливой дворни и радушными улыбками хозяев; и, однако, Огинский был так

28

же поражен этими темнотой и безлюдьем, как если бы, придя к приятелю, с которым только вчера виделся на балу, застал бы за столом в кабинете его высохший скелет.

Аллея сделала последний перед кругом почета поворот, и взорам гусар представилось одиноко горящее окно во втором этаже дворца, где, как знал Огинский, помещалась малая гостиная.

— Э, братцы, — воскликнул кто-то, — а хозяева-то дома!

— Может, хозяева, а может, и постояльцы, — откликнулся другой голос. — Гляди, как бы не сам Бонапарт!

— Ти-х-ха! — властно скомандовал Синцов. — Языки за зубы, пистолеты проверить! Спешиться! Корнет! Эй, Огинский! Ты тут вроде своего, проверь-ка, что к чему.

Корнет с охотой оставил опостылевшее за день седло и, положив ладонь на рукоять пистолета, что торчал у него за поясом, двинулся, разминая затекшие ноги, к парадному крыльцу. Позади него, гремя шпорами и цепляясь саблями за седла, спешивались гусары. Проходя мимо кузена, который все еще сидел в седле, тускло поблескивая кирасой, корнет рассеянно улыбнулся ему, но его улыбка осталась незамеченной из-за темноты; к тому же, кузен в ней не нуждался.

Не дойдя двух шагов до крыльца, корнет остановился. Ему все чудилось, что старый князь и княжна Мария Андреевна до сих пор здесь. Он понимал, что это только глупые мечты, но ничего не мог с собой поделать. На крыльце никого не было, и корнет вдруг смутился: как же он войдет в дом Вязмитиновых без доклада? Старый князь был к нему добр, но он не жалует невеж и выскочек, без церемоний входящих повсюду, как к себе домой.

Никого нет, напомнил он себе. Нет князя Александра Николаевича, нет Марии Андреевны — никого, никого... А свет во втором этаже зажег, наверное, старик Архипыч или еще кто-то из прислуги, оставленных присматривать за домом в отсутствие хозяев. Да только что толку от такого присмотра? Французские уланы — это не деревенские мальчишки, их со двора хворостиной не прогонишь...

Парадная дверь вдруг распахнулась, звякнув стеклами, и на крыльце появился, нетвердо ступая на трясущихся не то от старости, не то от страха ногах, старик Архипыч. В левой руке он сжимал зажженный канделябр, а в правой — огромную, окованную черной медью, тяжелую и нелепую старинную аркебузу, явно схваченную со стенки впопыхах и потому лишь, что первой подвернулась под руку.

При виде этой комической фигуры и более всего при виде аркебузы спешившиеся гусары, несмотря на усталость и горечь недавнего поражения, разразились гоготом и забористыми шутками. Эта хриплая какофония разом смолкла, когда на крыльце рядом со старым камердинером вдруг возникла еще одна фигура в простом сером платье и наброшенной на тонкие плечи шалью. Четыре десятка обросших волосами ртов глупо разинулись при виде этого явления, коему вовсе нечего было делать в этом пустом доме, в нескольких часах езды галопом от неприятельского фронта.

Молодой Огинский не сразу понял, кого он видит пред собою, а когда, наконец, сообразил, то, не сумев сдержать порыва, пал перед крыльцом на одно колено и низко склонил обнаженную голову, взяв свой пыльный, простреленный пулей кивер на сгиб руки. Мария Андреевна с испугом посмотрела на него, тоже ничего не понимая и с большим трудом сдерживая испуганный крик. Но тут корнет поднял голову, и в ту же секунду княжна узнала его.

— Как, — воскликнула она, — неужто вы?! А я только нынче о вас думала!

Спохватившись, что сказала лишнее, она испуганно зажала рот ладонью.

В это время позади раздался смех Синцова и его охрипший голос, который произнес:

— Браво, корнет! Не зря я говорил, что у князя очаровательная дочка! Право, Огинский, ты не так глуп, как кажешься!

Услышав этот возглас, корнет вскочил и резко обернулся, безотчетным движением схватившись за эфес сабли. Он не вполне понимал, что намерен делать, но тон поручика и сами его слова звучали прямым оскорблением.

— Если кто и глуп здесь, — процедил он, совладав с собой, — так это вы, поручик, коли позволяете себе подобные замечания в присутствии княжны. Когда человек получил воспитание подле конюшни — это не беда. Беда, когда он не умеет этого скрыть.

Этот ответный удар произвел эффект неожиданной, хотя и вполне заслуженной оплеухи. Синцов даже задохнулся, не зная, что ответить. Пока он пыхтел и раздувался, схватившись за саблю в точности так же, как за минуту до того хватался за свою Огинский, княжна, женским чутьем уловив, что только ее вмешательство может предотвратить скандал, легко сбежала со ступенек, увлекая за собой хромающего камердинера.

— Господа, — прозвенела она, — полно вам! Я не дочь старого князя, а внучка, — обратилась она к красному, встопорщенному Синцову, — но это ведь не причина для ссоры!

Синцов трудно перевел дух, овладел лицом и, чувствуя, что взоры всех присутствующих обращены на него, со всей учтивостью, на которую был способен, проговорил:

— Прошу простить, княжна, за эту маленькую ошибку. Она и в самом деле не может служить поводом для чего бы то ни было, кроме веселой шутки. Но тут задета моя честь офицера и дворянина, а это дело не шуточное. Я никому не позволю безнаказанно оскорблять меня, а тем более какому-то... какому-то...

Он хотел сказать «какому-то сопливому полячишке», но оскорбление не успело сорваться с его губ. Слабый, но властный голос, раздавшийся со стороны повозок, перебил его.

— Поручик Синцов, — сказал этот голос, — отставить! Стыдитесь! Немедля прекратите ссору! Корнет, соблаговолите принести извинения поручику!

— Но, господин полковник... — едва ли не в один голос сказали Синцов и Огинский.

— Отставить! — повторил раненый полковник Белов и мучительно закашлялся. — Под суд захотели? В солдаты, в цепь? В Сибирь? Нашли время! Стыдно, господа офицеры! Извинитесь, корнет!

— Слушаюсь, господин полковник! — после мучительно долгой паузы откликнулся Огинский и, звякнув шпорами, четко, как на плацу, повернулся к Синцову. — Господин поручик, — сухим казенным тоном продолжал он, — прошу извинить мне невольную резкость тона и неуместный намек на недостатки вашего происхождения и воспитания. Перед лицом неприятеля мы все равны, и делиться можем лишь на храбрецов и трусов, каковым вы, я знаю, не являетесь. Посему беру свои оскорбительные для вашего достоинства слова обратно, но при одном непременном условии, что с вашей стороны не будет повторения неуместных намеков.

Он козырнул, слегка наклонил голову и отступил на шаг.

— Каков?! — озираясь, словно в поисках поддержки, возмущенно сказал поручик. — И это, по-вашему, извинения?!

— Брось, Синцов, — сказал ему кто-то из офицеров, — чего тебе еще? Ты сам виноват, что нарвался, а корнет — молодчага. Бонапарт от нас в дневном переходе, а ты затеваешь ссору, как мальчишка.

— Полно, господа, — раздалось отовсюду, — надоело! Давайте, наконец, отдохнем! Синцов, неужто ты за два дня не настрелялся?

— Расположите людей на отдых, поручик, — послышался голос полковника Белова со стороны санитарной повозки.

Напоминание о командирских обязанностях, казалось, отрезвило Синцова. Звеня шпорами, он повернулся к княжне и отвесил галантный поклон.

— Еще раз прошу простить, сударыня, — сказал он. Его светский тон удивительно не вязался с хриплым сорванным голосом, встопорщенными, разной длины, по-разбойничьи торчащими усами и распространяемыми поручиком запахами гари, конского пота и кирасирского рейнвейна. — Покорнейше прошу приюта на ночь для себя и своих товарищей. Никогда бы вас не побеспокоили, да что делать, коли война!

Следующий час для Марии Андреевны был до предела заполнен суетой и заботами о том, как наилучшим образом разместить гостей. Раненых уложили в опустевших комнатах прислуги, офицеры поместились в гостиной; полковнику княжна уступила собственную постель. На заднем дворе солдаты разожгли костры, на которых, к несчастью, было нечего готовить. Ключи от винного погреба куда-то запропастились, и двое гусар под присмотром ворчащего и вздыхающего Архипыча с позволения княжны саблями взломали замок. Содержимое погреба по счастливой случайности избежало разграбления, и вскоре у костров и в гостиной уже пили — офицеры коллекционные французские и итальянские вина, а солдаты водку, которую князь держал для того, чтобы угощать по праздникам дворню. Пили, впрочем, в меру — больше, чем водки, измотанные боями и походом люди хотели сна.

Княжна без устали ходила между военными, ласково с ними заговаривая и спрашивая, удобно ли и не нужно ли чего еще. Архипыч вздыхал и горестно качал трясущейся седой головой, глядя на разорение винного погреба и на грязь, которую великое множество сапог натаскали на паркет.

Дымили во дворе костры, курились в гостиной офицерские трубки. Посреди двора стояли составленные пирамидой ружья пехотинцев; на штыках, как белые флаги, болтались вывешенные для просушки подвертки. В просторной, на полсотни стойл, конюшне переступали копытами, шумно вздыхали и хрустели овсом гусарские лошади. Мария Андреевна глядела вокруг себя расширенными глазами, жадно впитывая впечатления и на время позабыв даже о болезни старого князя. Это был новый для нее мир, незнакомый и грозный; после этого, думалось ей, ничто не может остаться по-старому.

С молодым Огинским она не успела переброситься и парой слов. По правде говоря, после сказанных ею во дворе слов и вышедшей после этого ссоры княжне было неловко снова заговорить с корнетом, и она старательно его избегала. С удивлением поняла она, что испытывает перед ним едва ли не робость. Ей запомнился стеснительный юноша с тихим голосом и преданными глазами; теперь же перед нею был боевой офицер с георгиевским крестом на мундире, с огромной саблей и с обветренным, загорелым на солнце лицом. Даже голос у него сделался совсем другим, не таким, каким запомнился он княжне Марии; этот новый голос был громким, твердым и прямым. Перемены эти сильно смущали княжну: в памяти у нее остался мальчик, но за время разлуки мальчик этот превратился в незнакомого мужчину, перед которым княжна робела и с которым, боясь себе в том признаться, очень хотела познакомиться поближе.

В перерывах между своими хозяйскими хлопотами, забившись на минутку в какой-нибудь уединенный уголок, она вспоминала, как он упал перед нею на колено и как едва не подрался на дуэли с тем грубым, похожим на ободранного драчливого кота поручиком, явным скандалистом и бретером. Ах, как было бы здорово, думала она, если бы они все-таки подрались — не до смерти, конечно, а так, понарошку, до первой крови. Она бы перевязала своему рыцарю рану носовым платком, а потом хранила бы этот кровавый платок в ящике комода вместе с другими своими сокровищами...

Опомнившись, она сердито встряхивала головкой, отгоняя глупые детские мечтания, и бежала хлопотать дальше. В заботах ее никто, по сути дела, не нуждался, но видеть ее милое раскрасневшееся личико всем было приятно, и даже раненые переставали стонать и улыбались, когда она с ними заговаривала.

Уже в десятом часу вечера она, спохватившись, поднялась в спальню старого князя. В изголовье кровати ярко горела восковая свеча, бросая круг света на высоко поднятые подушки и на утонувшее в них худое морщинистое лицо. Александр Николаевич не спал, княжна поняла это по блеску зрачков и неровному, с присвистом, дыханию.

— Что... шум? — невнятно спросил князь, когда она приблизилась к постели.

— Это гусары, дедушка, — отвечала Мария Андреевна, опускаясь в стоявшее подле кровати кресло и беря деда за руку. — Наши гусары. Попросились на ночлег, и я пустила.

— А, — искривив в презрительной улыбке здоровую половину лица, проскрипел князь, — защитники Отечества... Драпают от француза... Понятно, это не на парадах пыль в глаза пускать...

— Они герои, дедушка, — горячо возразила княжна. — Они из Смоленска последними ушли, и со знаменем, я сама видела. Их от целого полка десятка четыре осталось, не боле. Настоящие герои, — с твердым убеждением повторила она. — И ты знаешь, кто с ними? Молодой Огинский. Помнишь Вацлава?

— Огинский? — с трудом сосредоточиваясь на новой теме разговора и испытывая от чрезмерного усилия возрастающее раздражение, переспросил князь. — А, этот поляк... Недурной жених мог для тебя получиться, а теперь что же... Теперь война... Ладно, ступай.

Архипыча пришли. Да скажи ему, пусть водки этим горе-воякам даст, вина...

— Уже дал, — сказала княжна, но тут заметила, что дед снова впал в забытье.

Она сменила больному холодный компресс, послушала дыхание и даже попыталась сосчитать пульс, как это делал однажды приезжий доктор, но сбилась и махнула рукой: все равно ей было неведомо, какой пульс хорош, а какой плох. Спустившись вниз, она послала вместо себя Архипыча, строго наказав ему, чтобы ночевал при князе и глаз с него не спускал.

Внизу уже почти все спали. Утомленные офицеры вповалку лежали на диванах и креслах в гостиной; кто-то храпел прямо на ковре, подложив под голову потертое, темное от лошадиного пота седло и укрывшись содранной с окна портьерой. В воздухе слоями, как на пожаре, плавал густой табачный дым, пахло потом, порохом, вином и железом. У большого, во весь рост, венецианского зеркала черноусый офицер в одних подшитых кожей рейтузах и в перекрещенной помочами несвежей белой рубашке, насвистывая сквозь зубы, скоблил бритвой густо намыленный подбородок. Во дворе между спящих вповалку солдат похаживал часовой, а в карточной Мария Андреевна наткнулась на офицера, одетого отлично от всех остальных. На нем была блестящая, хоть и покрытая вмятинами, черная кираса и высокая каска с волосяным гребнем, похожая на греческий шлем. Офицер стоял посреди карточной, зачем-то держа на плече седельные сумки, и озирался по сторонам, словно что-то искал. Заметив стоявшую в дверях княжну, он вздрогнул и сделал странное движение, будто собираясь опрометью броситься вон, но тут же, взяв, по всей видимости, себя в руки, изобразил на красивом черноусом лице светскую улыбку и поклонился, придерживая на плече туго чем-то набитые сумки.

— Принести вам одеяло? — спросила княжна, решив, что кирасир выбрал карточную для ночлега и искал, по примеру спавшего на полу в гостиной гусарского офицера, чем бы укрыться.

— Благодарю вас, княжна, — с легким акцентом ответил кирасир, — не стоит беспокоиться. У меня есть плащ.

Не зная, что еще сказать, княжна пожелала ему спокойной ночи и вышла.

Зная, что еще долго не сможет уснуть, она снова прошла через гостиную, в которой уж больше никто не брился и где раздавался многоголосый храп усталых офицеров, и, стараясь не шуметь, выскользнула из дома.

Снаружи уже стояла совершеннейшая ночь, и молодой месяц с любопытством выглядывал из-за верхушек парковых деревьев, удивленно озирая превратившийся в военный бивуак двор. Один костер прогорел и потух, смутно краснея в темноте неясным тлеющим пятном, другой спокойно и невысоко горел, помогая месяцу освещать мощеный брусчаткой двор, похожий из-за лежавших вповалку тел на покрытое трупами поле недавнего сражения. Брошенные на землю седла, стоявшие в пирамиде ружья и распряженные повозки, из которых торчали чьи-то ноги — некоторые босые, а иные в сапогах, — вместе с дымом костра усиливали это впечатление.

Часовой, выступив из темноты, обратил к Марии Андреевне строгое, до половины скрытое тенью от кивера усатое лицо, но тут же узнал хозяйку и, козырнув, снова отступил в тень. Княжна, не удержавшись от соблазна, козырнула ему в ответ, заставив усатого ветерана многих кампаний потеплеть лицом и улыбнуться при виде ее задорной молодости.

Княжна Мария прошлась по двору и вернулась в дом, не желая признаться себе самой, что ищет Огинского. Слова деда о том, что молодой поляк мог бы составить ей хорошую партию, тревожили ее. Да, он стал мужчиной — не товарищем по детским забавам, но человеком, о котором можно было думать, как о будущем супруге и защитнике. Завтра на рассвете он вместе с другими сядет в седло и снова уедет — надолго, быть может, навсегда.

«Надо, непременно надо с ним увидеться, — думала княжна, неслышно проходя через гостиную, где спали офицеры, и не находя среди них Огинского. — Быть может, его завтра убьют, а я так и не узнаю, что значу я для него и что значит для меня он».

Только теперь, подумав о завтрашнем дне, княжна начала понимать всю отчаянность собственного положения. Пока гусары были здесь, она чувствовала себя защищенной — пусть не так, как это было в мирное время в обществе деда, учителей и книг, но все-таки окруженной сильными и мужественными людьми, которые не дали бы ее в обиду. Но завтра на рассвете эти люди уйдут, и что станет тогда с нею? Архипыч со своей старинной аркебузой — весьма слабая защита от французов. Конечно, гусары, отступая, охотно взяли бы княжну с собой, но об этом не могло быть и речи, пока старый князь был прикован к постели. Переезд убил бы его вернее даже, чем выпущенное в упор французами пушечное ядро, и мысль об отъезде, как ни была она заманчива, приходилось отвергнуть.

Пройдя через весь дом, княжна вышла на парадное крыльцо и остановилась, вдыхая свежий ночной воздух и вслушиваясь в тишину. Месяц серебрил посыпанную гравием подъездную дорогу, которая перед крыльцом огибала циркульный цветник, образуя круг почета. Гравий был изрыт копытами гусарских коней и хранил на себе следы повозок, в которых привезли раненых. По дороге, хрустя камешками и поминутно клюя на ходу носом, прохаживался пехотный солдат в запачканном пылью мундире и с непокрытой головой. Лунный свет блестел на длинном дуле ружья и на острие штыка. В зубах у часового торчала забытая глиняная трубка, потухшая и холодная, которую он время от времени, будто спохватившись, принимался посасывать.

Позади княжны Марии раздались легкие шаги, сопровождаемые мелодичным позвякиваньем шпор. Обернувшись, она увидела того, кого безуспешно искала весь вечер.

Огинский стоял перед нею, и княжна снова поразилась происшедшим в нем переменам. Он как будто даже сделался выше и шире в плечах. Гусарская форма сидела на нем с тем небрежным и естественным изяществом, которое достигается не искусством портных, но совершенством фигуры и многодневной привычкою; медный солдатский крест скромно и вместе с тем гордо поблескивал на вытертых шнурах венгерки. Запавшие глаза твердо и как будто даже требовательно смотрели с осунувшегося, посуровевшего лица. Левая рука лежала на эфесе сабли, правая свободно висела вдоль тела; на верхней губе чернел пушок, которому еще довольно далеко было до роскошных гусарских усов.

— Прекрасный вечер, княжна, — не зная, с чего начать разговор, заговорил молодой Огинский.

— Ах, прошу вас, сударь, стоит ли теперь говорить о погоде! — с горячностью, удивившей ее самое, воскликнула Мария Андреевна. — Завтра нам расставаться, и, можт быть, насовсем, а вы говорите мне о том, каков вечер!

— Но зачем же расставаться, — рассудительно сказал Вацлав Огинский. — Неужто вы не согласитесь поехать с нами хотя бы до Москвы? Я не думаю, что вам будет разумно и удобно оставаться здесь. Как это ни печально, но завтра же после полудня, самое позднее к вечеру, войска Бонапарта будут здесь ночевать. Это не то общество, в котором пристало находиться девице вашего положения. Однако справедливо и то, что я и мои товарищи так же не можем служить вам достойными попутчиками, как и французские пехотинцы — желанными гостями. Выходка поручика...

— Оставьте, — сказала княжна. — А знаете,

39

Вацлав, вы стали совсем другой. Вы стали... такой большой! Я благодарна вам за то, что вы стали на защиту моей чести. И за предложение ехать с вами я тоже благодарна, но в том-то и беда, что ехать я не могу. Дедушка прикован к постели, я не могу его оставить.

— Как? — воскликнул пораженный корнет. — Князь Александр Николаевич нездоров? Что с ним?

— У него был удар и отнялась правая половина тела, — объяснила княжна, чувствуя, что они говорят не о том, о чем надо бы говорить, и не зная, как повернуть разговор на нужную тему. Да она и не знала, о чем хочет говорить с Вацлавом Огинским; знала только, что наверняка не о погоде и не о приближении французов.

О том же думал и Огинский. Он искал княжну с единственной целью высказать ей свои чувства, а теперь вдруг растерялся, как мальчик. Полученное им прекрасное воспитание, умение вести светскую беседу и даже проступившее на передний план под неприятельским огнем мужество — все это вдруг растерялось, смешалось и оказалось ни к чему. Слова княжны о том, что она не имеет возможности покинуть обреченную усадьбу, и известие о болезни старого князя окончательно смутили Вацлава; он знал, что обязан помочь, и не видел, как это сделать.

Он все еще искал нужные слова, когда парадная дверь позади него распахнулась, дребезжа стеклами, и знакомый голос, ставший еще более хриплым от выпитого вина, растягивая слова, проговорил:

— Ба! Что за вид! Ну просто Ромео и Юлия! Корнет, не будь свиньей, дай старшему по званию побеседовать с красоткой!

В глазах у Вацлава Огинского сделалось темно, и он в этой внезапной темноте, ничего не видя перед собой от досады и ярости, обернулся на голос поручика Синцова.

Глава 3

Кузен Вацлава Огинского Кшиштоф никогда не служил не только в Орденском кирасирском полку, но и вообще в армии — ни в российской, ни в какой бы то ни было еще. Ставить на карту свою драгоценную жизнь ради призрачных и неверных выгод военной карьеры он полагал сущей глупостью; положение усугублялось тем, что, кроме жизни и дворянского звания, у Кшиштофа Огинского не было ничего. К достоинствам его можно было отнести высокий рост, приятную наружность, которая вызывала интерес у дам и странную неприязнь у большинства мужчин, да крошечное имение в Виленской губернии, приносившее больше убытков, чем доходов. Он был последним отпрыском захиревшей боковой ветви могучего, знатного и сказочно богатого рода. Носить одновременно заношенный едва ли не до дыр сюртук и столь известную фамилию казалось ему унизительным и смешным, но изменить такое нестерпимое положение могли только деньги, причем деньги огромные.

Кшиштоф Огинский рано понял, как несправедлива была к нему судьба, и к тридцати годам окончательно ожесточился сердцем. Жизнь нещадно мяла его и трепала, как могла; он отвечал ей тем же. Двадцати пяти лет он продал свое имение богатому соседу, поняв, что толку от этой худой земли с двумя деревушками все равно не будет никакого. Сделал он это с расчетом приумножить полученные деньги за карточным столом. Проезжий шулер обучил его паретройке трюков, посредством которых можно было легко осуществить этот план. Но несчастливая судьба Кшиштофа Огинского была начеку, и в Вильно, где он впервые попытался применить свое искусство, его почти немедля уличили в жульничестве. Пан Кшиштоф был публично назван шулером и бит по щекам перчаткою. Дело, которое неминуемо должно было завершиться дуэлью, кончилось ничем: Огинский бежал из Вильно в Варшаву, где жил, старательно избегая встреч со свидетелями своего позора и терпя жестокие лишения.

С великим трудом скопив немного денег, он уехал за границу, во Францию — в богатую, могущественную Францию, озаренную лучами славы свежеиспеченного императора Наполеона. Здесь никто не знал о его позоре, зато многим было известно его имя, и именно оно, это имя, которое Кшиштоф не раз проклинал в минуты отчаяния, помогло ему без особого труда пробиться в парижские салоны и завести полезные знакомства с сильными мира сего.

На пути к этим знакомствам Кшиштоф не гнушался ничем. Ему часто доводилось действовать через женщин, причем богатые кокотки зачастую оказывались много полезнее герцогинь. Он был принят принцем Мюратом, обедал у храбреца Нея и беседовал с самим Даву. Французы, однако же, были хитры, как лисы, и ничего не хотели давать даром. За свою дружбу и расположение они требовали услуг; правда, и платить за услуги они не отказывались. Платили, впрочем, не слишком щедро: наполеоновские маршалы быстро поняли, что большого проку от Огинского им не будет. Поначалу им казалось, что со своим именем он может быть полезен Франции в смысле подготовки общественного мнения Польши в пользу французов; наведенные в Варшаве справки, однако же, скоро убедили их в беспочвенности таких надежд. Репутация Кшиштофа Огинского была такова, что его полезнее было иметь своим врагом, чем другом. Однако, для мелких поручений и некоторых деликатных миссий он был незаменим, поскольку не имел ни принципов, ни путей для достойного отступления.

Мюрат самолично занялся его делами и даже сумел, употребив свое влияние и популярность в свете, слегка подправить ему репутацию — по крайней мере, настолько, что Огинский теперь мог появиться на родине, не рискуя немедленно получить вызов или быть брошенным в тюрьму. В тридцать лет, к тому времени, как Бонапарт перешел Неман и напал на Россию, Кшиштоф Огинский окончательно определился как мелкий политический авантюрист и большой эксперт по реквизиции драгоценных произведений искусства для коллекций Наполеона и его маршалов. Между делом он занимался военным шпионажем, но это было мелкое увлечение, или, как говорят англичане, хобби.

Во время очередного визита в Варшаву он неожиданно встретил своего кузена Вацлава. Вид этого баловня судьбы, который безо всякого труда получал от жизни все, о чем только можно было мечтать, снова разбередил в душе Кшиштофа старую рану. Осторожно наведя справки, он узнал, что Вацлав, которого он почти не знал, является единственным законным наследником своего престарелого и сказочно богатого отца. В случае гибели этого мальчишки наследником становился Кшиштоф. Конечно, старый Огинский, допусти он хотя бы на мгновение мысль о подобном повороте событий, непременно составил бы новое завещание таким образом, чтобы Кшиштофу при любых условиях не досталось ни гроша. Но для такого человека, как Кшиштоф Огинский, подобная мелочь не могла служить препятствием. За годы скитаний он успел так основательно изучить самое дно варшавского общества и свел знакомства с такими законченными негодяями, что уморить богатого старика не составляло для него труда.

Пока Кшиштоф обдумывал свой план, из Парижа пришла депеша, в которой Мюрат сообщал, что присутствие Огинского требуется в Вильно; затем пришлось ехать в Петербург, а после в Париж. Потом началась война, и между Кшиштофом Огинским и ненавистным ему кузеном стеною стали две яростно дерущихся друг с другом армии.

Примерно в то же самое время Огинского снова вызвал к себе Мюрат. Миссия, которую маршал предлагал Кшиштофу, была весьма щекотливой и по-настоящему опасной. Но денег, которые предлагал маршал за успешное осуществление задуманного им дела, Огинскому должно было хватить надолго. Говоря начистоту, о таких деньгах он даже и не мечтал, да и способа отказаться от рискованного дела, не утратив при этом расположения Мюрата, у Огинского не было.

То, что задумал маршал, было просто и вместе с тем фантастично. «Друг мой, — сказал Огинскому Мюрат, потягивая из оправленного золотом кубка тонкое вино, — друг мой, вам должно быть хорошо известно, как все мы любим и чтим нашего дорогого императора. Моя любовь, мое уважение к нему так велики, что я готов отдать за него свою жизнь. А вы, мой друг, вы готовы пожертвовать собой во имя славы и процветания Франции? О, не надо слов, я знаю, что это так».

«Гасконский лис, — кланяясь маршалу, подумал при этом Огинский, — что же ты задумал? Перестань же, наконец, заговаривать мне зубы и говори, в чем дело».

«Дело в том, — будто подслушав его мысли, продолжал Мюрат, — что я на правах приближенного и, не побоюсь этого слова, старого друга люблю иногда преподнести императору какой-нибудь скромный, но с любовью выбранный подарок. Теперь у меня есть на примете одна занятная вещица, и я хочу, чтобы вы мне ее добыли».

Кшиштоф осторожным наклоном головы выразил одновременно согласие и сомнение в том, что столь почетная миссия окажется ему по плечу.

«Вы будете поражены, мой друг, — не обратив никакого внимания на эту пантомиму, с воодушевлением говорил далее маршал, — простотой и величием моей идеи. Подарок, да, но какой! Русские — набожный народ. Ни одного дела они не могут сделать, не отслужив предварительно молебен перед какой-нибудь из своих чудотворных икон. Не знаю, право, могут ли эти их иконы на самом деле творить чудеса; знаю лишь, что они в это свято верят. Крепость их духа во многом зависит от того, что говорят им священнослужители. Мне известно, что перед решительным сражением даже император Александр кладет в церкви поклоны, как простой гренадер или крестьянин. Высшее духовенство России молится об успехе в ратных делах перед образом святого Георгия Победоносца в Георгиевском зале Кремля. Вообразите, каково будет их состояние, когда в одно прекрасное утро иконы не окажется на месте! И каков будет моральный дух русской армии, когда станет известно, что их древняя святыня заняла уготованное ей место в коллекции нашего великого императора!»

«Мой принц, — после долгой паузы осторожно произнес Огинский, — уж не хотите ли вы сказать, что я должен похитить икону прямо из Московского Кремля?»

«Все, что я хотел сказать, я уже сказал, — надменно отвечал Мюрат. — Вам решать, сударь».

И он назвал сумму, которую готов был заплатить за право преподнести Наполеону столь драгоценный дар.

Вечером того же дня Огинский выехал в Москву. Счастливо миновав русские посты, он прибыл к месту назначения в двадцатых числах июля.

Поначалу доверенная ему миссия казалась Кшиштофу Огинскому невыполнимой. Проникнуть в самое сердце Кремля, выкрасть оттуда икону, которую берегут, как зеницу ока, и суметь невредимым добраться до передовой линии французской армии, до Мюрата — для этого действительно требовалось чудо. Вся жизнь Кшиштофа Огинского складывалась так, что в чудеса он не верил, привыкнув всегда и во всем полагаться лишь на себя. Но здесь его сил и хитрости было очевидно мало. Огинский впал в уныние и уже начал подумывать о том, чтобы бежать дальше — если потребуется, то и в Новый Свет, лишь бы положить между собою и выдвигающим невыполнимые требования Мюратом возможно большее расстояние.

Уныние, однако, не мешало ему действовать, готовясь неизвестно к чему. Он просто не мог сидеть на месте. Вокруг творилась неразбериха, французы уверенно продвигались вперед, и для предприимчивого человека, не боящегося запачкать руки, вскоре должно было открыться множество возможностей к обогащению. Московский высший свет уже начал потихоньку паковать узлы и сундуки, собираясь в дорогу; обитатели сточных канав и грязных замоскворецких кабаков тоже зашевелились в предчувствии легкой наживы. Именно там, среди подонков и беглых каторжников, проводил большую часть своего времени Кшиштоф Огинский. При нем неразлучно были два заряженных пистолета, спрятанный в трости длинный и острый, как жало, шпажный клинок и мешочек с золотом, которое служило ему вернее пистолетов. Действуя подкупом, посулами, а иногда и угрозами, он с огромной осторожностью собирал вокруг себя банду отчаянных головорезов, которым было нечего терять и которые не боялись ни бога, ни черта, и больше денег жаждали проливать кровь. К началу августа под его началом была уже дюжина отборных сорвиголов, на коих клейма негде было поставить. На этом количестве Кшиштоф Огинский решил остановиться: все же армия ему не требовалась, а для быстрого лихого дела дюжины отборных бойцов было предостаточно.

Все это, однако ж, нисколько не приближало его к поставленной маршалом Мюратом цели. Для того, чтобы проникнуть в святая святых Московского Кремля подкупом, требовалась сумма вдесятеро большая, чем та, коей располагал Огинский, и взять денег было неоткуда. Пробиться в Георгиевский зал силой, имея за спиной всего лишь дюжину трусливых алчных оборванцев, нечего было и думать. Оставалось только бежать либо ждать удобного случая, хотя Огинский, сколько ни ломал голову, был не в силах даже вообразить, что это мог быть за случай.

А потом Наполеон приблизился к Смоленску, и дело, казавшееся невыполнимым, в одночасье решилось само собой и так просто, словно тут и впрямь вмешалось божественное провидние. Высшее духовенство приняло решение доставить чудотворную икону святого Георгия из Кремля в действующую армию, чтобы там, в виду неприятеля, отслужить молебен во славу русского оружия и просить заступничества у святого-воителя.

Узнав новость, Огинский понял, что удача наконец-то, впервые за тридцать лет, повернулась к нему лицом. Лицо Фортуны было прекрасно, но жестоко и переменчиво. Нужно было торопиться, и Кшиштоф Огинский развил бурную деятельность, в два дня растратив все золото, какое у него еще оставалось. Результатом этой неумеренной щедрости явилось то, что Огинский заблаговременно и точно знал время отправки обоза и маршрут следования.

В целях сохранения тайны икону решено было отправить в Смоленск в простом дорожном возке под охраной десятка кавалеристов. Охрана, как и следовало ожидать, была поручена кирасирам Орденского полка, гордо носившим звезду ордена святого Георгия на медных налобниках своих касок. Кирасиры явились для Огинского неприятным сюрпризом: защищенные стальными нагрудниками, вооруженные длинными широкими палашами, карабинами и пистолетами тяжелые кавалеристы при малейшей оплошности с его стороны раздавили бы его головорезов, даже не замедляя хода. Выбирать, однако, не приходилось, и Огинский с решимостью, которой на самом деле не ощущал, стал делать последние приготовления.

Своим людям он сказал, что в возке, который им надобно будет отбить, повезут казну кавалерийского полка. Видение набитого звонкой монетой сундука воодушевило банду висельников, среди которых были даже двое с вырванными ноздрями и лиловыми клеймами беглых каторжников на лбу. Глядя на их гнусное веселье, Огинский про себя холодно обдумывал свои действия в час, когда откроется истина и наступит время для окончательного расчета. Впрочем, с этим он надеялся с божьей помощью управиться; сначала нужно было сделать дело.

И дело было сделано.

...Проведя всю ночь в пути, состоявший из десятка кирасир и одного закрытого возка кортеж на рассвете углубился в мрачный еловый лес, стеной стоявший по обе стороны Смоленской дороги. Кирасиры держались плотной группой, со всех сторон тесно окружая возок и бросая по сторонам настороженные взгляды. Несмотря на усталость и отсутствие сна, никто из них не клевал носом: усатые ветераны хорошо понимали, сколь многое зависит от успешного завершения их поездки, которая до сих пор больше напоминала увеселительную прогулку.

Еще один кирасир, положив на колени заряженный карабин, сидел на козлах возка. Внутри, за опущенными занавесками, берегли священную реликвию двое дюжих, плечистых иноков, более похожих на переодетых гренадер, нежели на иссушенных постами монахов.

Глухо стучали копыта, громыхали колеса возка, лязгало железо о железо. Кирасиры молчали; лишь изредка раздавались окрики возницы, который понукал лошадей. Седоусый ротмистр ехал позади колонны, недовольно глядя по сторонам из-под низко надвинутого козырька своей гребенчатой каски. Рука его в белой, с раструбом перчатке сжималась и разжималась на эфесе тяжелого палаша с витой затейливой гардой. Еще с вечера ротмистру было тревожно, а теперь тревога многократно усилилась несмотря на усталость, а быть может, и благодаря ей. Ротмистру не нравилась стоявшая в лесу неживая тишина, нарушаемая лишь шумом, который производил движущийся по дороге кортеж, да истеричным стрекотанием пары носившихся над дорогой сорок. Ротмистр, обрусевший немец по фамилии Мюллер, никогда не полагал себя знатоком и любителем живой натуры, но даже ему казалось, что ранним летним утром в лесу должны щебетать какие-нибудь птахи, помимо сорок.

Дорога сделала плавный поворот, и впереди колонны показался косо стоявший в колее накрытый рогожей крестьянский воз, у которого свалилось колесо. Бородатый ободранный мужик бестолково топтался подле него, почесывая затылок и очевидно пытаясь сообразить, как ему привести свою колесницу в порядок без посторонней помощи. Выпряженная деревенская кляча с засохшими в хвосте лепешками навоза уныло тыкалась мордой в росшую на обочине редкую от недостатка солнечного света траву.

— Унтер! — привстав в стременах, прокричал ротмистр. — Потрудитесь убирать с дорога этот дурак!

Ехавший в голове колонны унтер-офицер тронул шпорами коня и галопом поскакал вперед, размахивая рукой и крича мужику, чтоб тот очистил дорогу.

Мужик не спеша разогнулся и медленно, с какой-то нехорошей ленцой поглядел на приближающегося верхового, в руке которого уже покачивалась вынутая из-за голенища плетка. Ротмистр крикнул остановить колонну, еще не поняв толком, зачем он это делает, но чутьем бывалого солдата угадав засаду.

В следующий миг мужик одним хищным движением сдернул с воза рогожу, и прямо в лицо остановившейся колонны глянул медный хобот кулеврины. Откуда-то в руке мужика возник тлеющий пальник, кулеврина ахнула железным голосом, окуталась дымом и отскочила назад, сдвинув с места криво стоявший на трех колесах воз. По колонне почти в упор хлестнула картечь, валя коней, сшибая с седел всадников и навылет пробивая стенки возка.

Тут же, словно пушечный выстрел был сигналом,

спереди и сзади кортежа качнулись и стали сначала медленно, а потом все быстрее и быстрее падать на дорогу две огромные вековые ели. Из зарослей по обе стороны дороги ударил нестройный ружейный залп, сбив с седел еще двоих кирасир, а вслед за этим на дорогу с дикими криками посыпались вооруженные топорами и ржавыми саблями, обросшие нечистыми спутанными бородами оборванцы.

В седлах оставалось еще четверо кирасир, один из которых был легко ранен ружейной пулей в руку. Еще один кирасир, невредимый, но выведенный из строя, пытался выбраться из-под придавившей его мертвой лошади. Он свалил подбежавшего к нему с занесенным для удара топором разбойника метким выстрелом из пистолета, а в следующий миг другой оборванец проткнул ему горло вилами.

Пощаженный картечью ротмистр Мюллер, разрядив в нападавших оба пистолета, с лязгом выхватил из ножен палаш и, отбиваясь им от наседавших со всех сторон бандитов, громовым голосом кричал:

— Руби, кирасиры! Не сметь бегать! Руби!

Кирасиры и не думали отступать, тем более, что бежать им было некуда. Запертые со всех четырех сторон, они вертелись на узком, загроможденном возком и трупами людей и лошадей пространстве, стреляя во все стороны и озверело рубя. Нападавшие кружили вокруг них, как голодные одичавшие псы, норовя стащить с седел или покалечить лошадей, подрезав им жилы. Один за другим падали нанятые Кшиштофом Огинским бандиты в дорожную пыль под ударами тяжелых кирасирских палашей, но и кирасирам приходилось несладко. Под одним из них споткнулась лошадь, и несчастный был зарублен топором раньше, чем успел подняться на ноги. Другого сбили с седла и лежачему перерезали горло; третьему воткнули в бок, прямо под кирасу, самодельную пику.

Седоусый ротмистр все еще был жив и почти невредим, если не считать нанесенной топором раны в бедро. По-прежнему крепко держась в седле, он умело и мужественно отбивался от троих наседавших на него разбойников. Эти трое только и уцелели из нанятой Огинским дюжины. Оглашая дорогу длинными немецкими ругательствами, ротмистр мастерски вертел палашом, отбивая удары и нанося ответные. Широкое прямое лезвие мелькало в воздухе, как молния, заставляя бандитов пятиться. Вот упал один, по-собачьи воя и прижав ладони к разрубленной у основания шее; потом другой опрометчиво подставил под удар деревянный черенок вил и был жестоко наказан за свою оплошность. Тяжелый палаш шутя, как соломинку, разрубил дерево и с тупым неприятным звуком опустился на голову негодяя, раскроив ее надвое.

— Ага! — торжествующе взревел ротмистр, тесня лошадью последнего оставшегося в живых бандита. — Майн гот, какая встреча! Ты любить дуэль, русский свинья? Ты хотеть дуэль? Ты ее получать, доннерветтер!

Бледный от страха каторжник, не помышляя более о нападении, спотыкаясь и кое-как отмахиваясь ржавой саблей от порхавшего вокруг кирасирского палаша, пятился к спасительному лесу, шансов добраться до которого у него почти не было. В это время из леса не спеша вышел одетый в дорожное платье и высокие сапоги Огинский. Он вынул из-под плаща пистолет, поднял его на уровень глаз и направил на кирасира.

Ротмистр заметил новую угрозу, но ничего не успел сделать. Дистанция составляла не более восьми шагов. Рука Кшиштофа Огинского не дрожала, и пистолетная пуля ударила ротмистра в лицо, опрокинув его на лошадиный круп. Мертвый кирасир соскользнул с седла и тяжело рухнул в пыль.

Последний оставшийся в живых каторжник бросил саблю и, тяжело дыша и утирая рукавом холодный пот, повернулся к Огинскому.

51

— Эк вы вовремя, господин хороший, — дрожащим хриплым голосом выговорил он. — Я уж думал, смерть моя пришла.

— Ты верно думал, — сказал ему Огинский, бросая на землю разряженный пистолет и вынимая из-под плаща другой. — Как у вас говорят, не поминай лихом.

Он выстрелил, но каторжник зайцем скакнул в сторону, и пуля прошла мимо, с глухим стуком ударив в возок. Огинский отшвырнул пистолет, обнажил шпагу и бросился вдогонку за убегающим бандитом.

Вбежав шагов на десять в лес, он споткнулся о гнилую корягу и остановился, переводя дух и слушая, как далеко впереди трещит сучьями убегающий каторжник. Охота за этим опасным человеком в дремучем лесу не входила в планы пана Кшиштофа; у него были другие дела.

Он вернулся на место стычки и внимательно огляделся по сторонам. Несколько раненых лошадей, хрипя, бились на земле; один из его людей подавал признаки жизни, тоненько скуля и зажимая руками распоротый ударом палаша живот. Огинский переступил через него, как через бревно, и подошел к возку.

Мертвый возница в пробитой насквозь в трех местах кирасе свешивался с козел. Картечь почти вся пришлась по возку, превратив его в щепы. Один из монахов, что сидели внутри, был убит на месте. Другой еще жил. При виде Огинского, заглянувшего в возок с обнаженной шпагой в руке, он попытался своим телом закрыть пустое сиденье, выдав тем самым место, где было укрыто охраняемое им сокровище. Пан Кшиштоф равнодушно и холодно трижды ударил его шпагой, свалил мертвое тело на дорогу и поднял сиденье.

Отбросив шпагу, он вынул из тайника тяжелый, в золотой парче сверток, откинул угол ткани, взглянул и, удовлетворенно кивнув, положил сверток на сиденье. Дело удалось, и теперь осталась самая малость: доставить драгоценный груз заказчику, не-

52

вредимым пройдя через русские цепи. Сделать это можно было разными путями, но Огинскому казалось, что он знает наилучший.

Через пять минут одетый в снятую с убитого ротмистра грязную и окровавленную кирасирскую форму Кшиштоф Огинский уже садился на высокого вороного коня. В притороченной к седлу сумке лежала завернутая в золотую парчу чудотворная икона, предназначенная стать украшением коллекции французского императора, а в кармане рейтузов мирно покоился весьма кстати обнаружившийся там кошелек с тысячей рублей золотом.

Окинув поле боя последним презрительным взглядом, Огинский повернул коня на запад и дал ему шпоры.

* * *

Таков был кузен Вацлава Огинского Кшиштоф, и таковы были воистину фантастические обстоятельства, которые привели его в усадьбу князя Александра Николаевича Вязмитинова.

Повстречав на дороге Вацлава, пан Кшиштоф окончательно уверился в том, что удача до сих пор на его стороне. Это был настоящий подарок судьбы, и даже то обстоятельство, что свидание с Мюратом приходилось отложить еще самое малое на сутки, нисколько его не огорчило: ради такого дела Мюрат мог и подождать. К тому же, решил пан Кшиштоф, если просто оставаться на месте, французы придут к нему сами. Так нужно ли снова ночевать в лесу, а потом скакать прямиком на передовую цепь, рискуя налететь на пулю, когда можно выспаться под крышей, а заодно и решить, наконец, наболевший вопрос с наследством?

Согласие гусарского поручика Синцова принять непосредственное участие в деле всего за тысячу руб-

лей было очередным подарком благосклонной Фортуны. От неожиданного обилия милостей этой перемен-
чивой дамы пан Кшиштоф даже несколько оробел:
ему стало казаться, что полоса удач подходит к концу,
и что в ближайшее время непременно должно случиться что-то ужасное и непредвиденное — что-то,
что снова бросит его на самое дно зловонной пропасти,
из которой он только-только начал выбираться.

Й в самом деле, причин для беспокойства у него
хватало. Пан Кшиштоф недурно разбирался в людях,
и от его внимания не ускользнул тот алчный взгляд,
которым Синцов обшарил его с головы до ног при упоминании о тысяче рублей. Чтобы получить вожделен-
ную тысячу, поручику нужно было всего-навсего
убить человека, и пану Кшиштофу казалось, что Синцову безразлично, кого именно убивать. Да и нужно
ли рисковать собой на дуэли, когда деньги можно попросту украсть? А если ночью Синцов решит поша-
рить в вещах пана Кшиштофа, то непременно наткт-
нется на икону. И что тогда?

О том, что будет тогда, Кшиштофу Огинскому думать не хотелось, и, чтобы обезопасить себя, он решил на ночь припрятать икону где-нибудь в доме.
Именно за этим занятием и застала его в карточной
юная княжна.

Дождавшись ухода хозяйки, пан Кшиштоф плотно
прикрыл за ней двери, немного постоял, прислушиваясь к доносившимся из гостиной храпу и бормотанию
офицеров, а потом быстро, стараясь не стучать сапогами, шагнул в угол, где стояла застекленная горка с
фарфором. Вынув из седельной сумки завернутую в
парчу икону, он засунул ее в узкую щель между горкой и стеной. После этого он отступил на шаг и при-
дирчиво осмотрел свой тайник, проверяя, не выгляды-
вает ли из щели золотая парча.

Тайник был, конечно же, самый примитивный,
но пан Кшиштоф решил, что на одну ночь сгодится и
это. Для верности он загородил щель креслом, а в

54

кресло бросил седельные сумки, показывая тем самым, что место это занято им для ночлега. Чтобы окончательно отвадить посторонних, он отстегнул кирасу, снял с головы гребенчатую каску и сложил все это на полу подле кресла.

Сделав так, он снова накинул на себя портупею с болтавшимся на ней тяжелым палашом, пригладил рукой в перчатке волосы и вышел из карточной.

На пороге гостиной Кшиштоф Огинский остановился и обвел внимательным взглядом разместившихся здесь офицеров, не найдя среди них ни своего кузена, ни поручика Синцова. Насчет кузена можно было не беспокоиться: судя по разыгравшейся у парадного крыльца сцене, Вацлав был неравнодушен к юной княжне и теперь наверняка бродил где-то в доме, ища встречи со своей избранницей. При этой мысли красивое лицо пана Кшиштофа исказила злобная гримаса: проклятому кузену везло во всем. Княжна, мало того, что весьма недурна собою, наверняка была еще и сказочно богата. И все это — красота, молодость, богатство, титул — снова должно было достаться мальчишке, который заслужил свое счастье только тем, что появился на свет от правильных родителей, и у которого и без того имелось все, кроме, разве что, птичьего молока.

— Пся крэв, — по-польски прошептал пан Кшиштоф и отправился на поиски Синцова, твердо решив во что бы то ни стало заставить поручика завершить дело сегодня же, в крайнем случае — завтра на рассвете.

Синцов повстречался ему подле конюшни. Поручик, на котором лежала ответственность за подчиненных ему людей, решил перед сном обойти выставленные на ночь посты. Кроме того, он рассчитывал повстречать где-нибудь молодого Огинского. Ссора, прекращенная в самом начале вмешательством полковника Белова, ела ему внутренности, как кислота. Принесенные корнетом по настоянию полкового командира извинения, по сути, извинениями не являлись — это было просто очередное оскорбление, умело облеченное в форму извинений. Уязвленное самолюбие поручика взывало к отмщению, тем более, что в глубине души Синцов сознавал правоту Огинского. О том, что он лишь подтверждает эту правоту, намереваясь застрелить молодого человека за деньги, поручик не думал. Обещанная кирасиром тысяча рублей была нужна ему настолько, что как будто даже не имела отношения к делу. Набитый звонкой монетой кошелек в сознании поручика лежал как бы отдельно от всего, сам по себе, и притом уже не в кирасирском кармане, а в его собственном. Синцов хотел стреляться потому, что безусый корнет задел его честь, а деньги, как ему теперь представлялось, были вовсе ни при чем.

— Ну-с, господин поручик, — сказал ему Огинский, отведя его в тень ближайшей постройки, — извольте отвечать: что вы теперь намерены делать? Должен сказать вам, что не имею времени ждать; либо вы нынче же положительно закончите наше дело, либо денег вам не видать, и я вас не знаю, а вы меня не видели.

— Что это за тон, господин ротмистр? — выпячивая грудь, возмутился Синцов. — Кто дал вам право требовать у меня отчета?

— Вы сами, сударь, — холодно ответил Огинский. — Вы согласились вызвать мальчишку на дуэль и застрелить его за деньги. По сути, вы подрядились сделать для меня работу. Я готов платить, но я не вижу дела. Вы как будто неплохо начали, но кончилось все ничем. Вы, сударь, безропотно проглотили нанесенное вам оскорбление, так к чему теперь разыгрывать передо мной гордеца и недотрогу?

— Черт подери, — сквозь зубы процедил Синцов, — вы заходите слишком далеко, любезный.

При этом он с неожиданной трезвостью подумал, что поляк, пожалуй, во многом прав, а если и не прав, то, затеяв с ним дуэль, можно запросто расстаться с деньгами, так и не успев даже подержать их в руках.

Огинский в это самое время думал примерно о том же. Он уже жалел, что повел разговор в излишне резком тоне. Не стоило, пожалуй, затрагивать честь поручика: как и все, кто лишен чести вовсе, Синцов готов был убить всякого, кто ему об этом говорил.

— Пожалуй, вы правы, — сказал поэтому пан Кшиштоф самым мирным тоном, на какой был способен. — Признаю, что я слегка погорячился. Но и вы должны меня понять!

— Я понимаю вас полностью, — сказал Синцов совершенно искренне. Ему льстило, что на свете бывают люди, еще более низкие, чем он сам, да и деньги по-прежнему были нужны ему до зарезу. — Я ни от чего не отказываюсь. Я слово дал, черт возьми! Но вы же видели сами: чертов полковник не ко времени очнулся, и вообще момент был не самый подходящий. Право, я ничего так не хочу, как уложить этого юного наглеца.

— Тут наши желания совпадают, — сказал Огинский. — Так что же? Время не ждет, поручик. Прежде, чем мы расстанемся, я хотел бы оплакать и предать земле тело моего дорогого кузена. Мне кажется, что лучшего времени и места, чем сейчас и здесь, у нас уже не будет. Вацлав еще не спит; вам надобно немедля его отыскать и передать ему вызов. Сразу, как будет назначен час дуэли, вы получите ваши деньги.

— Лихо! — засмеялся Синцов. — А ежели случится невероятное и мальчишка меня убьет?

— Значит, вы умрете богатым, — сказал ему Огинский, подумав про себя, что в таком случае уж как-нибудь отыщет способ вернуть себе деньги.

В это время где-то поблизости в темном парке треснула под чьей-то ногой ветка. Ходивший по двору часовой взял ружье наизготовку и направил его в темноту.

Синцов и Огинский разом повернулись и стали вглядываться в темноту. Подозрительный звук больше не повторился. Выждав минут пять, поручик подошел к часовому.

— Что там, Гаврилов? — спросил он, оглядываясь по сторонам.

— Верно, собака, ваше благородие, — отвечал гусар. — Нынче их много одичает без хозяйского глаза.

— Ну, смотри, — сказал ему Синцов и, отпустив рукоятку сабли, вернулся к Огинскому.

Вдвоем они продолжили обход, не столько проверяя посты, сколько силясь отыскать столь ненавистного им обоим корнета.

Между тем в гуще парка, куда не проникали лунные лучи и не доставал свет от горевшего на заднем дворе костра, стоял, боясь пошевелиться, оборванный и страшный, обросший спутанными густыми волосами человек с вырванными ноздрями и лиловым клеймом беглого каторжника на лбу. Его ветхая, вся в прорехах и грязи рубаха была подпоясана веревкой, за которую был заткнут топор. В грязной ладони этот странный, похожий на отощавшего до последнего предела волка человек сжимал пистолет. Глубоко запавшие глаза его смотрели с волосатого грязного лица на Кшиштофа Огинского с выражением такой нечеловеческой злобы, что, казалось, светились в темноте собственным светом.

— Сами вы псы, — хрипло прошептал он в ответ на обращенные к Синцову слова часового.

Беглый каторжник, уцелевший в стычке на Смоленской дороге только благодаря быстроте своих ног, все это время следовал за паном Кшиштофом, горя жаждой мести и мечтая о наживе. Несуществующая полковая казна, которую, как он считал, присвоил себе проклятый поляк, представлялась ему в горячечных снах в виде множества доверху набитых золотыми монетами сундуков. Впрочем, висельник, о котором идет речь, не дрогнув душой, мог зарезать человека за пятак, что он и делал уже неоднократно. В детстве крещен он был Василием, а прозвище ему было Смоляк. Он был хитер и свиреп, как дикий зверь, и жаден до крови, как мохнатый паук, что вьет свою паутину в темном углу чердака.

Он шел за Огинским по пятам от самой Смоленской дороги, терпеливо дожидаясь удобного момента, чтобы свести с поляком счеты. Не раз он, безмолвный и неподвижный, как дерево, стоял в кустах на расстоянии удара ножом от папа Кшиштофа, но всякий раз ему что-нибудь мешало. Он знал каждый шаг Огинского с момента засады на Смоленской дороге, видел каждое его движение и слышал едва ли не каждое произнесенное им слово. Васька Смоляк сделался тенью своего обидчика. Он слышал, о чем тот договаривался с Синцовым, и видел сквозь освещенное окно карточной, куда Огинский спрятал парчовый сверток. Ничего не зная об иконе, Смоляк считал, что в парчу завернут ларец с деньгами. Только этот ларец да еще желание зарезать Огинского, как свинью, составляли сейчас смысл его существования; разговоры же господ про какую-то дуэль и про мальчишку, которого необходимо было убить, нимало его не занимали и потому были для него непонятны, как если бы они велись на французском языке.

Дождавшись, пока часовой совсем успокоился и ушел в дальний конец двора, Васька Смоляк тихо перевел дух и осторожно, чтобы не шуметь, двинулся заросшим парком примерно в том направлении, куда удалились Огинский с Синцовым. Будучи кровожадным, как паук, Смоляк точно так же был терпелив и хотел действовать только наверняка, не оставляя места для случайности, которая могла стоить ему жизни.

Меж тем два негодяя, одетых в офицерскую форму, держась в тени парковых деревьев, обогнули дом и оказались против парадного крыльца. На крыльце стояла, кутаясь в шаль, юная княжна.

— А хороша! — причмокнув губами и понизив голос до хриплого шепота, сказал Огинскому Синцов, любуясь в лунном свете фигуркою княжны. — И, верно, богата. Право, Огинский, твой кузен — резвый малый и знает, что делает.

— Надеюсь, поручик, что не позднее завтрашнего утра вы поубавите ему резвости, — так же тихо отвечал Огинский.

— Будьте покойны, — сказал Синцов. — Ежели не случится чуда, на рассвете ты, ротмистр, уж будешь проливать слезы над телом дорогого сородича. Глядика, вот и он сам! Вот и говори после этого, что удача не с нами!

Последние его слова относились к молодому Огинскому, который вдруг появился на крыльце и, очевидно смущаясь, заговорил о чем-то с княжной.

— Стой тут, ротмистр, — сказал пану Кшиштофу Синцов, — и смотри в оба. Не дай ему, ежели что, пойти на мировую.

С этими словами он отступил назад и растворился в темноте. Огинский стал ждать, тщетно пытаясь уловить хотя бы слово из происходившего на крыльце разговора и даже не догадываясь о том, что в спину его, не прикрытую более железной кирасой, с дистанции не более пяти шагов смотрит дуло зажатого грязной, более похожей на звериную лапу рукой пистолета. Поколебавшись немного, Васька Смоляк опустил пистолет: как ни сладка была месть, раздавшийся в ночной тишине пистолетный выстрел переполошил бы солдат и уничтожил и без того призрачную надежду завладеть деньгами.

Синцов тем временем торопливо обогнул дом, вошел с заднего двора и, распахнув парадную дверь, явился на крыльце, где беседовали княжна Мария и Вацлав Огинский.

— Ба! Что за вид! Ну просто Ромео и Юлия! Корнет, не будь свиньей, дай старшему по званию побеседовать с красоткой! — закричал он, изобразив на своем усатом лице самую скабрезную улыбку.

Княжна вздрогнула от неожиданности этого грубого вмешательства. Огинский резко повернулся на каблуках и схватился правой рукой за эфес сабли. Отобразившаяся на его лице ярость была так велика, что Синцов невольно сделал шаг назад и тоже взялся за саблю, опасаясь немедленного, без всяких формальностей и переговоров, нападения. Он не был нисколько напуган, но желал лишь, чтобы затеянное им хладнокровное убийство имело пристойный вид состоявшейся в полном соответствии с кодексом чести дуэли. К тому же поручик побаивался, что старший Огинский, увидев, что дело сделано, в ту же минуту скроется в ночи вместе с причитающимися ему, поручику Синцову, деньгами.

— Вот и видно воспитание, — с холодной насмешкой сказал он, измеряя противника с головы до ног взглядом своих выкаченных бледно-голубых глаз. — Вас, поляков, верно, вовсе не учат манерам; только и знаете, что саблей махать и резаться на своих сеймах, как пьяные лавочники в кабаке.

— Не вам бы говорить о манерах, сударь, — сказал Огинский, — и не вам бы обсуждать поляков, о которых вы знаете только то, что болтают в столь любимых вами кабаках. Коли вы желаете учиться манерам, я охотно преподам вам такой урок. Сейчас не время для дуэлей, я говорил это и готов повторить, но после повторного оскорбления, нанесенного вами княжне Марии Андреевне, я вижу, что иного пути заставить вас соблюдать хотя бы видимость приличия не существует.

— Это вызов? — лениво и насмешливо спросил Синцов.

— Коли вы этого до сих пор не поняли, скажу прямо: точно так, я вызываю вас драться на саблях сию минуту, на этом самом месте!

— Господа... — попыталась вмешаться в ссору княжна, но на нее не обратили внимания.

— Тише, тише, петушок! — по-прежнему насмешливо проговорил Синцов. — Где тебе учить меня манерам, когда право выбора оружия принадлежит тому, кого вызвали! Хочешь драться — изволь, но не сейчас, а на рассвете, и не на саблях, а на пистолетах. Утром, как рассветет, посмотрим, кто кого обучит манерам! До утра тебе хватит времени одуматься и пожаловаться полковому командиру, чтоб он тебя опять защитил.

С каждым оскорблением, с каждым словом, уязвлявшим самолюбие корнета, Синцов чувствовал себя так, словно в кармане у него вдруг сама собой из ничего возникала сотня золотых. Это ощущение много прибавляло к тому удовольствию, которое он испытывал, язвя молодого Огинского.

В это время из тени парковых деревьев выступил и приблизился к крыльцу Кшиштоф Огинский. Делая вид, что только что подошел и не знает, в чем дело, он вмешался в разговор, осведомившись, о чем идет речь.

— Ах, да скажите хоть вы им! — в отчаянии воскликнула княжна, более не мечтавшая о том, чтобы два рыцаря дрались из-за нее на дуэли. — Они намерены драться из-за какого-то вздора, и совершенно не слушают меня, когда я говорю, что драться не надобно! Ведь они стреляться хотят! Так ведь можно нечаянно и до смерти убить! Вацлав, послушайте же меня! Я совершенно не чувствую себя оскорбленной и не желаю, чтобы вы стрелялись с поручиком! Я вам запрещаю, наконец!

— Позвольте, княжна, — галантно и вместе с тем отечески беря ее под локоток и увлекая в сторону от дуэлянтов, заговорил пан Кшиштоф, — девице вашего звания не пристало наблюдать подобные сцены. Мне понятны ваши чувства, но именно поэтому вам не следует здесь быть. Когда речь идет о дворянской чести, женщинам остается только уповать на милость небес. Мужчины же обязаны защищать свою честь и честь дам с оружием в руках. В конечном итоге, нам, мужчинам, приходится защищать свое право именоваться мужчинами. Будьте покойны, кузен, — продолжал он, обернувшись к Вацлаву, — я почту за великую честь быть вашим секундантом. Поручик, — обратился он к Синцову, — соблаговолите назвать имя вашего секунданта, чтобы мы могли обговорить условия дуэли.

— Вас найдут, — сказал Синцов и, поклонившись, отошел.

Через полчаса, когда все улеглось, и тишину заснувшего дома нарушали только шаги часовых и редкие удары копыт на конюшне, Кшиштоф Огинский снова встретился с Синцовым.

— Славно разыграно, — сказал он, передавая поручику длинный, туго набитый кожаный кошелек. — Вот ваши деньги, извольте пересчитать.

Синцов развязал шнурок и заглянул в кошелек, дабы убедиться, что внутри действительно золото. После этого он снова затянул шнурок и подбросил кошелек на ладони, проверяя его вес.

— Тысяча, — уверенно сказал он, — как одна копейка. Уж я-то знаю! Ступай, ротмистр, упражняйся перед зеркалом. Ладно ли будет, коли завтра над своим убитым кузеном ты будешь сиять, как масленый блин?

С этими словами он расстегнул мундир, сунул кошелек за пазуху и удалился, провожаемый сверкавшим в тени парковых деревьев злобным взглядом странных, не вполне человеческих глаз, которые смотрели с обезображенного страшным клеймом, обезноздренного и заросшего густым волосом лица.

Проводив Синцова, Кшиштоф Огинский вернулся в карточную, сбросил на пол лежавшие в придвинутом к горке с фарфором кресле седельные сумки, кое-как разместился, вытянув ноги в сапогах до середины комнаты, и забылся беспокойным сном.

Глава 4

Едва на востоке забрезжило утро, Вацлав Огинский, сопровождаемый своим кузеном Кшиштофом, который с удовольствием выполнял при нем роль секунданта, стараясь производить как можно меньше шума, выехал со двора и направился по боковой аллее в дальний, самый глухой и уединенный угол обширного парка, где было назначено стреляться.

О предстоявшей ему дуэли, которая могла и, по всему, должна была закончиться для него ранением, если не смертью, молодой Огинский почти не думал. Это была первая его дуэль, и сейчас, по прошествии короткой летней ночи, ссора с Синцовым и необходимость стрелять в него и самому подставляться под верный выстрел представлялись корнету неким театральным фарсом, где ему отводилась роль даже не участника, а всего лишь зрителя. Похоронное выражение, которое с огромным трудом удерживал на лице Кшиштоф Огинский, пропало даром: Вацлав не говорил с ним и почти вовсе не обращал на него внимания, озираясь по сторонам с печальной радостью узнавания. Молодой Огинский думал о княжне Марии Андреевне, сожалея о том, что не только не успел сделать ей признание, но даже и не попрощался. Княжна провела ночь в комнате больного дедушки и утром не вышла, что было, пожалуй, и лучше: кузен верно говорил, что женщинам не след вмешиваться в дела чести, происходящие между мужчинами.

Стреляться решено было на лужайке у пруда, который вскоре показался впереди большой лужей серого тумана. Лошади не спеша ступали по засыпанной гравием, уже заметно поросшей травой дорожке, на которой валялись сбитые недавней грозой и никем не убранные листья и целые сучья.

Выехав на лужайку, кузены увидели впереди под

деревьями двух оседланных лошадей, подле которых прохаживались Синцов и его секундант Званский. Смуглое, с аккуратными черными усами лицо Званского было заспанным и недовольным: он не одобрял дуэли, из-за которой, к тому же, ему не дали хорошенько выспаться. Под мышкой он держал два одинаковых гусарских пистолета, взятых за неимением дуэльных. Синцов курил трубку и ответил на поклон своего противника лишь коротким кивком. На лице его было написано с трудом сдерживаемое нетерпение поскорее покончить с делом, и, прочтя это нетерпение, Вацлав Огинский вдруг со всей ясностью понял, что этот человек пришел сюда для того, чтобы его убить. Для него, Синцова, дуэль была делом привычным и едва ли не будничным, как визит к цирюльнику или портному.

Кузены спешились. Кшиштоф Огинский обменялся какими-то неслышными замечаниями со Званским, после чего оба приступили к выполнению своих печальных и вместе с тем торжественных обязанностей. Шагая широко и медленно, как два журавля, секунданты отмерили дистанцию и пометили барьер, воткнув в землю сабли на расстоянии десяти шагов одна от другой. Вацлав посмотрел на сабли и подумал, что они находятся почти рядом — так, что почти можно дотянуться рукой.

После этого все сошлись посередине лужайки. Соперники по очереди выбрали пистолеты. Званский, подавив нервный зевок, сердитым голосом проговорил:

— Господа, у вас есть последняя возможность для примирения. Согласны ли вы окончить это дело миром и пожать друг другу руки? Право, господа, — добавил он от себя, — какого черта вы затеяли в такую рань?

— О примирении не может быть и речи, — быстро сказал Вацлав, чтобы не подумали, будто ему страшно.

— Я выбью из этого мальчишки дурь, — проворчал Синцов.

— В таком случае, к барьеру, — быстро сказал Кшиштоф Огинский. — По моему сигналу начинайте сходиться.

Синцов в наброшенном на плечо ментике и Вацлав Огинский в своей юнкерской куртке разошлись по местам. Старший Огинский махнул платком, принадлежавшим убитому им ротмистру Мюллеру, и отошел в сторону, к мрачно стоявшему под старой березой Званскому.

Противники пошли навстречу друг другу, шурша сапогами по росистой траве и медленно поднимая пистолеты. Не одобрявший дуэли Званский вздохнул и поморщился в ожидании выстрелов.

Противники все медлили стрелять, продолжая сокращать дистанцию. Вдруг, словно сговорившись, оба почти одновременно спустили курки. Два белых дымка взлетели над лужайкой, и сдвоенное эхо двух выстрелов шарахнулось между деревьев. Где-то закричала вспугнутая резким звуком ворона. Синцов взмахнул обеими руками, будто собираясь взлететь, и опрокинулся навзничь, выронив пистолет. Кшиштоф Огинский, не веря себе, смотрел на продолжавшего стоять на месте с вытянутой вперед рукой Вацлава, но тут и второй дуэлянт, мягко подогнув колени, повалился в траву.

— Вот так штука, — растерянно сказал Званский. — Дуплетом, а? Раз — и обоих нету!

Не отвечая ему, Кшиштоф Огинский торопливо направился к лежавшему на земле кузену, всей душой надеясь, что он мертв. Званский тоже заторопился туда, где лицом к небу лежал Синцов. Не успел он пройти и половины, как поручик зашевелился и с трудом сел, прижимая ладонь к левому боку. Лицо его было перекошено от боли, но он, без сомнения, даже не думал умирать.

— Ты ранен? — спросил у него подбежавший Званский. — Тяжело?

— Чепуха, — морщась и растирая бок, отвечал Синцов. — Это не рана, а контузия, притом легкая.

Это была правда: выпущенная Вацлавом Огинским пуля угодила в спрятанный поручиком за пазуху и прикрытый полой ментика туго набитый кошелек, так что Синцов отделался легким ушибом там, где, не будь кошелька, его неминуемо ждала бы весьма мучительная и опасная для жизни рана.

— А что мальчишка? — спросил Синцов, с помощью Званского поднимаясь на ноги.

— Ротмистр, — крикнул через лужайку Званский, — что корнет, жив ли?

Старший Огинский повернулся к нему и развел руками.

— Кажется, еще дышит, — с прежней похоронной миной сказал он, — но не жилец. Пуля в голову. Ему не протянуть и пяти минут.

Синцов, услышав это, сплюнул в траву и стал набивать трубку.

Званский открыл рот, намереваясь сказать, что раненого все равно необходимо доставить в дом, но тут со стороны княжеского дворца, слегка приглушенная деревьями парка, донеслась сначала вялая, а потом все более оживленная ружейная пальба. Вскоре стали слышны крики и лязг железа о железо, словно возле дома шла нешуточная рубка.

— Что за черт? — выронив трубку и схватившись за саблю, удивился Синцов. — Неужто французы?

Кшиштоф Огинский уже бежал к своей высокой кирасирской лошади, путаясь шпорами в траве. Вскочив в седло, он схватил висевший у луки карабин и, сорвав с него чехол, выпалил по конным фигурам, что появились в аллее. Всадники были одеты в белые колеты и золоченые, сверкающие самоварным блеском кирасы и шлемы с красными петушиными гребнями. Эполеты на их плечах тоже были красными. Синцов узнал во всадниках французских карабинеров и, ругаясь во все горло, бросился к лошади.

Паля на скаку из карабинов и вращая в воздухе блестящими палашами, карабинеры выскочили на лужайку. Их было человек пять. Званский выстрелил по ним из пистолета и свалил одного, но тут же сам упал, настигнутый пулей.

Кшиштоф Огинский куда-то пропал.

— Сбежал, польский пес! — воскликнул Синцов, выхватывая из седельной кобуры пистолет и сбивая с седла близко подскакавшего карабинера.

Обнажив саблю, он обменялся ударами с другим карабинером, срубил его и с громким криком устремился навстречу оставшимся двоим, рассчитывая пробиться к дому. Французы дрогнули и, поворотив коней, нырнули в гущу парка. Из аллеи между тем показалось еще несколько всадников, и разгоряченный схваткой Синцов не сразу признал в них своих гусар.

— Что за дьявол? — закричал он им, вытирая саблю о гриву лошади и с лязгом бросая ее в ножны. — Что там у вас?

— Француз, ваше благородие! — возбужденно крикнул подскакавший унтер-офицер — босой, без кивера, на неоседланной лошади, в грязной нательной рубахе и рейтузах. — Видно, передовой разъезд. Отбили супостата!

— Надолго ли? Вот черт! Вели седлать! Уходим! Раненых грузите!

Через полчаса короткая колонна гусар, гремя копытами и грохоча возками, быстрым аллюром покинула имение Вязмитиновых, уходя на восток, к Москве. Разбуженная от короткого тревожного сна завязавшейся во дворе перестрелкой княжна Мария, простоволосая, выбежала на крыльцо, но увидела лишь удалявшийся хвост колонны, над которой в поднятой копытами пыли колыхалось взятое в полотняный чехол полковое знамя.

На изрытом гравии двора остался лежать, неловко подвернув ноги и разбросав по сторонам руки в белых с раструбами перчатках, убитый выстрелом в упор французский карабинер в блестящей золоченой кирасе. Белый колет его был запачкан кровью, сверкающая каска сбилась на лицо, так что княжне видны были только густые, намокшие от крови желтые усы и щетинистый квадратный подбородок. Правая рука убитого до сих пор сжимала обломок палаша, а левая глубоко зарылась пальцами в гравий. Шитый золотом широкий синий ремень портупеи соскользнул с плеча, а начищенные сапоги ненужно и страшно блестели в лучах восходящего солнца.

— Что ж это? — прошептала княжна, не в силах оторваться от страшного зрелища. — Ушли, совсем ушли! Мертвый перед крыльцом...

«Ежели бы это было в романе, — подумала она, — я бы сию минуту непременно упала в обморок, а очнувшись, нашла бы себя в чистой постели и в полной безопасности под охраной храброго рыцаря. А теперь что же? Теперь надо как-то жить, а как это — как-то? Ничего не знаю, ничего... Надо же — уехали!»

Сумбурный поток ее мыслей был прерван появлением Архипыча, который вышел из дома с какой-то рогожею в руках и, подойдя к убитому, накрыл его с головой.

— Уехать бы вам хорошо, ваше сиятельство, — сказал он княжне, тряся седой головой, — да только теперь что же?.. Теперь, мнится мне, поздно.

— Куда же мне ехать от дедушки, Архипыч, миленький? — сказала княжна со слезами в голосе. — Как же мы теперь?

Архипыч ничего не ответил и, вздыхая, скрылся в доме.

Немного помедлив, княжна последовала за ним. Если бы она могла знать, что на лужайке у пруда, истекая кровью, лежит между убитыми раненый в голову Вацлав Огинский, она непременно отыскала бы способ доставить его в дом. Но княжне ничего не было известно об этом. Она пребывала в уверенности, что внезапное нападение французского разъезда нарушило планы дуэлянтов, и что корнет Огинский покинул имение вместе с остатками своего геройского полка.

Между тем живой свидетель дуэли, о присутствии которого вблизи пруда никто не подозревал, раздвинув кусты, осторожно выбрался на открытое место. Топор и пистолет были у него в руках, а на обезображенном, косматом полузверином лице отражалась готовность в любую секунду пустить эти смертоносные орудия в дело. С чуткостью дикого зверя вслушиваясь в тишину и поминутно оглядываясь на все четыре стороны, Васька Смоляк двинулся по лужайке, переходя от одного убитого к другому и обирая их с тщательностью огородника, снимающего урожай. Кольца, перстни, карманные деньги, медальоны, нательные кресты — одним словом, все, что могло представлять какую-то ценность и при этом не было слишком громоздким, отправлялось в рваную котомку мародера.

Раненый Званский при его приближении поднял голову и слабо застонал, клокоча простреленной грудью. Смоляк с ухмылкой махнул топором, и стон оборвался. Обобрав Званского, мародер приблизился к лежавшему далее всех от него Вацлаву Огинскому.

Здесь он остановился и, казалось, на минуту задумался. Лежавший в траве гусар был примерно одинакового с ним роста. Смоляк приподнял полу своей ветхой рубахи, как столичная модница поднимает подол нового платья, любуясь узорчатыми переливами ткани. Если бы Смоляк знал грамоту, ему в голову непременно пришло бы, что сквозь эту рубаху можно читать газету. Но грамоте Васька Смоляк был не обучен, и потому подумал просто, что рубаха никуда не годится.

Приняв решение, Смоляк отложил в сторону пистолет и топор, стащил через голову лямку котомки и принялся торопливо, обрывая пуговицы, обдирать с корнета мундир. Во время этой процедуры Васька заметил, что гусар, которого он полагал убитым, еще как будто дышит, но добивать его не стал: рана на лбу Огинского имела самый серьезный вид, так что корнет, несомненно, должен был в ближайшее время умереть и без посторонней помощи.

Сапоги корнета не налезли на грязные, растоптанные ступни Смоляка, и каторжник, чтобы не пропадало добро, затолкал их в свою котомку. Закончив переодевание и натянув на ноги старые разбитые опорки, нелепая сгорбленная фигура в гусарской юнкерской форме и с косматой звериной головой без единого звука растворилась в царившем под деревьями старого парка полумраке.

* * *

Вацлав Огинский пришел в себя спустя два с лишком часа. Ему повезло: он спустил курок пистолета на долю секунды раньше Синцова. Резкий звук выстрела, прозвучавшего в тот момент, когда поручик сам уже начал тянуть за собачку своего пистолета, слегка смутил его и заставил руку Синцова едва заметно дрогнуть, так что пуля, которая должна была пробить Огинскому голову, лишь оцарапала его, скользнув вдоль черепа. Из-за обилия крови, выступившей из длинного рваного шрама, протянувшегося ото лба к виску, рана выглядела много опаснее, чем была на самом деле; казалось, что пуля разворотила корнету полголовы, тогда как в действительности дело обошлось, по сути, широкой ссадиной и контузией.

Страшный вид этой кровавой раны, конечно же, не смог бы ввести в заблуждение Синцова или Званского, как и любого обстрелянного боевого офицера на их месте. Но более привычный к нанесению ударов из-за угла, чем к открытым военным действиям, Кшиштоф Огинский обманулся обилием крови и бледными рваными краями шрама, решив, что кузена можно смело сбросить со счетов. Торопившийся поскорее за-

71

вершить свое черное дело Васька Смоляк и вовсе бросил на окровавленную голову корнета лишь беглый взгляд. Раненый не препятствовал ему, лежал смирно и даже не стонал, а большего Ваське Смоляку от него и не требовалось.

Именно благодаря такому редкому стечению обстоятельств Вацлав Огинский остался лежать на лужайке у пруда вместо того, чтобы быть уложенным в возок с ранеными или, напротив, добитым топором мародера, как это случилось с подстреленным французами Званским.

Придя в себя и попытавшись открыть глаза, Вацлав обнаружил, что не может этого сделать. Голова у него болела с чудовищной, пугающей силой, и в полубреду его сознание почему-то связало эту разламывающую голову боль с невозможностью разлепить веки. Корнету казалось, что, стоит ему открыть глаза, как боль тут же пройдет; в следующее мгновение он уже думал, что, если бы эта изнуряющая головная боль хоть ненадолго отступила, ему немедленно удалось бы открыть глаза.

В течение почти целой минуты, показавшейся Вацлаву вечностью, мысли его, как белка в колесе, бегали по этому замкнутому кругу, с каждым оборотом набирая скорость и приближая его к безумию паники. Поняв это, он заставил себя успокоиться и попытался понять, где он находится и что с ним произошло.

Не сразу вспомнилось ему, что он стрелялся на дуэли с Синцовым. Судя по нынешнему его состоянию, результат дуэли был ясен: Синцов, как и следовало ожидать, застрелил его наповал и, вероятно, в голову, так как иначе она не болела бы так сильно и неотступно.

Будто наяву, увидел он свои последние минуты перед тем, как все вокруг него погрузилось во тьму: туман над прудом, росистую траву под ногами, белый платок в руке кузена, встающее по левую руку над кронами парковых деревьев солнце и фигуру неторопливо идущего навстречу Синцова. Потом ему вспомнилось заслонившее весь мир черное жерло пистолета, глянувшее вдруг прямо в глаза и, казалось, в самую душу; вспомнился собственный испуг при виде этой черной дыры в небытие — испуг, который заставил его торопливо спустить курок.

После этого момента Вацлав не помнил ничего. Естественно было предположить, что он промахнулся, и что ответный выстрел поручика убил его на месте. Но как же, в таком случае, он мог ощущать боль? Разве мертвые могут чувствовать и думать? Если это загробный мир, то почему он ничего не видит, почему так болит голова и откуда это тепло, которое он чувствует на своем лице?

Мысли его немного прояснились — ровно настолько, сколько требовалось, чтобы признать себя живым. Вацлав предпринял осторожную попытку застонать и был неприятно поражен звуком собственного голоса — слабым, хриплым и неимоверно жалким. «Проклятье», — попробовал сказать он, и это ему удалось, хотя пересохшие и будто склеенные чем-то губы повиновались ему весьма неохотно.

Теперь все как будто встало на свои места. Прислушавшись к своим ощущениям, он понял, что лежит на спине и чувствует под пальцами рук траву и землю. Он сжал ладони в кулаки, собрав траву и землю в горсти, и понял: да, земля и трава. Значит, жив.

Переполнившее его при этом открытии ликование тут же сменилось испугом. Если жив, то почему не может открыть глаза? Неужто ослеп? Коли так, то не лучше ли было умереть?

Забыв от испуга о боли в голове, он поднес руку к лицу и осторожно ощупал глаза. Глазницы были сплошь залиты чем-то густым, полузасохшим, и корнет, уже успевший повидать кровь и смерть с близкого расстояния, сразу понял, что ранен в голову и что веки у него просто склеены вытекшей из раны кровью.

Морщась от боли и отвращения, он отковырнул клейкую дрянь, освободив один за другим оба глаза.

«Ну и вид, должно быть, у меня», — подумал Вацлав, моргая и ощупывая лицо. Поймав себя на этой мысли, он понял, что рана его точно не смертельна: ему как-то не приходилось слышать, чтоб умирающий заботился о собственной внешности.

Пальцы его нащупали на лбу что-то бугристое, клейкое, отзывавшееся болью на прикосновение, и он догадался, что это было место, куда попала пуля Синцова. «Повезло, — подумал он, — верно, повезло! Чуточку бы прямее, и мне уж не пришлось бы думать о том, каков я с виду».

Прямо в лицо ему светило полуденное солнце, причиняя заметное неудобство. Чтобы избавиться от этой помехи, Вацлав сел. Голова отозвалась на это очередной вспышкой боли, но теперь, когда он понял, что жив, и вновь обрел способность видеть и трезво воспринимать окружающее, боль уже не казалась такой огромной — ее несколько приглушали иные впечатления, главным из которых была радость от заново обретенной жизни.

Вторым по величине и важности впечатлением Вацлава Огинского было удивление, все возраставшее по мере того, как он осознавал собственное положение. С удивлением обнаружил он, что по-прежнему находится на лужайке у пруда и, по всей видимости, на том самом месте, где упал, оцарапанный пулей Синцова; с еще большим удивлением обнаружил он себя раздетым до нательного белья, босиком и даже без золотого медальона с изображением святой девы Марии, который носил, не снимая, на шее всю свою жизнь. Подобное странное положение мало соотносилось с его представлением о том, как поступают с ранеными и даже убитыми на дуэли дворянами. Он меньше удивился бы, найдя себя похороненным заживо; такое положение, по крайней мере, было бы объяснимо ошибкой и вызванной военным временем поспешностью, с которой убитого похоронили раньше положенных трех дней.

Он посидел еще немного, борясь с приступом дурноты и бездумно шевеля пальцами босых ног в траве. Глядеть на эти словно сами по себе шевелящиеся белые пальцы было непривычно и странно. «Уж не сплю ли я?» — подумал Вацлав и, с усилием подняв голову, огляделся по сторонам.

Знакомая лужайка предстала перед ним во всех мельчайших подробностях, каких не бывает во сне. Зеленая трава там, где он лежал, почернела от крови; солнце ярко блестело на заросшей кувшинками поверхности пруда, и свежо зеленел мох, проросший из щелей старой каменной скамейки, что стояла над водой.

Поодаль в траве что-то ярко блестело, словно кто-то обронил здесь начищенный самовар. Слегка приподнявшись на руках и вытянув, сколько мог, шею, Вацлав увидел лежавшего в двух десятках шагов от него мертвеца в белом с красными эполетами колете и в сверкающей на солнце золоченой кирасе. Блестящая надраенной медью каска с красным волосяным гребнем валялась в стороне. Огинский сразу узнал форму французского карабинера. Положение начинало понемногу проясняться.

«Эге, — подумал Вацлав, — да тут французы! Видно, была стычка сразу же после того, как меня ранили. Оттого я и остался здесь лежать, а обмундирование, верно, ободрали мародеры. А ведь дело плохо. Что же теперь будет — плен?»

Ему вдруг показалось столь унизительным попасть в плен в одном белье, без оружия и босиком, что он застонал от предчувствия неминуемого позора. Мысль о том, что он раздетый, под конвоем будет доставлен обратно в усадьбу, где, помимо французов, его непременно увидит и княжна Мария, была столь мучительна, что Вацлав, превозмогая слабость, поднялся на ноги и сделал несколько неверных, заплетающихся шагов, еще не придумав, куда идти и что делать.

С высоты его роста видно было много лучше и больше, чем когда он сидел в траве. С полной, излишней даже ясностью Вацлав разглядел тела трех карабинеров и одного гусара, разбросанные в разных местах по лужайке. В траве поблескивало оброненное оружие; над пятнами крови с жужжанием вились мухи. С огромной жалостью Вацлав узнал в убитом гусаре Званского. То, что убитый был именно Званский, подтверждало его мысль о том, что нападение французов произошло сразу же после дуэли.

Можно было предположить, что усадьба уже занята войсками неприятеля. То, что сюда до сих пор не пришли, объяснялось, по всей видимости, уединенностью этого глухого уголка, однако такое положение не могло сохраняться долго. При первой же перекличке отсутствие троих лежавших здесь карабинеров должно было обнаружиться, и тогда весь парк неминуемо будет подвергнут самому тщательному осмотру. Отсюда нужно было уходить, и чем скорее, тем лучше.

Шатаясь и придерживая одной рукой разламывающуюся голову, Вацлав подошел к Званскому. Венгерка Званского была прострелена на груди и вся пропиталась кровью, голова рассечена наискосок. Огинский отвел глаза, стыдясь своей слабости и в то же время зная, что ни за что не сможет во второй раз посмотреть на то, что было некогда столь знакомым и симпатичным ему черноусым лицом.

«Смогу ли? — думал он, ступая по колкой траве к лежавшему ближе всех карабинеру. — Сумею ли я, как последний мародер, раздеть мертвеца и надеть его одежду на себя?»

Однако, он чувствовал, что сумеет. Отступление от самого Немана, страшный бой в Смоленске и сегодняшняя встреча накоротке со смертью сильно изменили его. Ему грозила гибель; более того, ему грозил позор, который был хуже гибели. Скрываться в лесу босым, нагим и безоружным было не только унизительно, но и весьма неудобно. Это означало бы уподобиться загнанному, больному зверю; и что против этого была необходимость прикасаться к мертвецу и надеть на себя его одежду?

Отстегивая кирасу и снимая ее с убитого карабинера, Вацлав заметил, что карманы у бедняги все до единого вывернуты наизнанку. Здесь точно побывали мародеры, и Огинский лишь пожал плечами, подумав о том, что по странной прихоти судьбы эти негодяи раздели именно его, не тронув убитых.

Одеваться в снятую с мертвеца форму было совсем не так гадко, как он ожидал — возможно, потому, что колет оказался лишь слегка запачкан кровью у плеча и горяч от солнца, а вовсе не холоден, как прсдполагал Вацлав. Кирасу и каску с красным гребнем корнет оставил валяться в траве, зато, поискав, подобрал палаш, пару пистолетов и сумку с зарядами.

Закончив переодевание и поспешно уйдя с открытого места, он зарядил оба пистолета и лишь после этого, как умел, обмотал окровавленную голову найденным в сумке бинтом.

Теперь ему нужно было решить, как быть дальше. Более всего ему хотелось пробраться обратно в усадьбу, чтобы узнать, что с княжной, и в случае необходимости защитить ее от всех мыслимых опасностей. Однако, несмотря на пыл молодости и боль в голове, которая мутила мысли и толкала его поскорее делать хоть что-нибудь, лишь бы не сидеть на месте, корнет хорошо понимал, что возвращаться в занятый французами дом было бы крайне неразумно. Если усадьба занята карабинерами, его маскарад будет раскрыт немедленно; княжне он ничем не сумеет помочь в любом случае, поскольку сам едва держится на ногах без посторонней помощи. И потом, Марии Андреевне, вероятнее всего, ничто не угрожает. Французы — славные вояки и, покуда могут, стараются не выходить за рамки приличного поведения. Они не воюют с женщинами и больными стариками и щепетильны в делах чести — по крайней мере, офицеры.

«Э, — подумал Вацлав, обессиленно садясь на ствол поваленного дерева и расстегивая душивший его ворот колета, — это все слова! А верно то, что, как только появлюсь в усадьбе, я буду немедля взят в плен или даже убит безо всякой пользы для княжны и, уж тем более, для войны с Наполеоном. Это все равно, что выйти к французам с поднятыми руками или прямо тут, не сходя с места, пустить себе пулю в лоб, довершив то, что начал Синцов. И верно ведь я говорил, что нет ничего глупее дуэли, когда кругом война. Из-за нас, из-за нашей ссоры убит Званский, и я вынужден хорониться в лесу, как дикий зверь...

Однако же, надо что-то решать. А вот что: французы, коли они есть в усадьбе, а они, верно, есть, не будут квартировать долго. Им надобно двигаться вперед, на Москву, и они пойдут. А когда пойдут, я загляну в дом, проверю, все ли ладно с княжною, и тоже пойду к Москве. Когда-то же русские остановятся и дадут сражение! Надобно успеть нагнать своих прежде, чем это случится. Так и сделаю».

Приняв твердое решение, юный корнет встал и через гущу заполонивших старый парк кустов двинулся в сторону ограды, опираясь на палаш в ножнах, как на трость, и морщась от неприятного ощущения, которое вызывала засохшая по всему лицу бурой растрескавшейся коркой кровь. Вид его был страшен и дик, но корнет Огинский об этом не знал и не помнил, весь сосредоточившись на том, чтобы двигаться вперед вопреки боли и накатывавшей волнами дурноте.

Дойдя до ограды, он двигался вдоль нее еще с полверсты, прежде чем достиг места, где кто-то с неизвестной целью выломал из нее железный прут.

Протиснувшись в пролом, корнет с огромным трудом пробился сквозь последнюю, особенно густую заросль кустарника и оказался на пригорке, окруженном с трех сторон полями пшеницы и льна. Позади него стеной стоял княжеский парк, впереди, в версте примерно, на соседней горке темнел лес, щетинистой полосой уходивший к горизонту, а слева, едва различимая в знойном августовском мареве, тянулась с пригорка на пригорок дорога, над которой густым плотным облаком висела пыль. В пыли что-то двигалось — огромное, растянувшееся на несколько верст, темное, ощетиненное древками пик и знамен, сверкающее солнечными бликами на стволах ружей и медных хоботах пушек. Стоявший на пригорке корнет понял, что видит наступающую армию Бонапарта. Это величественное и грозное зрелище надолго приковало его к месту. «Полно, — подумал он внезапно, — а прав ли я был, когда присягнул на верность императору Александру? Уж больше никто в Европе не отваживается вслух назвать Бонапарта парвеню, выскочкой и самозванцем. И что за несчастная судьба у моей родины! Как узнать, под чьим сапогом будет лучше Польше — под русским или французским? Есть ли ответ на этот вопрос?»

Вацлав Огинский знал, что предугадать этот ответ ему не дано. Знал он и другое: принеся по велению сердца присягу, он будет верен ей до конца.

«Матерь Божья, — очнувшись от своих размышлений, спохватился он, — о чем я думаю? Нужно двигаться, пока меня здесь не обнаружили. Много ли будет пользы от меня России, Польше и княжне Марии Андреевне, коли я попаду в плен?»

Два раза упав по дороге, он спустился с холма, на котором стояла княжеская усадьба, и по грудь окунулся в горячее душистое море спелой пшеницы, уже начавшей заметно клониться к земле под тяжестью налитых колосьев. Корнет в белом карабинерском колете шел к синевшему в отдалении лесу, оставляя за собой петляющую извилистую дорожку среди хлебов. Солнце нещадно припекало его непокрытую голову, насекомые надоедливо липли к окровавленному потному лицу. Добравшись до леса, корнет в изнеможении повалился на прохладный мох в тени деревьев и на несколько минут впал в блаженное забытье.

Очнувшись, он подобрал палаш и двинулся дальше. В получасе ходьбы от лесной опушки он набрел на небольшую поляну, посреди которой возвышался аккуратно сметанный стожок свежего сена. Вырыв в стоге нору, Вацлав Огинский забился в нее и, завалив вход, со вздохом неимоверного облегчения закрыл глаза. Сон пришел к нему сразу же и был долгим и освежающим.

Глава 5

— Поди сюда, Машенька, — сказал молодой княжне князь Александр Николаевич, похлопав здоровой рукой по краю постели.

Речь его сегодня звучала куда более внятно, хотя правая половина лица по-прежнему оставалась неподвижной. Видимо, за сутки князь успел смириться и освоиться со своим неожиданным увечьем. Самочувствие его улучшилось настолько, что это безо всяких расспросов было заметно простым глазом: если вчера на высоко поднятых подушках лежал по неизвестной причине задержавшийся в пути между землей и небом полутруп, то нынче взгляд его выражал привычную живость, и видно было, что вынужденная неподвижность уже стесняет князя и вызывает его раздражение.

Незаменимый и бесценный Архипыч, неслышно ступая, появился в спальне, неся серебряный поднос с большой фарфоровой супницей. От супницы по комнате пошел сытный аромат куриного бульону, и княжна в первую минуту даже не сообразила, что курице как будто неоткуда было взяться. Посмотрев на Архипыча, морщинистое лицо которого выражало только заботу о том, как бы лучше услужить хозяину, Мария Андреевна решила воздержаться от расспросов: эка невидаль — курица! Курица и курица, а попалась в котел — сама виновата...

— Ступай, Архипыч, миленький, — сказала она, когда камердинер поставил поднос на ночной столик подле кровати больного. — Ступай, я сама покормлю.

— Кого это ты собираешься кормить, ваше сиятельство? — сварливо осведомился старый князь, хмуря брови или, вернее, одну бровь, так как вторая отказывалась хмуриться. — Одна-то рука у меня покуда работает!

— Тогда я тарелку только подержу, — не смея перечить, кротко сказала княжна.

Александр Николаевич подозрительно покосился на нее одним глазом, но спорить не стал и безропотно позволил внучке засунуть угол салфетки за воротник своей ночной сорочки. Вооружившись ложкой, он зачерпнул поднесенный княжной бульон и заправил ложку в рот. Половина бульона немедленно вылилась из правой, безвольно распущенной половины его рта, замочив подбородок и салфетку. Проворчав что-то неразборчивое, старый князь оттолкнул руку княжны с салфеткой, которой та намеревалась отереть ему лицо, и повторил попытку с тем же печальным результатом.

— Позвольте мне, дедушка, — не в силах без слез смотреть на это жалкое зрелище, попросила княжна.

— А ну его к черту совсем! — в великом раздражении воскликнул Александр Николаевич и швырнул ложку прочь.

Видно было, что ему хотелось попасть ложкою

81

как можно подальше, но сил у него почти не осталось, и ложка, глухо стукнув о ковер, упала подле самой кровати.

Отпихнув, совсем как капризный ребенок, от себя тарелку, князь сорвал с груди салфетку и в раздражении провел ею по лицу, стирая с подбородка жирный бульон.

— Оставь, княжна, — несколько совладав с собою, значительно мягче сказал он Марии Андреевне. — Не в коня корм. Что ж добро-то зря переводить? Давай-ка лучше потолкуем, пока... Одним словом, давай потолкуем.

— Надо ли, дедушка? — отставляя тарелку на поднос и поднимая с пола ложку, спросила княжна. — Лучше бы вы поберегли силы. Они вам надобны, чтоб вы скорее поправились.

— Э, матушка, не лукавь! Стар я уже, чтобы после этакого поправиться. Видно, время мое пришло. И реветь не вздумай! Все там будем в назначенный час — кто раньше, кто позже. Я свое пожил, нынче твой черед. Ты вот что, Машенька, ты скажи мне, что это за пальба у нас нынче во дворе была? С воробьями, что ли, наши гости воевали?

Княжна Мария, как могла, пересказала деду события сегодняшнего утра, добавив в конце, что один из убитых французов до сих пор лежит посреди двора, накрытый рогожей.

— Поди ж ты, — сварливо и насмешливо проскрипел князь, — уцелили-таки в одного... Ты прости, душа моя, что я тебя о таких вещах пытаю, а только скажи, как одет?

Княжна описала мундир и экипировку убитого, которые до сих пор будто наяву стояли у нее перед глазами во всех мельчайших подробностях вплоть до пуговиц на мундире и орла на каске.

— Карабинер, — сказал на это князь. — Видно, что передовой разъезд мюратова авангарда. Значит, жди гостей. Гусары-то ушли?

Княжна подтвердила, что да, гусары ушли в великой спешке, но взяв с собой раненых и знамя.

— Знамя, знамя, — проворчал князь. — Тебе-то, матушка, что за прок в их знамени, что ты о нем через слово повторяешь? Уж лучше бы они тебя с собой взяли, а знамя оставили французам на подвертки.

— Да как же, дедушка! — воскликнула княжна. — Как же вы можете так говорить! Вы сами мне объясняли, что знамя...

— Довольно уж про знамя, — устало сказал князь. — Скажи лучше, как же это твой поляк смел уехать и бросить тебя здесь на произвол судьбы? Неужто не попрощался, с собой не позвал?

— Он звал, дедушка, — потупившись и заливши алой краской, прошептала княжна, — да я не поехала. А попрощаться он, видно, не успел. Да ты не думай про него плохо! Он знаешь, каков?

И она быстро пересказала князю события вчерашнего вечера, закончившиеся вызовом на дуэль.

Александр Николаевич выслушал ее довольно невнимательно, а дослушав, сказал с нечаянной жестокостью человека, который, стоя на пороге смерти, торопится еще многое успеть и оттого не имеет сил и времени заботиться о пустяках:

— Поручик этот, душа моя, большой негодяй, а Огинский, хоть и благороден, а дурак. Верно, уж убит, коли не зашел проститься. На рассвете, как ты спала, у пруда, я слышал, стреляли. Видно, они и были. А после уж французы наскочили, и началась во дворе кутерьма.

Княжна страшно побледнела и с навернувшимися на глаза слезами посмотрела на деда. Но старый князь не заметил той раны, которую он невольно нанес любимой внучке. Глядя прямо перед собой, он продолжал говорить, торопясь сказать все нужное, пока болезнь не добила его окончательно, и зная, что добьет непременно.

— Вот что, душа моя. Дни мои, как в романах пишут, сочтены, так что надобно тебе быть ко всему готовой. Скверно, что оставляю тебя в таком отчаянном положении. Из-за меня, из-за болезни моей ты попала в этакую неприятность; ну, да теперь уж ничего не поделаешь. Состояние мое тебе остается. Состояние большое, так что, коли не будешь совершенною дурою, как-то проживешь — хватит и тебе, и доброхотам разным, которые тебя станут поначалу обкрадывать. Головка у тебя, однако, светлая, так что со временем разберешься, кто тебе друг, а кто норовит крови твоей испить. Верно, что, коли француз хотя бы до Москвы доберется, четверти твоего состояния, считай, как не бывало. Ну, да с этим ты сама как-нибудь... До тех пор еще дожить надобно.

— Ах, дедушка, что вы такое говорите! — едва сдерживая слезы, воскликнула княжна. — Вы поправитесь, господь не позволит...

— Господь меня уже заждался, — перебил ее князь. — У него ко мне бо-о-ольшой счет! И вот что, раз уж сама заговорила: позови-ка ты мне попа. Только не теперь, а потом, когда совсем худо станет. Это, чую, скоро... А коли сбежал поп вместе со всеми этими псами, то и не зови. Помолишься за меня перед иконкой, и ладно будет. Мнится мне, что твое заступничество там, наверху, скорее зачтется, чем молебны пьяницы этого, отца Евлампия. Эк не вовремя меня угораздило! Приказал бы я тебе немедля ехать, так разве ты послушаешься?

— Не послушаюсь, дедушка, — тихо, но с отчетливой твердостью в голосе проговорила княжна.

— То-то и оно, что не послушаешься. Вот она, молодежь-то нынешняя, вот воспитание... Ну, шучу, шучу. Конюшню-то, поди, всю разворовали?

Княжна кивком подтвердила верность его догадки.

— Дурень я, значит, был, что мало их, чертей, порол, — спокойно сказал князь.

— И вовсе вы никого не пороли, — возразила княжна.

— Потому и воры, что не порол. Либерте, эгалите, фратерните, — с отвращением выговорил князь лозунг французской революции. — Вольтер, опять же. Все зло оттуда, из Франции. Ты им «эгалите», а они с тебя тем временем сапоги снимают. Ну, да бог им судья, а мне до них уж не дотянуться. Ты, Машенька, лошадь найди непременно. Нынче по округе много будет бесхозных лошадей. А только гляди в оба, потому как и людей без царя в голове сейчас в лесах объявится немеряно. Не знаю даже, что страшнее — на месте сидеть или в Москву ехать. Архипыч тебе не подмога, старый он уже. Только на себя да на бога надейся. Сейчас, сейчас бы тебе ехать, пока француз не пришел...

Речь его, поначалу вполне ясная, по мере того, как князь уставал, делалась все более невнятной и наконец окончательно превратилась в бессвязное бормотание. Глаза Александра Николаевича закрылись, и он впал в забытье. Посидев у постели еще немного, княжна тихо встала и, неслышно ступая, вышла из комнаты.

Слова деда о том, что дуэль все-таки состоялась и, вернее всего, была роковой для молодого Огинского, запали княжне в самую душу. Теперь такой ход событий представлялся ей самым вероятным и едва ли не единственно возможным. После слов князя ей вспомнилось, что сквозь утренний сладкий сон она как будто тоже слышала отдаленный звук, напоминавший щелканье пастушьего кнута. Звук этот, вмешавшийся в сон и принятый княжной за часть последнего, теперь представлялся ей в ином, зловещем свете. Сколько ни говорила она себе, что этого не может быть, сколько ни ругала себя за детские фантазии, уверенность, что Вацлав Огинский, истекая кровью, лежит где-то рядом, в парке, всеми брошенный и нуждающийся в помощи, крепла с каждой минутой.

Не зная толком, куда собирается идти и что делать, княжна вышла из дома на задний двор. Выходить с парадного крыльца она побоялась, помня о том, что там лежит мертвец, и не желая снова видеть рогожный куль, из-под которого торчали начищенные сапоги с большими железными шпорами. Архипыч в это время как раз, потея и кряхтя, волок убитого карабинера под мышки в парк, чтобы там как-нибудь закопать от собак и прочего мелкого зверья, коего в последние годы много расплодилось в одичавшем парке и окрестных лесах. Занятый этим непосильным для него делом, старый камердинер не мог видеть, как княжна покинула дом. Впрочем, если бы и видел, то вряд ли ему удалось бы остановить полную решимости отыскать Огинского или хотя бы его тело Марию Андреевну.

Что она станет делать, найдя в парке раненого, Мария Андреевна представляла себе смутно. Поставленная ею перед собой задача была бы трудна и для вполне взрослой, крепкой женщины; хрупкая шестнадцатилетняя княжна, однако же, храбро углубилась в парк, махнув рукой на очевидную невыполнимость и даже опасность своей затеи. На худой конец, решила она, можно будет кликнуть Архипыча; сейчас важнее было убедиться в том, что догадка старого князя неверна.

Княжеский парк был обширен и, как уже упоминалось, изрядно запущен. Подальше от дома, где за ним еще сохранялся какой-то присмотр, парк более всего напоминал весьма густой смешанный лес, в чаще которого можно было бы спрятать африканское диво — слона, а не то что раненого гусарского корнета. Княжна Мария, впрочем, предполагала, что дуэли обыкновенно происходят все-таки не в чаще, а на более открытой местности, где деревья и кусты не мешают мужчинам с соблюдением всех правил этикета убивать друг друга из пистолетов и колоть острыми шпагами. Таких мест в парке было несколько, и княжна решила одно за другим обойти их все, пока не убедится в беспочвенности своих страхов.

Парк она знала превосходно, как крестьянские дети до последнего пенька знают окружающие их деревню леса. В глубине парка деревья и кусты стояли стеной, густые кроны смыкались над аллеями, образуя сумрачные, наполненные тусклым зеленоватым светом коридоры, в которых впервые попавший сюда человек мог очень просто оробеть и почувствовать себя до крайности неуютно. Княжна Мария, однако, выросла среди этих сумрачных аллей и была здесь совершенно как дома. Покрытые зелеными и ржаво-красными пятнами мха, испещренные потеками мраморные статуи на скрытых кустами постаментах загадочно и дружелюбно улыбались ей своими пухлыми каменными губами; заброшенные, одичавшие клумбы пестрели яркими пятнами цветов. Княжна проходила мимо заполоненных кустарником, до самой крыши увитых плетями дикого винограда и вьющихся растений беседок, совсем по-взрослому радуясь изобретательности старого князя, который сумел обратить небрежность в тонкое искусство и тем придать скучному регулярному парку вид настоящего сказочного леса, полного нежданных сюрпризов и очаровательнейших уголков.

За всеми этими восторгами княжна ни на минуту не забывала о деле, которое привело ее в парк, и неустанно продолжала свои розыски, методично обходя лужайку за лужайкой и с облегчением убеждаясь, что здесь никого не было по крайней мере месяц. Непримятая трава стояла высоко и ровно, греясь на солнце и разливая вокруг горячий летний дух, а над нею, никем не потревоженные, порхали мотыльки.

Уже после полудня поиски привели ее в аллею, что выходила к дальнему пруду. Здесь княжна остановилась, увидев взрытый копытами скакавших лошадей гравий. Выбитые подковами ямки были на дне темными от влаги, потому что солнце не проникало сюда сквозь густой полог ветвей.

— Браво, — огорченно сказала княжна, увидев эти следы, такие же ясные, как и крупно напечатанные буквы в детской азбуке. — Славный из меня следопыт! Ведь можно, кажется, догадаться, что они поехали к месту верхом! Всего-то и нужно было, что посмотреть у конюшен, в какую аллею идут следы! А пока я прогуливаюсь, он, быть может, уже умер или вот-вот умрет. И ведь говорил мне дедушка, что стреляли у пруда!

Она бросилась бежать по аллее, совершенно уверив себя в том, что Вацлав Огинский лежит у пруда и что он остро нуждается в ее немедленной помощи. Сцены, коим место было скорее в рыцарском романе, нежели в реальной жизни, одна за другой возникали в ее голове; княжне представлялось, что она непременно спасет корнета от неминуемой гибели, просто перевязав его смертельную рану своей шалью. Она торопилась изо всех сил, и вскоре в конце похожей на туннель аллеи блеснул яркий солнечный свет, означавший лужайку с прудом. Пруд этот населен был голосистыми, на всю округу знаменитыми лягушками, коих князь Александр Николаевич в минуты хорошего настроения юмористически именовал своею домашней оперой. Сейчас, однако, дневная жара заставила этих оперных артистов попрятаться до вечера, и у пруда было тихо.

Выбежав на лужайку, торопившаяся на подмогу Огинскому княжна едва не споткнулась о лежавшего прямо на ее пути мертвеца, одетого так же, как и тот, которого она видела перед парадным крыльцом. В мертвой руке французский карабинер сжимал широкий палаш, на блестящем лезвии которого ярко сверкало солнце. Испуганно отпрянув, она прижала ладонь к губам. Сердце прыгало у нее в груди, как пойманная птичка, и более всего княжне хотелось сейчас, повернувшись спиною к пруду, со всех ног бежать домой.

Немного успокоившись и отбежав на всякий случай подальше от мертвеца, она обвела лужайку внимательным взглядом, сразу заметив еще в двух местах белые колеты и сверкающие кирасы французов. Потом в глаза ей бросилось видневшееся из травы плечо зеленой, со шнурами, венгерки, в какие были одеты ночевавшие в доме гусары. Уверенность, что она видит раненого Огинского, боролась в ней с желанием бежать отсюда со всех ног. Эта лужайка была полна смертью, и княжне, впервые лицом к лицу столкнувшейся с костлявой старухой, чудилось, что мертвые французы только и ждут удобного момента, чтобы схватить ее за подол, когда она будет проходить мимо.

Преодолев страх, она двинулась по высокой траве к гусару, которого приняла за Огинского, далеко обходя мертвых французов. Вид этих разбросанных по зеленой лужайке тел смущал ее: война вдруг предстала перед ней во весь свой страшный рост, обернувшись той стороной, которая никогда не описывалась в романах. Испуганно оглядываясь на трупы, княжна думала, что это впечатление, верно, будет самым неприятным в ее короткой жизни, не зная еще, что впереди ее поджидает множество впечатлений куда более неприятных и даже опасных.

Не дойдя двух саженей до лежавшего в траве гусара, который был ею принят за Огинского, княжна остановилась в нерешительности. Остановил ее гул множества круживших над лежавшим человеком мух и тяжелый, железистый, незнакомый запах, перебивавший запах горячей спелой травы.

«Что ж это? — в страхе подумала княжна. — Не может быть, чтобы это, в траве, над чем вьются мухи, было Огинским. Не может быть, чтобы Вацлав Огинский распространял вокруг себя этот тяжкий дух, от которого делается нехорошо и мутится сознание. Да жив ли он? Необходимо подойти и посмотреть, но как же это сделать, когда я и шагу не могу ступить?»

Княжна долго стояла на месте, вспоминая все свои прежние страхи — грозы, пауков, мышей и т. п., — которые неизменно оказывались впоследствии смешными и ничего не стоящими. Однако теперешний страх был не таков — черный, ледяной, он был много реальнее зеленой травы, синего неба и солнечного блеска, которые рядом с ним казались просто сном.

Мария Андреевна смотрела на видневшийся над травой зеленый рукав венгерки, запачканный чем-то бурым, ожидая и боясь стона или малейшего шевеления, которое указывало бы на то, что лежавший впереди нее человек был еще жив. Но ничто не шевелилось, кроме метелок травы, и ничего не было слышно, кроме надоедливого, отвратительно сытого жужжания мух.

«Что же, — подумала княжна, — я так и буду здесь стоять? Уж коли пришла, так надо что-то делать. Дедушка верно сказал, что надеяться я нынче могу только на себя да на бога; и коли бог не подает мне никакого знака, надобно решаться самой. Нельзя же просто уйти, не взглянув даже, он это или не он!»

И княжна сделала то, о чем впоследствии так часто и так горько сожалела: сделала несколько шагов вперед и заглянула в лицо тому, кто неподвижно лежал в траве на берегу пруда.

Это был Званский. Княжна не знала его фамилии, но тотчас, хотя и с большим трудом, узнала в обезображенном трупе того черноволосого офицера, который еще вчера вечером, напевая из оперы, в одной рубашке брился перед большим зеркалом в гостиной. Окровавленное, разрубленное надвое топором мародера лицо его было облеплено мухами, которые деловито ползали по нему во все стороны, с жужжанием взлетали и опять садились на место, не в силах покинуть столь лакомый с их точки зрения кусок.

Княжна тихо вскрикнула, повернулась и пустилась бежать прочь от этого страшного места. Она не помнила, как очутилась дома, в своей спальне, перед смятой постелью, на которой провел ночь раненый полковник. Подле кровати все еще валялся ворох смятых, испачканных кровью и гноем бинтов. При виде этой страшной груды княжна едва не лишилась чувств. Выбежав вон из спальни, она упала на диван в малой гостиной и бурно разрыдалась, давая выход накопившемуся отчаянию и страху перед своим неизвестным и, наверное, ужасным будущим.

Через час, немного успокоившись и приведя в порядок лицо и прическу, она вышла на крыльцо — как раз вовремя, чтобы сделаться свидетельницей вступления в усадьбу эскадрона французских улан.

* * *

Утро следующего дня застало Вацлава Огинского на лесной дороге верстах в пяти от имения Вязмитиновых. Корнет затруднился бы ответить на вопрос о цели своего передвижения; он шел просто потому, что сидеть в стогу, с унынием прислушиваясь к урчанию в пустом желудке, было превыше его сил. Теперь, однако, он уже начал думать, что поспешил счесть себя здоровым: голова у него болела нещадно, ноги подкашивались от потери крови, и временами на него накатывала такая дурнота, что ему приходилось садиться прямо на землю и пережидать приступы слабости.

Усталость, боль от раны и голод угнетали Вацлава не так, как одиночество. Он чувствовал себя забытым, вычеркнутым из всех списков и никому не нужным, как бездомный пес. Он мог идти направо или налево, вперед или назад с одинаковой пользой для себя и для дела — вернее, с одинаковым отсутствием какой бы то ни было пользы. Его никто не ждал, и нигде не требовалось его присутствие; война катилась дальше без него, он же неприкаянно бродил в тылу неприятельской армии в чужом мундире — не воин регулярной армии и не пленный, а почти дезертир.

Из всех телесных страданий, которые ему приходилось терпеть, Вацлаву более всего докучали те, что вызывались чужими, сильно натиравшими ноги сапогами. К восьми часам утра французские эти сапоги стали напоминать Вацлаву печально знаменитый «испанский сапожок», который с успехом применялся инквизиторами в числе иных пыточных приспособлений. Проклиная свою несчастливую судьбу, Синцова, который и не промахнулся, и не убил его совсем, а более всего отвратительные, чересчур для него большие сапоги, Вацлав опустился у дороги на обомшелый ствол поваленного дерева и с огромным облегчением разулся, давая отдых натруженным ногам.

— Вот так, пан Вацлав, — с насмешкою сказал он себе по-польски. — Это вам не в карете ездить и не галопировать на кровном рысаке.

Эти слова, произнесенные на чуждом для здешних мест наречии, решили его судьбу. Несколько пар глаз, следивших за ним в течение последнего получаса, переглянулись с одинаковым выражением понимания и согласия, и несколько бородатых, стриженых скобкою голов степенно кивнули друг другу.

— Как есть француз, — хрипло прошептал своим товарищам коренастый, черный, как цыган, мужик, на темном лице которого угольком блестел единственный хитрый глаз. Мужик этот окривел во время бегства с поля сражения под Аустерлицем и был вследствие полученного увечья отправлен из солдатчины в родную деревню, где считался главным знатоком французского языка и вообще французов. — Уж я знаю, — продолжал он шептать, в то время как товарищи его, вооруженные вилами и топорами, согласно кивали в ответ на каждое слово, — я этой ихней тарабарщины во как наслушался!

И он чиркнул корявым ногтем большого пальца

пониже своей лохматой бороды, показывая, до какой степени наслушался французской тарабарщины.

— А коли так, — сказал, дав ему договорить до конца, предводитель ватаги, — то и думать нечего. Хватать надо басурмана.

Предводитель этой подозрительной компании, насчитывавшей около десятка вязмитиновских, подавшихся от греха в лес мужиков, являл собою довольно странное зрелище. Был он еще более космат и страшен, нежели его товарищи, но одет при том в гусарскую юнкерскую форму с солдатским Георгием на груди, подпорченную несколько висевшей на плече драной котомкой и разбитыми опорками, заменявшими ему сапоги. На лбу предводителя, наполовину завешенное грязными спутанными волосами, виднелось лиловое каторжное клеймо, а с того места, где у людей помещается нос, глядели две страшные черные дыры. Одним словом, предводитель этот был Васька Смоляк, чутко уловивший своим обезображенным носом носившийся в воздухе запах легкой наживы и полной безнаказанности.

Ваське была глубоко безразлична национальность заблудившегося в лесу офицера, но он до поры вынужден был считаться с мнением своих товарищей, которым половину нынешней ночи рассказывал у костра байки о том, как геройски сражался с французами, как по навету был сослан на каторгу и как сам государь император освободил его высочайшим указом, потому как без такого героя русскому воинству с Бонапартом было просто не справиться. Слушая его, мужики качали головами, то ли веря, то ли не веря. По окончании рассказа большая половина их разошлась по своим шалашам, к бабам и ребятишкам. Остались при Ваське те, которым давно хотелось пожить всласть, беззаконно и лихо, и которые увидали в обезноздренном Георгиевском кавалере возможность к такой именно жизни.

Повинуясь знаку своего косматого предводителя,

мужики с лихим разбойничьим свистом и криками выскочили из леса, окружив Вацлава Огинского. Корнет вскочил с бревна, на котором отдыхал, и схватился за пистолет. По несчастливой случайности босая ступня его попала на торчавший из травы острый сучок, и, пока корнет, опешив от боли и неожиданности, прыгал на одной ноге, исход баталии был решен одним молодецким ударом дубиною по голове. Не успев даже охнуть, контуженный Огинский повалился лицом в землю, потеряв сознание.

Растолкав товарищей, Васька Смоляк наклонился над своею жертвой и перевернул корнета с живота на спину. Только теперь Васька узнал того, чей мундир украшал нынче его сгорбленную обезьянью фигуру; узнал он и французский, с красными эполетами колет. Картина злоключений корнета мигом сложилась в его изворотливом зверином уме; понял он также и то, что взять у пленного нечего, однако, чтобы никто не догадался об уже бывшем между ними знакомстве, вторично вывернул карманы Огинского, не найдя, как и следовало ожидать, в них ровным счетом ничего.

Разбой вышел неудачным, и, чтобы совсем не испортить себе удовольствия, Смоляк решил, что пленного надлежит немедля же казнить.

— А вот повесить басурмана! — кровожадно сказал он, обводя бешеным взглядом товарищей: не возразит ли кто.

Никто не возразил, хотя видно было простым глазом, что такая мысль вряд ли без посторонней помощи пришла бы в голову хоть кому-нибудь из мужиков. Мужички мялись, отводя глаза: такие дела были им внове, и без привычки вешать в лесу на дереве человека казалось им страшновато.

— Да за что же вешать-то? — отважился спросить самый молодой и тихий из них.

— А за шею! — ответил Смоляк. — Они, басурманы, землю русскую разоряют, жгут что ни попадя, воруют... да они детей живьем едят, вот хоть у Гаврилы спроси!

И он ткнул рукой в одноглазого.

Одноглазый ветеран Гаврила, хоть и не знал ничего про то, едят или не едят французы детей, чтобы не уронить себя в глазах товарищей, с самым серьезным и даже угрюмым видом подтвердил:

— Известное дело, едят. Вот те крест, едят! Сам видал. Жуткое дело!

Это решило спор. Никто не хотел быть заподозренным в симпатии к людоеду в белом мундире; да никто и не испытывал такой симпатии. Публичная казнь всегда разжигает больное любопытство толпы, а казнь, которую можно свершить собственными руками и притом не боясь наказания, горячит кровь вдвойне.

Умелые мужицкие руки в два счета связали петлю и накинули ее на шею лежавшего без сознания корнета. Свободный конец веревки был спешно перекинут через сук росшего у самой дороги кряжистого столетнего дуба.

Кто-то сказал, что не худо было бы дождаться, пока басурман придет в себя, и дать ему возможность помолиться перед смертью. Смоляк, хорошо знавший, какого сорта басурман лежал перед ним на земле, и сильно опасавшийся, что, придя в себя и заговорив по-русски, корнет избежит петли, ответил на это, что богу молитвы безбожника ни к чему. При этом он невольно тронул висевший на груди георгиевский крест, по которому «басурман» мог бы легко опознать свою исчезнувшую обмундировку.

Двое дюжих мужиков по сигналу Смоляка взялись за свободный конец веревки. Веревка натянулась, приподняв голову Вацлава Огинского от земли. Петля сдавила его горло, и корнет погиб бы непременно, если бы в эту самую минуту на дороге не возник внезапно вывернувшийся из-за поворота отряд французских фуражиров. Фуражиры эти принадлежали к тому самому эскадрону улан, что занял усадьбу Вязмитиновых. Уланские лошади нуждались в корме, которого после ночлега гусар в конюшнях усадьбы не осталось вовсе. Деревня была пуста, и эскадронный командир капитан Жюно разослал фуражиров по всей округе с приказом раздобыть корм для лошадей и провиант для солдат.

Ехавший во главе отряда молодой лейтенант вовремя заметил и верно оценил сцену, которая разыгрывалась на обочине дороги. Ему по случаю известно было о потерях в передовом разъезде карабинеров, и он ни на секунду не усомнился в том, кого видит перед собою. Русские мужики, вне всякого сомнения, намеревались вздернуть за шею раненого французского офицера. Прокричав команду, лейтенант обнажил саблю и дал шпоры своему рыжему, одинаковой с другими лошадьми эскадрона масти, рослому жеребцу.

Уставив хвостатые пики, уланы взяли с места в карьер и лавиной обрушились на разбойников. Смоляк, в памяти которого еще живо было воспоминание о схватке с кирасирами на Смоленской дороге, не стал геройствовать и, раз выпалив по уланам из пистолета и никого не задев, опрометью кинулся спасаться в лесу. Ответный выстрел со стороны улан угодил в ногу одноглазому Гавриле. Имевший более всех присутствующих опыта в бегстве от французов ветеран Аустерлицкой конфузии вследствие этого несчастливого для него попадания захромал, отстал от товарищей и, не добежав трех шагов до густого спасительного малинника, был, как на вертел, насажен на уланскую пику.

Пока уланы, не имевшие еще опыта столкновений с русскими крестьянами и оттого не боявшиеся партизан, с гиканьем гонялись между деревьями за товарищами Смоляка, их командир спрыгнул с седла подле лежавшего на земле с петлей на шее Вацлава Огинского. Ослабив и с отвращением отшвырнув в сторону веревку, лейтенант приподнял окровавленную голову несчастного и приложил к его губам горлышко фляги. Красное вино потекло по щекам, проливаясь на запятнанный кровью белый колет. Часть живительной влаги попала в горло. Раненый закашлялся, глотнул и открыл глаза.

Первое, что он увидел и осознал, был красный мундир французского улана. Потом он увидел склонившееся над ним молодое, разгоряченное лицо под уланской шапкой и услышал обращенную к нему французскую речь.

— Какое варварство! — с возмущением восклицал французский лейтенант. — Какое кровавое зверство!

Ничего не понимая, не в силах сообразить, о каком зверстве толкует француз, и зная только, что, несмотря на все свои старания, все-таки попал в плен, Вацлав Огинский молча закрыл глаза. Говорить с французом казалось ему ненужным и глупым. Он не помнил, что с ним произошло, ошеломленный обилием новых впечатлений, главным из которых было горькое для каждого военного осознание поражения и плена.

Лейтенант между тем громкими криками сзывал своих солдат, которые по одному выехали на дорогу, наскучив гоняться верхом за пешими среди деревьев, густого кустарника и коряг, всякую минуту грозивших переломать лошадям ноги.

— Господина офицера надобно доставить в деревню, — распоряжался между тем лейтенант. — Карабинеры, я знаю, ушли вперед; впрочем, в часть ему не надо, а надо прежде всего к лекарю. Он серьезно ранен в голову, а эти бородатые варвары еще пытались его повесить!

«Офицер — это я, — думал Огинский, лежа с закрытыми глазами на земле и не имея после очередного удара по голове сил пошевелиться. — Это меня собирались, кажется, повесить. Вот странно, этого-то я как раз и не помню. Собирались повесить? Меня? Надо же, какая неловкость... И вправду, шею саднит... Только зачем он говорит про карабинеров, которые ушли вперед? Я ведь гусар...»

Тут в голове у него несколько прояснилось, и он с полной отчетливостью вспомнил, что одет во французский мундир. Он вспомнил, как присел отдохнуть и как из леса с громкими криками выскочили какие-то люди, одетые как крестьяне. Из всего этого напрашивался вывод, что благодаря невольному маскараду он был принят за француза вначале местными мужиками, а после и самими французами. Следовательно, пока его не опознали как русского офицера, речи о плене не было. Более того, у Вацлава вдруг родилась надежда, что он и не будет узнан: выдать себя за француза не составляло для него большого труда, а часть, в мундир которой он был одет, по словам уланского лейтенанта, ушла вперед с авангардом. Рана его была не из тех, с которыми остаются в строю; следовательно, его ожидал полковой лазарет, где за ним не будет строгого, как за пленным, надзора и откуда можно будет попытаться бежать.

Между тем ездовой подогнал к месту стычки пустую фуражную повозку, куда предполагалось грузить сено, и Вацлав с большими предосторожностями был помещен на предупредительно выстланное уланскими шинелями дно. Кто-то из улан с написанным на усатом лице сочувствием бережно, словно стеклянный, положил рядом с Вацлавом оброненный им палаш и подоткнул ему под голову солдатский, из пятнистой телячьей шкуры ранец.

Откинув ноющую голову на эту теплую шелковистую шкуру, Вацлав наполовину прикрыл глаза и стал смотреть на проплывающие вверху на фоне голубого неба ветки деревьев. Окованные железом высокие колеса фуры грохотали по выпиравшим из дороги корням и подскакивали на ухабах, заставляя раненого морщиться от боли. Глядя в небо, он вспоминал выпавшие на его долю испытания: пожар Смоленска, кровавый, на полное уничтожение, бой у переправы через Днепр, свою дуэль с Синцовым и последовавшие за нею бедствия, которым пока что не видно было конца. Расстояние между ним и его полком, и без того немалое, увеличивалось с каждой минутой, и соответственно уменьшалась надежда нагнать свою часть и тем опять ввести жизнь в привычное, размеренное русло, где за тебя думают и отдают приказания другие, облеченные чинами и властью люди. Эта, хотя и полная лишений и опасности, жизнь была теперь от него страшно далека и казалась при взгляде отсюда недосягаемо прекрасной и беззаботно-простой.

Пытаясь придумать, как ему выбраться из передряги, в которую он угодил, защищая честь княжны Марии Андреевны, юный Огинский добился лишь того, что голова у него разболелась с нечеловеческой силой. Впрочем, могло быть и так, что причиной этой боли послужила непрерывная тряска. Как бы то ни было, но еще раньше, чем влекомая парой рыжих, в масть всего эскадрона, лошадей грохочущая фура выкатилась из леса, корнет снова лишился чувств.

Придя в себя, он понял, что фура стоит на месте, и открыл глаза. Высоко над ним в голубизне неба блестела сусальным золотом луковичная головка православного храма, увенчанная крестом с косой перекладиной. Вид этого храма показался Огинскому знакомым: то была церковь Преображения в Вязмитиново, где настоятелем служил отец Евлампий.

Близ фуры какие-то невидимые корнету люди вели довольно оживленный разговор по-французски. Чувствуя, что разговор этот относится к нему и может иметь прямое касательство к его дальнейшей судьбе, корнет стал прислушиваться и с удивлением уяснил себе, что оставался без сознания дольше, чем ему казалось.

За это время, как понял он из разговора, его уже успел осмотреть полковой лекарь. Врач признал его ранение тяжелым. Сделав что можно и наложив на рану свежую аккуратную повязку, сей последователь Эскулапа заявил, что раненому более всего необходим покой. Уланский полк, а вместе с ним и лазарет, должен был двигаться далее в направлении Москвы; не имеет смысла, сказал лекарь, везти раненого за собой, подвергая тем самым его жизнь опасности. Армия ждала больших сражений, после которых раненых должны были получиться целые идущие в тыл обозы. Словом, лекарь предлагал оставить найденного в лесу едва живого карабинера на милость и попечение местных жителей, дабы он в покое и тепле дожидался одного из упомянутых санитарных обозов. Поскольку единственным местным жителем в пределах досягаемости оказался упрямо продолжавший сидеть дома отец Евлампий с матушкой Пелагией Ильиничной, раненого решено было оставить у него. Все это, повторяя раз за разом едва ли не по слогам, пытался втолковать батюшке спасший Вацлава лейтенант. Но хотя бы он говорил и по буквам, отцу Евлампию это было все едино: из французской речи он не знал ни словечка, не считая Бонапартия, коего в последние годы неоднократно предавал анафеме по указанию свыше.

Осознав тщету своих усилий и немало этим раздражившись, красный от усердия и злости лейтенант отдал команду своим уланам, и те со всей осторожностью, на какую были способны, сняли Вацлава Огинского с повозки. Отец Евлампий, который на всем протяжении разговора был уверен, что от него требуют фуража для лошадей и хлеба для солдат, и потому в ответ на все объяснения лейтенанта монотонно повторявший: «Нет у меня хлеба, и сена нет, и чтоб ты подавился своим сеном, нехристь», завидев раненого, понял, наконец, чего от него добиваются, осенил себя крестным знамением и, преисполнясь христианского милосердия, самолично провел улан в дом, указав им на лавку в горнице, куда следовало положить раненого.

Вацлав лежал на широкой, застеленной овчинным тулупом лавке, наслаждаясь покоем и радуясь тому, что по крайней мере сегодня ему уж никуда более не надо было ни ехать, ни идти. Приключение его, по всей видимости, закончилось даже удачнее, чем можно было мечтать: французы ушли, оставив его одного в доме священника, который, уж наверное, не станет рубить его топором только за то, что на нем французский мундир.

Матушка Пелагия Ильинична вошла в горницу и с причитаниями, из коих трудно было понять, жалеет она раненого или злится на него из-за того, что он француз, принялась суетиться вокруг, стаскивая с него неизвестно кем и когда снова надетые сапоги и окровавленный, испачканный землею колет.

— Погляди-ка, батюшка, — обратилась она к отцу Евлампию, указывая на обнаженную грудь Огинского, — истинно говорят, что нехристи. Креста-то и нет на нем!

Батюшка, вглядевшись, привычно обмахнул себя широким рукавом рясы.

— Воистину так, матушка, — молвил он. — Нехристь и есть.

Как ни глупо это было, Вацлаву вдруг показалось обидным, что его полагают нехристем.

— У меня был образ святой девы Марии, — разлепив губы, сказал он, — но его украли, пока я был в беспамятстве.

Матушка Пелагия Ильинична в ответ на его слова совершенно по-молодому завизжала и прянула назад, как необъезженная кобылка, у которой перед носом взорвали картуз пороху. Напуганный этим неожиданным звуком, отец Евлампий заметно вздрогнул и торопливо перекрестил супругу.

— Господь с тобой, матушка, что же ты визжишь, как грешник на сковороде? Неужто такое диво, что человек по-человечески разговаривает? Радоваться надобно, что постоялец наш по-русски понимает, а ты голосишь на всю деревню. А позволь спросить, сын мой, — осторожно обратился он к Огинскому, — какого ты звания и откуда по-русски понимать научился?

101

Вацлав спустил ноги с лавки и попытался сесть. Со второй попытки и при помощи отца Евлампия это ему удалось.

— Моя фамилия Огинский, — сказал он. — Я русский офицер, поляк по происхождению...

И Вацлав Огинский без утайки поведал отцу Евлампию историю своих злоключений, которые бросили его, беспомощного и одетого в чужой мундир, на лавку в доме священника. Отец Евлампий слушал внимательно, забрав, вероятно, в задумчивости, бороду в кулак и время от времени кивал головой; матушка Пелагия Ильинична всплескивала руками и произносила все те слова, которые произносят простые и добросердечные русские женщины, когда им рассказывают «страсти».

А за окном по улице все громыхали колеса, мягко стучали по пыльной дороге копыта лошадей и, устало печатая шаг, проходила в облаках пыли и в ореоле славы непобедимая французская пехота, держа путь в сторону Москвы.

Глава 6

Кшиштоф Огинский остановил коня только верстах в пяти от усадьбы, на краю вырубленной лесной делянки, и сразу же спешился, обмотав поводья вокруг молодого деревца.

Солнце уже встало над макушками деревьев, разбудив птиц и, что было много хуже, насекомых, которые с радостным писком и жужжанием принялись липнуть к разгоряченному, потному лицу пана Кшиштофа. Становилось жарко. Тяжело дыша и отмахиваясь рукою в перчатке от мошкары, пан Кшиштоф в великом раздражении сдернул с головы гребенчатый кирасирский шлем, так зацепившись при этом ремнем за подбородок, что едва не оторвал себе голову. В сердцах швырнув каску оземь, он вынул из кармана рейтузов платок ротмистра Мюллера и отер им лицо.

Раздражение пана Кшиштофа было вполне объяснимо, хотя злиться ему приходилось только на себя самого. Внезапное появление у места дуэли конного разъезда французов само по себе было не так дурно и даже погибельно, как поведение при этом пана Кшиштофа. Ничто, казалось бы, не мешало лже-кирасиру при виде неприятеля сдаться в плен и после уж, очутившись в расположении французской армии, объяснить первому же офицеру свои обстоятельства и потребовать свидания с Мюратом. Миссия его подобным образом была бы выполнена целиком и в наилучшем виде. После свидания с королем Неаполя оставалось бы лишь наведаться в усадьбу в сопровождении французского конного эскорта, забрать спрятанную за горкой с фарфором икону, доставить ее к Мюрату и получить с последнего условленную сумму. Это было просто и легко сделать, но пан Кшиштоф, пустившись наутек, сам спутал собственные карты.

Все сложилось бы совсем иначе, если бы появление карабинеров не было столь внезапным и если бы сверкающие золочеными кирасами всадники не неслись во весь опор, паля из карабинов и размахивая палашами, прямиком на находившегося ближе всего к ним пана Кшиштофа. При подобных обстоятельствах пан Кшиштоф независимо от собственной воли уподоблялся зайцу, чующему у себя за спиной лай гончих, и мчался прочь, не разбирая дороги, ни о чем не думая и ничего не чувствуя, кроме всеобъемлющего желания положить между собою и преследователями как можно большее расстояние.

Не то чтобы пан Кшиштоф не любил риска или не умел при необходимости идти навстречу опасности, даже и смертельной; но для этого он должен был твердо убедиться в необходимости подобного поведения и соответствующим образом приготовить себя внутренне. Иначе говоря, ему требовалось время на то, чтобы побороть свою природную трусость и начать действовать сообразно своим планам и замыслам; налетевшие же с криками и стрельбой французы не дали ему собраться с мыслями, и Огинский действовал, повинуясь одному только инстинкту.

Он не помнил даже, стрелял ли по французам. Карабин его был разряжен и издавал щекочущий запах пороховой гари, из чего следовало, что стрелял, но вот когда это было, и попал ли он в кого-нибудь, пан Кшиштоф не помнил.

Употребив все богатство французского, польского и русского языков, пан Кшиштоф в самых крепких известных ему выражениях, коих он знал немало, проклял все на свете, и прежде всего так несвоевременно появившихся французов. Зная о своей прискорбной слабости, он, однако, не упомянул себя в числе тех, кого проклинал, поскольку относился к той категории людей, которые способны простить любую подлость, ежели она совершена ими самими.

Резкими рывками отстегнув ремни и стащив с себя нагретую солнцем кирасу, Огинский зашвырнул ее в кусты. Вид этой черной, выполненной в форме человеческого торса железяки вызвал в нем новый приступ раздражения: он вспомнил, что его статское платье осталось в седельной сумке, которая до сих пор валялась на полу в карточной дома князя Вязмитинова.

Сев на землю, пан Кшиштоф вынул из кармана кисет и, чтобы успокоиться, стал набивать трубку. Табаку у него осталось мало; вина и пищи не было вовсе. На это он решил пока что не обращать внимания, хотя есть ему хотелось все сильнее, а во рту пересохло от волнения и жары. Отгоняя дымом надоедливых насекомых и задумчиво позванивая шпорой, пан Кшиштоф размышлял о том, как ему теперь быть.

Хуже всего было то, что он не мог знать нынешнего положения дел в усадьбе. Занята ли она превосходящими силами французов, или то был передовой разъезд, нападение которого гусары отбили без труда? Поразмыслив, пан Кшиштоф пришел к выводу, что он в обоих случаях вряд ли станет в доме князя Вязмитинова желанным гостем. Коли усадьба занята карабинерами, ему придется долго объяснять, зачем он, эмиссар маршала Мюрата, стрелял по французам; если же там по-прежнему стоят русские гусары, то ему не избежать малоприятных, хотя и справедливых обвинений в трусости.

Выбив трубку о каблук и спрятав ее в карман, пан Кшиштоф встал и, бормоча проклятия, вернулся в седло. Ничего другого не оставалось, как искать возможности сдаться в плен французам. Это был не самый быстрый и приятный, но самый верный путь к спрятанному в доме Вязмитиновых сокровищу. Его офицерская форма и недурное знание французского языка должны были помочь ему пробиться к Мюрату, после чего, он верил, ему будет дана возможность вновь беспрепятственно передвигаться и без помех завершить начатое дело.

Тронув шпорами коня, пан Кшиштоф выехал на дорогу и двинулся по ней приблизительно в ту сторону, с которой наступали французы.

Утренний лес был красив той безыскусной, берущей за душу красотой, которая только и бывает в средней полосе России в конце лета. Косые солнечные лучи, пробиваясь сквозь полог ветвей, клали на дорогу подвижный меняющийся узор золотистых пятен; рыжие сосновые стволы горели, как начищенные хоботы медных пушек, вокруг в первозданном буйстве смешались все оттенки зеленого и желтого цветов. Но ни красоты августовского леса, ни щебет птиц не трогали пана Кшиштофа Огинского, озабоченного своими планами и расчетами.

Мало-помалу мысли его переместились с дел на-

105

сущных на то, что предстояло ему в дальнейшем. Перспективы были приятны во всех смыслах. Получив с Мюрата деньги, пан Кшиштоф рассчитывал отойти от дел и направиться прямиком в Польшу, чтобы первым донести до старого Огинского весть о гибели сына. Он мечтал сделать это самолично, чтобы увидеть собственными глазами, как изменится лицо старого магната при этом известии. Позже, в тот же день, пан Кшиштоф рассчитывал подослать к дядюшке заранее нанятых наемных убийц, чтобы окончательно и бесповоротно решить дело о наследстве. Сказочно богатый, титулованный и притом пользующийся поддержкой самого Мюрата, пан Кшиштоф, несомненно, станет одним из первых по значительности лиц в Польше, а быть может, и во всей Европе. Никто более не рискнет говорить с ним свысока и бить по щекам; напротив, он сам будет смотреть на людей сверху вниз и за бокалом вина решать, кого казнить, а кого миловать.

На опушке леса Огинский остановил коня и, вновь достав из кармана платок убитого им ротмистра, привязал скомканный лоскут к кончику палаша, изготовив, таким образом, некое подобие белого флага. Теперь он был полностью приготовлен к встрече с французами, которых, вероятнее всего, можно было найти в деревне.

Приближавшееся к зениту солнце теперь, когда над ним не было спасительной защиты в виде древесных крон, нещадно палило непокрытую голову пана Кшиштофа. Огинский расстегнул ворот мундира, но полученное им от этого облегчение было чересчур незначительным. Мучившая его жажда усилилась настолько, что совершенно вытеснила не только чувство голода, но и вообще все иные чувства. Торопясь поскорее добраться до жилья и воды, пан Кшиштоф повернул коня и пустил его галопом напрямик через хлебное поле, держа курс на едва различимо горевшую далеко впереди золотую искорку купола вязмитиновского Преображенского храма.

Спелая рожь, по незнанию принятая паном Кшиштофом почему-то за овес, шуршала под копытами коня и стегала всадника по голенищам сапог тяжелыми колосьями, оставлявшими на блестящей черной коже пыльные следы. Вспугнутые лошадью кузнечики волнами брызгали в разные стороны из-под копыт, и два раза впереди взлетали какие-то невзрачные серые птахи, названия коих пан Кшиштоф не знал и знать не хотел. Огинский обливался горячим потом и, поскольку платок был им употреблен на изготовление белого флага, вынужден был утираться перчаткой. Никогда ранее он не предполагал, что посреди Смоленской губернии можно страдать от жары и жажды так же, как в сердце каменной пустыни; ему казалось, что он погибает, хотя до этого было, конечно же, еще очень и очень далеко.

Когда лежавшая впереди деревня стала уже отчетливо видна со всеми своими садами, огородами, избами и с белой, похожей издали на зажженную венчальную свечу, колокольней храма, пан Кшиштоф заметил по правую руку от себя движущуюся по дороге большую группу всадников. Солнце блестело на железе и меди, из-под копыт поднималась пыль. Кавалерия ехала шагом, никуда не торопясь, стройными рядами, из чего пан Кшиштоф сделал совершенно правильный вывод, что видит французов.

Забыв об осторожности, он дал коню шпоры, посылая его в галоп, и поскакал наперерез движущейся коннице, крича во все горло и размахивая над головой палашом с привязанным к нему платком.

Поспешность, с которой был произведен этот маневр, сослужила пану Кшиштофу весьма дурную службу. Видно, он был прав, предполагая, что полоса удач в его жизни подошла к концу. Он был замечен почти сразу, но реакция на его появление оказалась совсем не той, на какую он рассчитывал.

Французы издали увидели приближавшегося к ним по склону пологого холма одинокого всадника. Всадник громко кричал и вертел над головой саблей, которая ярко сверкала в солнечных лучах. Даже солнце, бившее прямо в глаза французам, было в этот день против пана Кшиштофа: оно помешало им разглядеть привязанный к палашу знак капитуляции.

Даже хуже этого предательского солнца для пана Кшиштофа оказалось то, что отряд, которому он вознамерился сдаться в плен, был тем самым эскадроном карабинеров, передовой разъезд которого был отбит от усадьбы Вязмитиновых гусарами. Всякую минуту ожидающие появления неприятеля карабинеры вполне естественно приняли демарш пана Кшиштофа за начало фланговой кавалерийской атаки. Одинокий всадник показался им сильно забежавшим вперед от своих командиром скрывающегося за вершиной холма атакующего отряда, и по команде офицера карабинеры открыли огонь.

Приблизившийся на расстояние выстрела пан Кшиштоф был встречен плотным залпом. Стайка пуль со свистом пронеслась мимо и вокруг него, шевельнув на его голове волосы. Не самая меткая, но, несомненно, направляемая несчастливой судьбою старшего Огинского пуля с коротким неприятным лязгом ударила в самую середину палаша, перебив лезвие пополам и едва не вывихнув пану Кшиштофу руку. Огинский, вскрикнув от испуга и боли, выронил обломок палаша и осадил коня.

Все бы можно еще было исправить, достаточно было всего лишь поднять повыше руки и шагом поехать навстречу французам. Огинский понимал это превосходно, но оживший в душе его заяц торопился задать стрекача. К тому же, пан Кшиштоф только теперь разглядел на стрелявших в его сторону всадниках золоченые кирасы, белые мундиры и красные эполеты карабинеров. Немедленно цепь совершенно невероятных, но казавшихся ему в тот момент единственно верными предположений пронеслась в мозгу пана Кшиштофа. Он не сомневался, что узнан кем-то из карабинеров по своему мундиру, возможно по лошади, а может быть, и в лицо. Возможно, там, у пруда, он нечаянно кого-то застрелил, и теперь французы жаждали мести; иначе зачем бы им понадобилось залпами стрелять по белому флагу?

Замешательство пана Кшиштофа развеселило карабинеров, и по знаку офицера они дали еще один залп. Одна из пуль попала в лошадь, пробив ей грудь. Раненое животное встало на дыбы, едва не выбросив пана Кшиштофа из седла, и, повернувшись к французам хвостом, понесло, разом разрешив все сомнения своего седока.

«А ля гер ком а ля гер, — трясясь и подскакивая в седле, беспорядочно думал Огинский, — на войне как на войне. Французы в этом правы, и может ли такое быть, чтобы лошадь оказалась умнее человека? А ведь умнее, потому что, останься я там еще на миг, не миновать бы мне участи моего кузена...»

Обернувшись на скаку и увидев, что от эскадрона отделились и пустились за ним в погоню несколько всадников, пан Кшиштоф решил, что совершенно погиб, и нещадно вонзил шпоры в бока лошади, которая и без того бежала из последних сил, оставляя на ржаных колосьях широкий красный след.

Командир эскадрона карабинеров, который возглавил погоню за одиноким русским, остановил лошадь на вершине холма. Отсюда было хорошо видно, что никакой русской конницы за холмом нет, а есть лишь единственный всадник, изо всех сил погоняющий своего спотыкающегося коня, стремясь, по всей видимости, достичь синевшего в отдалении леса. За беглецом оставался широкий кровавый след, указывавший на полученную либо им, либо его лошадью рану. Поглядев беглецу вслед, майор пожал плечами.

— Сумасшедший, — сказал он остановившемуся рядом с ним лейтенанту. — Этих русских сам черт не разберет. Чего он добивался, когда пытался напасть на нас?

— Фанатик, — предположил лейтенант. — Впрочем, русские хитры. Возможно, это попытка заманить нас в засаду.

Седой майор с трудом удержался от крепкого словечка. Ржаное поле лежало перед ним, видимое во всю свою ширину, и на его поверхности не было видно ничего и никого, кроме быстро удалявшейся верхом одинокой фигуры. Спелая рожь стояла высоко, но все же не настолько, чтобы скрыть отряд всадников. Конечно, пехота могла бы прятаться буквально в нескольких саженях от майора и его спутников, оставаясь при этом незамеченной, но откуда здесь было взяться русской пехоте?

Нахмурясь, майор вынул их кармана часы на массивной золотой цепочке и сверил по ним время.

— Я не имею времени задерживаться, — резко бросил он лейтенанту. — Нам надобно выполнять приказ. Если же где-то здесь прячутся русские, то я дам им достойного противника. Эй, капрал! Велите поджечь поле!

Через несколько минут в рожь полетели пылающие факелы. Из гущи колосьев там, где они упали, поднялись белые дымки. Потом дым стал гуще и посерел, совершенно скрыв от французов фигуру убегающего Огинского. Вскоре в дыму стали с треском мелькать длинные языки пламени, которые сливались в целые полотнища, тут же исчезавшие из вида, чтобы немедленно возникнуть снова, но уже в другом месте. Майор махнул рукой, подавая команду, и эскадрон карабинеров двинулся вдоль дымной полосы, держа путь согласно предписанному командованием маршруту.

Огинский между тем скакал вперед, больше не оглядываясь и всякую минуту ожидая сабельного удара или пули, выпущенной с близкого расстояния в спину. Спина его представлялась ему сейчас широкой и беззащитной — такой широкой, что, казалось, даже выпущенная совсем в другом направлении и вовсе с за-

110

крытыми глазами пуля должна была неминуемо попасть в самую середину этой огромной спины.

Лошадь под ним споткнулась раз, потом другой, выровнялась, пробежала еще саженей двадцать и, наконец, со всего маху рухнула замертво, перевернувшись через голову и далеко отбросив своего седока. Пан Кшиштоф пролетел несколько шагов по воздуху и очень неловко упал оземь, ударившись спиной с такой силой, что из него вышибло дух. В глазах у него потемнело, он дважды попытался втянуть в себя воздух и, не добившись успеха, лишился чувств.

Очнувшись, он еще какое-то время неподвижно лежал на спине с закрытыми глазами, пытаясь понять, что творится вокруг. Его неудачная попытка сдаться в плен и последовавшее за нею бегство помнились ему во всех подробностях. Неясно было только, чем все кончилось. Пан Кшиштоф очень боялся, открыв глаза, увидеть над собой сомкнувшихся плотным кольцом всадников, только и ждущих, чтобы он открыл глаза, для предания его мучительной смерти.

В голове у него все еще изрядно шумело от удара об землю, и, вероятно, поэтому пану Кшиштофу представилось, что французы собираются сжечь его заживо и даже уже разложили с этой целью костер. Костер трещал где-то совсем рядом, распространяя вокруг себя все усиливающийся жар и запах дыма. Когда тепло этого костра стало уже не греть, а припекать, а от дыма сделалось трудно дышать, пан Кшиштоф отважился, наконец, открыть глаза и посмотреть вокруг.

Первое, что он увидел, были серый густой дым и красный огонь, который выскакивал из дыма длинными и злыми, закрученными в спирали языками. Покуда он сощуренными, слезящимися от дыма глазами недоуменно смотрел вокруг себя, дым вдруг поредел, и огонь сделался виден во всей красе — длинная, широкая, пышущая нестерпимым жаром полоса, стремительно и вместе с тем неторопливо наступавшая на пана Кшиштофа просторным полукольцом. Он увидел, как с треском занялись хвост и грива лежавшего в десяти шагах от него коня, и в ноздри ему тут же ударила удушливая вонь паленой шерсти. Его собственные волосы шевелились от жаркого ветра и, казалось, тоже начинали потрескивать.

«То же будет и со мной, — подумал пан Кшиштоф, с ужасом наблюдая за тем, как огонь жадно пожирает лошадиный труп. — Что же это? Похоже на ад, но разве в аду бывают мертвые лошади?»

Решив бежать, он вскочил на ноги, но вынужден был тут же снова опуститься как можно ниже к земле, потому что наверху было вовсе нечем дышать от дыма. Однако же в тот краткий миг, что он стоял во весь рост, пан Кшиштоф успел в разрыве дымного облака увидеть опушку леса, до которой, как оказалось, было рукой подать — саженей сто, сто двадцать, никак не более.

Пистолет в притороченной к седлу кобуре вдруг громко выстрелил сам собою от жара, и тут же вслед за ним взорвался лежавший в сумке порох. Пригнувшись к самой земле и перебирая по ней руками, пан Кшиштоф бросился бежать от настигавшего его огня.

* * *

Поздним вечером с князем Александром Николаевичем случился второй удар. Княжна, которая всю вторую половину дня неотлучно провела у постели больного, хотя и не имела никаких медицинских познаний, сразу поняла, что ему сделалось хуже, и, ни о чем не думая, кроме как о том, что дед может сию минуту умереть, стремглав бросилась вниз и позвала на помощь.

Вникнув в суть происходящего, командовавший стоявшими в усадьбе уланами капитан Жюно кликнул лекаря и приказал ему следовать за княжною и оказать хозяину дома необходимую помощь. Усатый рубака всякий раз видимо смягчался при появлении княжны и оказывал ей подчеркнутое почтение, не мешавшее, впрочем, его солдатам хозяйничать в усадьбе, как у себя дома.

Поднявшись в спальню князя, лекарь-француз с первого взгляда определил удар и сказал, что надобно пустить кровь. Нехитрая эта операция была произведена им с большою ловкостью и без присутствия княжны, которой он строго-настрого велел покинуть комнату. Несмотря на владевшее ею беспокойство, княжна была благодарна лекарю за то, что он избавил ее от тягостного зрелища.

Через какое-то время, показавшееся княжне Марии неимоверно долгим, дверь спальни растворилась, и оттуда вышел Архипыч, державший в обеих руках прикрытый испачканным в крови полотенцем медный таз. Седая голова старика-камердинера тряслась сильнее обычного, и казалось, что его самого впору укладывать в постель.

Не чуя под собой ног, княжна вбежала в спальню и увидела лекаря, который, с засученными выше локтя рукавами рубашки, заканчивал убирать в саквояж свои неприятно блестевшие инструменты. Доктор был лысый, рыжеватый, пожилой, с длинным носом, который составлял как бы одну линию с покатым, заметно сужающимся кверху и переходящим в остроконечную макушку лбом. Редкий рыжеватый пух обрамлял эту бледную, масляно поблескивающую и отражающую дрожащие огоньки свечей макушку, спускаясь на щеки почти до самого подбородка разлохмаченными бакенбардами. На длинном докторском носу криво сидели очки, маленький подбородок и толстая, всегда оттопыренная как бы в недовольстве нижняя губа придавали доктору разительное сходство с верблюдом, коего изображение княжна видела в иллюстрированной книге по географии.

— Принцесса, — сказал доктор, увидав стоявшую в дверях и не решавшуюся войти княжну, — мне жаль, принцесса. Я сделал все, что было в моих силах, но медицина, увы, не может творить чудеса, особенно когда речь идет о пожилых людях. Сейчас принц спит, и единственное, за что я могу ручаться, это что он доживет до утра. В остальном же вам остается положиться на бога и его безграничную милость к нам, грешным обитателям земли.

Произнеся эту, видимо, заранее заготовленную речь, доктор подхватил саквояж и вознамерился покинуть комнату, но княжна остановила его.

— Но скажите же, — с мольбою в голосе проговорила она, — есть ли надежда на выздоровление?

Лекарь остановился и, ткнув указательным пальцем себе в переносицу, поправил сползшие очки. Вид убитой горем юной и прелестной княжны, видимо, тронул его, но он был всего-навсего полковой лекарь и в самом деле не умел творить чудеса. Ему приходилось видеть вещи куда более страшные, чем то, что он видел теперь. К тому же, он находил постигшую восьмидесятилетнего старика смерть от удара вполне естественной и даже своевременной — по крайней мере, более естественной и своевременной, чем гибель двадцатилетнего, в расцвете жизни и молодости красавца, умирающего от шока и потери крови с оторванными пушечным ядром обеими ногами, как это было под Смоленском.

— Боюсь, принцесса, что отныне жизнь вашего родственника находится целиком в руках всевышнего, — сказал он, по возможности маскируя жестокость своих слов мягкостью тона. — Одно могу сказать вам определенно: третьего удара больной не переживет. Мне очень жаль, принцесса, поверьте.

Лекарь вышел, оставив княжну в одиночестве привыкать к мысли о скорой кончине деда. Потянулись томительные часы без сна и покоя. Поначалу во дворе и во всем доме еще раздавались шум, голоса, топот и даже хоровое пение французских солдат, которым было что праздновать и которые с удовольствием и без церемоний воздавали должное винным погребам умирающего князя. На дворе горели костры, красные отсветы которых плясали на потолке княжеской спальни; выглянув один раз в окно, княжна увидела двоих улан, которые, едва держась на ногах от выпитого вина, со смехом рубили саблями принесенный из дома диван и бросали обломки в жарко горевший костер. Отвернувшись от этих двоих, Мария Андреевна заметила капитанского денщика, который спешил к возку капитана Жюно, неся в охапке старинные серебряные подсвечники из гостиной. Молодой лейтенант с аккуратными бачками и подстриженными по последней моде усами стоял на крыльце, вертя перед глазами золоченую шпагу, жалованную князю Вязмитинову еще императрицей Екатериной Великой. Эти признаки происходившего в доме грабежа оставили княжну вполне равнодушной: по сравнению с болезнью и, видимо, грядущей не за горами смертью князя потеря нескольких подсвечников и даже всего состояния представлялась Марии Андреевне не заслуживающим внимания пустяком.

Слезы подступали к глазам, но княжна, сердито тряхнув головой, запретила себе плакать. Читая романы из светской жизни, она не раз с недоумением задавалась вопросом: почему это героини только и делают, что вздыхают, плачут и лишаются чувств при первом удобном случае, в то время как все и всегда делается за них и для них мужчинами, и делается порой далеко не самым лучшим образом, а так, что лучше бы и не делалось вовсе. «А коли совсем одна осталась, — сердито думала она, — так что же — пропадать? Чувств лишиться — невелика хитрость, так ведь все едино до старости без чувств не пролежишь. Ежели у тебя платок упал и подать некому — что же, рукавом утираться?»

Мысли эти, вовсе не свойственные девицам ее

круга, были, конечно же, исподволь внушены ей старым князем, который со свойственным старикам детским почти эгоизмом воспитывал внучку не так, чтобы ей после легко было вращаться и пользоваться успехом в свете, а так, чтобы иметь на старости лет подле себя человека, который был бы приятен и мил прежде всего ему, князю Александру Николаевичу. Эгоизм этот принес неожиданно хорошие плоды: княжна смотрела вперед хоть и со страхом, вполне понятным в сложившихся обстоятельствах, но всетаки смотрела, а не отворачивалась в испуге, зажмуривая глаза.

Уже около часу ночи, когда все в доме, наконец, угомонились и во дворе остался только один часовой, который бродил по брусчатке, выделывая странные вензеля ногами и время от времени с грохотом роняя ружье, в дверь княжеской спальни тихо, осторожно постучали.

— Ваше сиятельство, — прошептал, заглядывая в спальню, Архипыч, — там какой-то офицер вас спрашивать изволит. Я сказал, что почивают, а он...

— Какой офицер? — устало спросила княжна. — Француз?

Архипыч почему-то помедлил с ответом и даже оглянулся через плечо назад, словно проверяя, не подслушивает ли кто их разговор.

— Русский, — совсем уже тихо сообщил он. — Из тех, что прошлую ночь у нас на постое стояли. Такой, изволите ли знать... ну, как будто русский, а как будто и не совсем. Говор у него странный...

Сердце княжны при этом известии пропустило один удар и вдруг забилось сильно и часто, словно ему сделалось тесно в груди, и оно решило вырваться на волю. Княжна ни минуты не сомневалась в том, что русский офицер с нездешним выговором, о котором докладывал ей Архипыч, есть ни кто иной, как Вацлав Огинский, отставший от своих с тем, чтобы защитить ее от всех напастей военного времени.

116

— Невозможно, — тоже переходя на шепот, сказала она. — Как же это может быть? Где он?

— На заднем крыльце, — сообщил старый камердинер, конфузясь оттого, что ему впервые в жизни приходилось докладывать юной княжне столь странное дело и вызывать ее сиятельство посреди ночи на заднее крыльцо дома, полного пьяных неприятельских солдат.

Княжна задумалась на целую минуту, нахмурив тонкие брови и потирая кончиками пальцев лоб, на котором внезапно обозначилась такая же, как у ее деда, поперечная складка. Раньше этой складки не было, но раньше, в прошлой счастливой жизни, не было и не могло быть еще очень многого, что было теперь.

— Вот что, Архипыч, — сказала она решительно, — необходимо провести его сюда во что бы то ни стало. Сможешь ты это сделать?

Архипыч тяжело вздохнул. В глубине души он считал, что для безопасности княжны было бы гораздо лучше гнать ночного гостя прочь от крыльца, а то и вовсе сдать его французам от греха подальше; спорить с хозяйкой он, однако же, не стал, видя меж ее бровей знакомую складку. Складка эта яснее всяких слов сказала ему то, о чем еще не догадывалась сама княжна: в ней просыпался характер старого князя, перечить которому было смерти подобно. Александр Николаевич действительно никогда не порол своих дворовых, поскольку не имел в этом нужды: при одном взгляде на его грозно нахмуренный лоб у ослушника отнимался язык и пропадала всякая охота своевольничать.

— Слушаю-с, — сказал Архипыч и исчез за дверью.

Княжна вновь осталась одна, если не считать лежавшего без сознания на своей кровати старого князя. Крепко стиснув перед собой руки, Мария Андреевна принялась ходить из угла в угол по комнате. Десятки предположений о том, как и под какою личиной спрятать в доме очутившегося в тылу французов Вацлава, роились в ее голове, отвергаемые одно за другим ввиду полной их непригодности. Княжна так и не успела ничего твердо решить, когда в дверь снова поскребся Архипыч. Выйдя ему навстречу из спальни, Мария Андреевна увидела стоявшую в углу темного, освещенного лишь горевшей в руке камердинера свечой кабинета высокую фигуру, которая показалась ей много выше и массивнее, чем фигура Вацлава Огинского. При этом еще больше, чем вид этой фигуры, княжну поразил стоявший в кабинете тяжелый, легко различимый запах гари, такой густой, словно в доме начался пожар.

Стоявший в углу человек шагнул вперед, попав в круг отбрасываемого свечой оранжевого света, и княжна увидела испачканный, обгорелый мундир и над ним красивое, хотя и закопченное черноусое лицо Кшиштофа Огинского. Она вмиг узнала кирасира, который называл Вацлава кузеном, и буря чувств, поднявшаяся в ее душе после сообщения камердинера, улеглась так быстро, словно ее и вовсе не было. Княжна почувствовала сильнейшее разочарование оттого, что это был не Вацлав, и раздражение против кирасира. Ей было непонятно, для чего этот незнакомый ей человек ночью пробрался в полный французов дом, рискуя собой, ею и даже жизнью старого князя. Устыдившись этих мыслей, в которых было очень мало благородства и христианского милосердия, но зато много здравого смысла, княжна взяла себя в руки и приветливо улыбнулась ночному гостю.

— Я вас узнала, — сказала она, — вы кузен Вацлава Огинского.

— Кшиштоф Огинский, к вашим услугам, княжна, — представился кирасир. — Я нижайше прошу простить мне это вторжение. Мой кузен просил меня позаботиться о вас в вашем трудном положении.

— Вацлав просил вас? — удивилась княжна. Кроме удивления, она испытывала сильную обиду. Ей было непонятно, зачем Вацлав прислал вместо себя

118

кузена, которого ей вовсе не хотелось видеть и который, судя по состоянию его мундира, скорее сам нуждался в помощи, чем мог ее кому-либо оказать. — Но отчего...

— Это были его последние слова, — придав лицу похоронное выражение, солгал пан Кшиштоф. — «Позаботься о княжне Марии Андреевне, кузен», — сказал он, умирая на моих руках.

То, что на первый взгляд могло показаться солдатской прямотой и простодушием, на самом деле было со стороны пана Кшиштофа продуманной жестокостью. Ему было просто необходимо любой ценой остаться в доме хотя бы на одну ночь; кроме того, он знал, что перед ним стоит одна из богатейших невест России. Соблазн воспользоваться ее отчаянным положением и между делом, не прилагая особенных усилий, присоединить к дядюшкиному наследству огромное состояние князей Вязмитиновых был слишком велик, и пан Кшиштоф, хотя и не верил в успех своего сватовства к княжне, почти бессознательно начал действовать в этом направлении.

Получив страшное известие, княжна покачнулась. Пап Кшиштоф, ожидавший именно такой реакции, шагнул к ней, намереваясь поддержать лишившуюся чувств девицу, но Мария Андреевна остановила его, выставив перед собой ладонь.

— Оставьте, сударь, — неживым голосом сказала она. — Расскажите мне, как это случилось. Верно ли, что Вацлав умер?

— Так же верно, как то, что я стою здесь перед вами, — сказал пан Кшиштоф. — Мне жаль говорить вам это, княжна, но мой кузен убит на дуэли. Негодяй поручик прострелил ему голову с десяти шагов. Признаться, я думал, что вам известен результат дуэли. В противном случае я никогда не заговорил бы на эту тему.

— Боже праведный, — сказала Мария Андреевна, без сил опускаясь в кресло, — как это ужасно!

Как глупо и несправедливо умереть из-за невзначай брошенного и, может быть, неверно истолкованного слова! И не говорите мне о том, что таков удел настоящих мужчин. Не говорите ничего вообще. Ступайте, дайте мне побыть одной. Архипыч, — позвала она камердинера, — подбери господину офицеру какое-нибудь платье из дедушкиного гардероба. Нельзя, чтобы его видели в мундире. И еще... Архипыч, миленький, надобно утром сходить в деревню и привести отца Евлампия, чтобы он соборовал князя.

Отдав преувеличенно твердым, совсем не девическим тоном последние распоряжения, она встала и, не прощаясь с паном Кшиштофом, удалилась в спальню князя. Архипыч поклонился ей вслед, и пан Кшиштоф, нагнув голову, щелкнул каблуками. Шпоры, которые он до сих пор не потрудился снять, при этом глупо звякнули.

Вернувшись в спальню, где неприятно пахло лекарствами и болезнью и раздавалось неровное, с хрипами и присвистом дыхание старого князя, Мария Андреевна упала в кресло и, закрыв лицо ладонями, разрыдалась. Последний нанесенный ей удар сломил самообладание княжны. Она чувствовала себя одинокой, всеми покинутой и в одночасье лишившейся всего, что было ей дорого в жизни. Вацлав Огинский, которого она почти успела полюбить, был мертв; дед, дороже которого для нее не было никого на свете, готов был умереть в любую минуту; и даже самый дом, в котором она выросла и который считала самым милым и уютным местом на земле, более не принадлежал ей, насильно занятый чужими незнакомыми людьми.

Шестнадцатилетняя княжна, вдруг оказавшаяся одна перед лицом испытаний, которые были по силам далеко не каждому мужчине, рыдала в спальне умирающего, а под окном по булыжникам двора все так же бродил, спотыкаясь и временами принимаясь неразборчиво напевать, пьяный караульный улан.

Глава 7

Утром следующего дня осунувшаяся после проведенной без сна ночи, с покрасневшими, но сухими глазами княжна Мария, твердо глядя прямо в лицо капитану Жюно, представила ему Кшиштофа Огинского как своего кузена, прибывшего, рискуя жизнью, навстречу ей из Москвы. Внезапное, никем не замеченное появление его в доме княжна объяснила тем, что кузен прошел последние десять с лишком верст пешком. По ее словам, лошади его вместе с коляской были отобраны у него отступающими русскими казаками, в результате чего ее несчастный кузен вынужден был идти пешком и добрался до Вязмитинова лишь поздней ночью.

Капитан Жюно выслушал ее со своей всегдашней учтивостью и в самых вежливых выражениях высказал в ее присутствии свое горячее сочувствие «кузену» и восхищение его благородством и мужеством. История эта, однако, не вызвала у него полного доверия, и он про себя решил, не медля, испытать сей романтический рассказ на прочность. С этой целью он испросил у княжны позволения остаться с ее кузеном наедине.

— Вам не о чем беспокоиться, сударыня, — пряча в густых усах улыбку, сказал он, перехватив ее встревоженный взгляд. — Я лишь хочу обсудить с вашим кузеном некоторые дела, не представляющие для вас интереса. Вы должны понять, как приятно бывает столь неожиданно встретить светского человека там, где привык видеть только славные, но недалекие физиономии подчиненных тебе солдат.

— Не беспокойтесь, княжна, — присоединился к нему пан Кшиштоф, — все будет хорошо.

«Посмотрим», — подумал при этих его словах капитан Жюно.

121

— Ну что же, сударь, — сказал он, когда княжна вышла, затворив за собой дверь, — я думаю, нам с вами есть что обсудить. Рассказ нашей милой хозяйки, вашей родственницы, признаться, показался мне не вполне правдивым. Говоря по совести, у меня сложилось впечатление, что он целиком вычитан из скверного романа, коих такое огромное количество печатают в последнее время. Основываясь на этом моем впечатлении, я просил бы вас ответить, кто вы такой и каким образом, а главное, с какой целью проникли в дом. Я целиком понимаю, что мое поведение трудно назвать учтивым, но меня оправдывает суровость военного времени и необходимость считаться с тем, что вы можете оказаться шпионом.

Пан Кшиштоф выслушал эту речь с полным спокойствием, развалясь в кресле, до которого еще не успели добраться уланы капитана Жюно. Когда капитан замолчал и с выжидательным выражением уставился на собеседника, пан Кшиштоф вынул из кармана старомодного и заметно короткого ему сюртука князя Вязмитинова бумажник, открыл потайное отделение и положил на стол перед капитаном сложенный вчетверо лист плотной голубоватой бумаги.

— Прочтите этот документ, — сказал пан Кшиштоф. — Он все объяснит. Прошу лишь не держать зла на хозяйку этого гостеприимного дома за ее невинную ложь. Поверьте, она не ведает, что творит.

Удивленно приподняв брови и с весьма недоверчивым выражением лица капитан Жюно развернул предложенный ему документ, бросив предварительно быстрый взгляд на пана Кшиштофа. Огинский сидел в прежней вольной позе и в ответ на взгляд капитана утвердительно кивнул, предлагая ему читать.

Капитан опустил глаза в бумагу, и брови его поднялись еще выше.

— Даже так! — воскликнул он, узнав знакомый ему почерк и взглянув на подпись.

Перед ним был собственноручно составленный

и подписанный лично маршалом Мюратом документ, который гласил: «Податель сего является моим доверенным лицом и действует по моему поручению. Солдатам и офицерам императорской французской армии предписывается оказывать ему всяческое содействие и не чинить препятствий в выполнении его миссии, направленной всецело на благо Франции».

Дважды прочтя бумагу, капитан медленно сложил ее и поднял на пана Кшиштофа уже совсем иной, оценивающий и понимающий взгляд. Привстав, он слегка наклонил голову и прищелкнул под столом каблуками.

— Я к вашим услугам, сударь, — сказал он. — Разумеется, в той небольшой мере, в которой это не помешает моему основному занятию — войне.

— Я имел случай наблюдать это ваше занятие, — нарочно напуская в голос морозу, суховато сказал пан Кшиштоф, который вовсе не ощущал той уверенности, с которой говорил. — На первый взгляд занятие ваше и ваших славных воинов заключается в варварском разграблении дома.

— А ля гер ком а ля гер, — повторил капитан крылатую фразу. — Солдаты всегда грабят, и удержать их от этого не в силах человеческих. Могу лишь заметить, что мои солдаты — это моя забота, и что ваша миссия, о которой пишет маршал, вряд ли заключается в том, чтобы обучать офицеров армии императора Наполеона тому, как им должно командовать войсками.

— Я хотел лишь подчеркнуть, — не дрогнув перед этим напором, твердо заявил пан Кшиштоф, — что порученное мне принцем Мюратом дело имеет весьма деликатное свойство и напрямую связано с этим домом — вернее, кое с чем из содержимого этого дома. Поэтому мне не хотелось бы, чтобы ваши солдаты, продолжая грабеж, невольно помешали бы мне в выполнении моего поручения.

— Возможно, нам было бы легче договориться, если бы я знал, что именно вы ищете, — тонко, как ему казалось, улыбнувшись, сказал капитан Жюно.

— Это останется секретом, — отрезал Огинский.

Сам будучи проходимцем, он склонен был видеть подобных себе в каждом из встреченных им людей. Впрочем, в случае с капитаном Жюно его осторожность была вполне оправданной. Посвяти он капитана во все подробности своего дела, даже не упоминая о сумме, которую обещался заплатить за икону Мюрат, француз непременно сам додумал бы все, о чем умолчал пан Кшиштоф, и сделал из этого соответствующие выводы. Выводы эти были просты. Разумеется, Мюрату было безразлично, кому платить, лишь бы икона поскорее оказалась у него. Получив желаемое из рук капитана Жюно, неаполитанский король вряд ли даже вспомнил бы о своем порученце, бесследно сгинувшем в горниле великой войны. Капитану, в свою очередь, ничего не стоило спровадить пана Кшиштофа на тот свет, чтобы после рассказать Мюрату любую пришедшую в голову байку об обстоятельствах его гибели. Поэтому пан Кшиштоф твердо решил действовать в полном секрете, выговорив себе как можно больше свобод и привилегий.

— Условия, при которых моя миссия может завершиться успехом, — продолжал он, откровенно разглядывая недовольную физиономию капитана Жюно, — чрезвычайно просты и для вас совсем не обременительны. Мне нужна от вас только свобода передвижений. Для этого прошу вас сделать вид, будто вы целиком и полностью поверили в правдивость истории, рассказанной вам принцессой Вязмитиновой. Что же касается подчиненных вам солдат и офицеров, то вы сами должны найти способ дать им понять, что я — лицо для них неприкосновенное.

Капитан Жюно, слушая его, откровенно морщился, подтверждая тем самым правоту Огинского, не захотевшего открыть ему цель своего пребывания в доме. Простым глазом было видно, что этот статский порученец, одетый в чужое платье, вызывал у капитана раздражение, вмешиваясь в его дела. Близость его с маршалом Мюратом, явствовавшая из предъявленного им письма, невольно наводила на неприятные мысли о наушничестве и интригах, в коих капитан Жюно чувствовал себя куда менее уверенно, чем в делах ратных. Тем не менее, коль скоро доверенное лицо самого Мюрата уже было здесь, с его присутствием приходилось считаться. Капитан в весьма учтивых словах выразил свою готовность к сотрудничеству и, кликнув лейтенанта, объявил ему, что пан Кшиштоф может совершенно свободно передвигаться по дому и вне его.

Выйдя из покоев, занятых капитаном улан, пан Кшиштоф с рассеянным и беззаботным видом принялся слоняться по дому, давая солдатам привыкнуть к своему присутствию и заодно проверяя, не следит ли кто-нибудь за его передвижениями. Он поболтал с лейтенантом, уговорившись на партию в вист, побродил, нюхая воздух, вокруг кашевара, который колдовал над большим, курящимся ароматным паром котлом, и через час уже в совершенстве знал расположение французов в доме и даже маршруты, по которым перемещались часовые. Как всякий опытный проходимец, пан Кшиштоф не мог быть спокойным, пока не подготовил все для успешного отступления.

По прошествии этого часа он столкнулся в коридоре второго этажа с княжной Марией, которая провела это время в волнениях относительно его судьбы. Как и предполагала княжна, вмешательство мужчины, желавшего проявить себя рыцарем, внесло в ее жизнь только лишние хлопоты и беспокойство. За тот час с лишком, в течение которого она не видела пана Кшиштофа, она успела нафантазировать тысячи бед, кои могли случиться с ним за это время, и была весьма приятно удивлена, встретив его целым, невредимым и как будто даже чем-то довольным.

— Пустяки, княжна, — ответил пан Кшиштоф на ее взволнованный вопрос, — вам вовсе не о чем беспокоиться. Капитан этот — весьма недалекий тип. Он проглотил рассказанную вами историю целиком, даже не поперхнувшись, а мне удалось развеять последние его сомнения, так что на протяжении доброго получаса мы с ним только и делали, что болтали о пустяках да курили его сигары. Как здоровье князя?

— Ему как будто немного лучше, — грустнея, ответила княжна, — но доктор-француз говорит, что надежды на выздоровление нет.

— Ну, так ведь это же француз, — утешил ее Огинский. — Стоит ли верить словам полкового коновала? Он более привык спасать людям жизнь, укорачивая их при помощи ланцета, чем вникать в более тонкие вопросы болезней, происходящих от иных причин, нежели ядра, пули и сабельных ударов. Надобно молиться, княжна, молиться уединенно и страстно. Я, верный, но недостойный сын католической церкви, верю, что бог един и для католиков, и для православных, и что все мы, его дети, находимся в руках его и можем уповать лишь на его безграничную милость.

Занятая своими мыслями, княжна почти целиком пропустила мимо ушей эту неискреннюю речь.

— Что же, — сказала она, когда пан Кшиштоф замолчал, — коли вы целы, так и беспокоиться не о чем. Я, с вашего позволения, вернусь к дедушке. Вы должны понять меня и простить. Мне хочется подольше побыть с ним, прежде чем...

Пан Кшиштоф склонил прилизанную голову, показывая, что понял все, чего не смогла договорить княжна, и по привычке щелкнул каблуками, что при его нынешнем одеянии показалось даже ему самому несколько неуместным.

Отделавшись, наконец, от княжны, которая мешала его сиюминутным планам, Огинский спустился на первый этаж.

Просторный, некогда уютный и без преувеличения роскошный дом князя Вязмитинова ныне жил законами временного военного бивуака, с каждой минутой превращаясь из мирной обители в простое укрытие от дождя и ветра, состоящее из четырех голых стен и крыши. Различные архитектурные красоты и удобства могли быть или не быть в этом временном жилье; до них никому не было дела. Повсюду сновали в своих красных мундирах и синих рейтузах расстегнутые, деловитые солдаты, занимаясь какими-то лагерными делами, а более всего грабежом, которому, несмотря на ясно высказанное капитану пожелание пана Кшиштофа, не видно было конца. В каждой комнате можно было наткнуться на самих французов или неоспоримые свидетельства их пребывания: грязные сапоги, брошенные сабли, пистолеты, сумки и ремни, натасканную на паркет грязь, оборванные портьеры, отсутствующую на своих местах мебель и пятна на обоях, где ранее висели снятые картины. Стоявший в гостиной мраморный фавн щеголял криво нахлобученной уланской шапкой и нарисованными углем кошачьими растопыренными усами. Через мраморное его плечо тем же, по всей видимости, шутником была перекинута перевязь со свисавшей до самого пола саблей. Одно из больших, с полукруглым верхом, окон гостиной было кем-то с неизвестной целью выбито напрочь, и острые обломки рамы торчали вкривь и вкось, усиливая и без того сильное ощущение разорения и разрухи, царившее в некогда уютной гостиной.

Посреди комнаты в золоченом кресле сидел пожилой улан с нашивками капрала, в расстегнутом мундире, из-под которого в вырезе рубашки виднелась густо заросшая кучерявым, уже сильно тронутым сединой волосом грудь. Положив скрещенные ноги в пыльных, со шпорами, сапогах на антикварной красоты инкрустированный низкий столик, сей ветеран с меланхолическим видом пощипывал струны гитары, время от времени прикладываясь к горлышку стоявшей на полу подле кресла винной бутылки. На свободном от мебели пространстве молодой лейтенант упражнялся в выпадах и отражениях с позолоченной шпагой князя Вязмитинова, очевидно будучи не в силах расстаться со своей новой игрушкой. Пан Кшиштоф с каменным лицом прошел через гостиную, всем своим видом показывая, что имеет полное право здесь находиться и передвигается не просто так, а по важнейшему делу. Старания его пропали даром, поскольку никто из французов просто не обратил на него внимания.

Толкнув высокую, на две половины раскрывающуюся дверь, Огинский вступил в карточную, оказавшись там, куда давно стремился попасть. К его огромному неудовольствию в карточной сидели пятеро французов во главе с капитаном Жюно. Офицеры играли в карты, делая ставки и азартными восклицаниями отмечая каждый ход. Увидев Огинского, капитан Жюно предложил ему принять участие в игре. Пан Кшиштоф замялся, поскольку не имел денег не только при себе, но и вообще их не имел. Ему вдруг сделалось почти смешно: впервые в своей полной приключений и интриг жизни бедного родственника, карточного шулера и авантюриста он оказался в положении, когда не имел не только денег, но и вообще ничего, что принадлежало бы ему, вплоть до нижнего белья. Все его достояние ныне заключалось в довольно дешевом перстне дутого золота с маленьким, не очень чистым рубином, сидевшем на безымянном пальце его правой руки. Пан Кшиштоф подумал, что ниже опуститься уже нельзя, и это было хорошо, потому что ему надоело падать. Судя по всему, в жизни его наступил очередной перелом, после которого его ожидал неминуемый взлет к вершинам богатства и если не славы, то хотя бы популярности в обществе, которую дают деньги и связи с сильными мира сего.

— С удовольствием составлю вам партию, — ответил он на приглашение капитана, — но вот незадача: я, как назло, без денег. Не думаю, что в столь неспокойное и сумбурное время с вашей стороны было

128

бы разумным поверить мне в долг, вот разве что перстень поставить.

Перстень был охотно принят в качестве ставки и перекочевал с пальца пана Кшиштофа на стол, за которым шла игра. Пану Кшиштофу придвинули стул, и он уселся к столу с твердым намерением обчистить французов, невольно мешавших его делу. Глаза пана Кшиштофа между тем незаметно обшарили комнату. Седельные сумки, в которых лежало его платье, разумеется, исчезли бесследно, но кресло, которое он приставил к горке с фарфором, казалось, стояло на том же месте, хотя никакого фарфора в горке уже не осталось. В кресле сидел толстый, с большими, на немецкий манер закрученными усами лейтенант в расстегнутом мундире. Лоснящееся от пота широкое красное лицо его показалось пану Кшиштофу донельзя глупым. На столе перед лейтенантом лежала большая груда золотых и серебряных монет — очевидно, его выигрыш. Пан Кшиштоф подумал, что дуракам обыкновенно везет, и принял карту.

Толстый лейтенант метал, поглядывая на перстень пана Кшиштофа таким взглядом, словно уже примерял его к своему жирному пальцу. Взгляд этот внезапно раздражил Огинского до такой степени, что он твердо решил обыграть толстяка любым путем. Почти не отдавая себе отчета в собственных действиях, он сложил пальцы обеих рук перед собою в замок и хрустнул ими, разминая суставы.

Он отыграл два кона, ценой большой изворотливости сумев остаться при своих. Наконец, очередь сдавать дошла до него, и пан Кшиштоф получил возможность воспользоваться одним из трюков, которым обучил его в незапамятные времена проезжий шулер. Руки его действовали словно сами собой, и, поскольку репутация Огинского в этом обществе была совершенно никому не известна, трюк сработал даже лучше, чем можно было ожидать. Собрав взятки, пан Кшиштоф под недовольным взглядом толстяка насадил перстень обратно на палец, придвинул к себе выигранные деньги и сделал ставку.

По мере того, как кучка денег перед ним увеличивалась в размерах, росла и смелость пана Кшиштофа. Пару раз ему по-настоящему повезло, в остальных случаях выручало искусство, которое, как оказалось, по-прежнему хорошо помнили его ловкие пальцы.

Постепенно игра сосредоточилась на толстяке-лейтенанте и пане Кшиштофе. Остальные довольствовались ролью статистов, с любопытством наблюдая за тем, как гость княжны Вязмитиновой потрошит своего соперника. Толстяк делался все краснее по мере того, как его деньги переходили к пану Кшиштофу; Огинский же совершенно осмелел и делал с ним, что хотел. На время он даже забыл о спрятанной за шкафом иконе, сосредоточившись на игре, а вернее, на том, что делали на виду у всех его ловкие пальцы.

Развязка, как это и бывает в таких случаях, наступила неожиданно и была весьма бурной. В одном шаге от окончательного проигрыша толстый лейтенант вдруг как будто запнулся о невидимое препятствие и, багровея прямо на глазах, замер, переводя взгляд дико вытаращенных глаз со своих карт на туза, которым пан Кшиштоф накрыл его взятку.

— Сударь, — просипел он наконец, — этот туз уже вышел из игры. Я это точно помню, сударь.

— Где, какой? — всполошился Огинский, понимая уже, что дело плохо, но все еще не в состоянии поверить в свой очередной провал. — Этого не может быть!

— Не может, — проявляя философский склад ума, согласился толстяк, — но вот есть же! И причина тому может быть только одна. Вы шулер, мсье! Извольте, господа, — обратился он к привставшим со своих мест офицерам, — я могу доказать! Взгляните только на это...

Повторяя, что этого не может быть и что это наверняка ошибка, пан Кшиштоф забегал глазами вокруг, ища спасения, и вдруг наткнулся на твердый, насмешливый взгляд капитана Жюно. Капитан не смотрел на ворошившего на столе карты толстяка; сверля взглядом пана Кшиштофа, он нехорошо улыбался.

— Прошу меня простить, сударь, — сказал капитан, поймав взгляд Огинского, — но это тот род деятельности, помогать вам в котором меня не может заставить ни маршал, ни император, ни сам господь бог. Мне почему-то думается, что, узнав о причинах, побудивших меня отказать вам в содействии и покровительстве, маршал Мюрат вынужден будет признать их уважительными.

— Вы шулер! — бушевал меж тем толстяк. — Вы негодяй и вор! Что вы на это ответите, сударь?

Огинский понял, что дело проиграно. Поднявшись на ноги и оттолкнув стул, он холодно отчеканил, надменно глядя в переносицу толстяка:

— Я отвечу, что это незаслуженное оскорбление, которое я, как дворянин, не могу оставить безнаказанным.

Услышав это, капитан Жюно демонстративно заткнул пальцами уши и отвернулся, показывая, что его здесь нет и он ничего не слышит. Отношение его к начинающейся дуэли тем самым было высказано весьма красноречиво, и Огинский понял, что на капитана рассчитывать нечего.

— Да! — закричал толстяк. — Да, это оскорбление, если можно считать оскорблением высказанную в глаза правду! Я оскорбил вас, мсье! Я повторяю: вы вор и негодяй! Может быть, вы хотите со мной драться? Извольте, сударь, я готов!

— Вы просто не умеете проигрывать, — пожав плечами, презрительно сказал Огинский, внутри которого все тряслось мелкой дрожью, как овечий хвост. — Если угодно, я научу вас этому тонкому искусству нынче же на закате. Боюсь только, что после этого у вас уже не будет времени еще раз сесть за карты.

— Ха! — воскликнул толстяк.

Дуэль была решена. Скрипя зубами от душившей его злобы, пан Кшиштоф выскочил во двор, чтобы на свободе обдумать свои дальнейшие действия. Драться он не собирался: ему по-прежнему казалось неимоверно глупым пытать судьбу, подставляясь под пулю в десяти шагах, то есть на дистанции, с которой промахнуться зрячему человеку можно было разве что нарочно.

Во дворе близ потухшего, ненужного днем костра веселились уланы. Став в круг, они отбивали ладонями такт, в то время как двое из них отплясывали внутри круга какой-то дикий танец. Один из этих двоих, высокий и усатый улан, представлял, как видно, даму. Об этом говорили криво сидевшая на его вороных кудрях кружевная дамская шляпка и обернутый вокруг бедер кусок золотой церковной парчи, изображавший юбку. Из-под этой юбки, задирая ее сзади, торчала пристегнутая к поясу сабля, а ниже были огромные сапоги с длинными шпорами, весело звеневшими в такт прыжкам и обезьяньим ужимкам «дамы».

Пан Кшиштоф не вдруг понял, отчего у него все похолодело внутри при виде этого парчового лоскута. Лишь справившись несколько с сердцебиением, он догадался о причине своего почти что обморока: парча была та самая, в которую он своими руками завернул чудотворную икону святого Георгия Победоносца перед тем, как спрятать ее за горку с фарфором.

Совершенно потеряв голову от этого последнего удара, Огинский вихрем ворвался в карточную. Сидевшие там и живо обсуждавшие происшествие офицеры с удивлением обернулись на его растерзанную, с дико вытаращенными глазами и стоящими дыбом волосами фигуру. Не обращая ни на кого внимания, пан Кшиштоф подскочил к горке и рывком опрокинул ее на пол. Это было сделано так стремительно и внезапно, что по-прежнему сидевший на своем месте толстяк едва успел отскочить, спасаясь от падавшей, как ему показалось, прямо на него горки.

— Сумасшедший! — крикнул толстяк, лихорадочно шаря рукой по поясу в поисках пистолета, которого там не было. — Вы видели, господа, этот сумасшедший хотел меня убить! Какая низость!

Поднялся переполох. Огинского схватили за руки, и кто-то вгорячах поднес к самому его лицу опасно поблескивающий кончик сабли. Пан Кшиштоф не сопротивлялся и даже не чувствовал того, что с ним делали: остановившимся, мертвым взглядом смотрел он на открывшееся пыльное пространство между опрокинутой горкой и стеной, где еще вчера лежала завернутая в золотую парчу чудотворная и, что было главнее всего, очень дорогая икона.

В пространстве этом, увы, ничего не было, кроме нескольких, уже упоминавшихся выше, комочков пыли и одинокого паука, который, не выдержав шума и повышенного внимания к своей персоне, поспешно улепетнул в щель под плинтусом.

Еще не успев хорошенько осознать всей глубины постигшего его несчастья, пан Кшиштоф Огинский был с позором выведен вон. Одетого в короткое и узкое, с чужого плеча платье, его швырнули на твердые камни двора. С крыльца прозвенели шпоры, и пан Кшиштоф увидел у самого своего лица блестящие сапоги.

— Дуэль отменяется, — прозвучал над ним голос капитана Жюно. — Вы слишком низки, сударь, чтобы я позволил кому-либо из моих офицеров пятнать свою честь, стреляясь с вами. Имейте в виду, что лишь находящийся при вас известный нам обоим документ удерживает меня от того, чтобы приказать своим солдатам отвести вас за гумно и там расстрелять. Но берегитесь, сударь, не попадайтесь больше мне на глаза! В противном случае, видит бог, я вас все-таки расстреляю. Убирайтесь немедленно отсюда и выполняйте свою секретную миссию где-нибудь в другом месте!

Кшиштоф Огинский поднялся и, ни разу не взглянув на капитана, побрел прочь — сначала медленно, а потом все быстрее и быстрее, пока не перешел на бег.

* * *

Вечером того же дня у распахнутых настежь ворот усадьбы остановилась, переводя дух, небольшая, всего из трех двигавшихся пешком человек, процессия. Возглавлял это шествие более всех запыхавшийся, но при этом не перестававший нетерпеливо оглядываться по сторонам и торопить своих спутников камердинер старого князя Архипыч. Башмаки его и белые чулки посерели от дорожной пыли, лицо раскраснелось от непривычных усилий, а покрытая седым пухом, в совершенно сбившемся на одну сторону пудреном парике голова тряслась гораздо сильнее обычного.

Следом за Архипычем выступал с дароносицей в руках званый к старому князю для последнего причастия отец Евлампий. Он тоже пыхтел и отдувался после долгого подъема в гору, но смотрел много живее своего престарелого провожатого. Вид его не слишком изнуренного постами, круглого, обросшего окладистой бородою лица говорил более о владевшей батюшкой озабоченности, нежели об усталости.

Замыкал эту духовную процессию, судя по рыжей от долгого употребления рясе, диакон. Ряса была ему заметно коротка, из-за чего диакон вынужден был горбиться и прятать руки в рукавах, как в муфте. Вообще, духовное это лицо вело себя со скромностью более чем монашеской: ссутулив плечи и опустив лицо к самой земле, оно передвигалось неловкой и даже как будто не вполне твердой походкой, загребая пыль носками добротных, чуть ли не офицерских, с узкими носами сапог. Нечесанные, спутанные, торчащие во все стороны и более всего напоминавшие паклю волосы свешивались из-под головного убора, почти целиком заслоняя лицо, о котором только и можно было сказать, что на нем произрастала жидкая, неухоженная и тоже похожая на клок пакли козлиная бороденка. Бороденка эта по какой-то непонятной причине вызывала живейший интерес у разнообразных насекомых, по преимуществу пчел и мух, которые с громким жужжанием так и липли к ней, словно она была вымазана медом. Объяснить подобную странность можно было разве что тем, что диакон являлся человеком большой святости и оттого чурался мирской суеты вообще и умывания в частности. Впрочем, отгоняя от своего лица надоедливых мух, сей святой муж бормотал себе под нос такие слова, от которых отец Евлампий всякий раз испуганно вздрагивал и осенял себя крестным знамением. Испуг его был понятен, ибо произносимые диаконом выражения более приличествовали находящемуся в крайнем градусе раздражения гусару, чем смиренному служителю православной церкви.

— Черт бы подрал этих мух! — обмахиваясь рукавом рясы и по-прежнему не поднимая головы, прорычал диакон. — Неужели ничего нельзя было придумать, кроме этого растреклятого дьявольского меда?!

Отец Евлампий в очередной раз вздрогнул и поспешно, хотя и несколько уже устало, осенил крестным знамением сначала себя, а после и богохульствующего диакона. Склонный к сквернословию диакон, заметив его действия и устыдившись своего окаянства, опустил еще ниже и без того склоненную голову и сказал:

— Простите, святой отец.

— Сын мой, — с привычной кротостью опуская длинную нравоучительную речь, которая от самой деревни вертелась у него на кончике языка, промолвил отец Евлампий, — сын мой и брат во Христе, в последний раз говорю тебе: у нас, православных, приходского священника в разговоре именуют батюшкой, а вовсе не святым отцом. Хорошо, коли нехристи, коими полон дом его сиятельства, не заметят твоей ошибки, в противном же случае я предвижу неисчислимые бедствия, кои могут обрушиться на нас обоих.

— Я все понял, свя... батюшка, — сказал диакон. — А, ч-ч-ч... Виноват, — спохватился он, отбиваясь от заинтересовавшейся его бородой крупной черно-желтой осы. — Благослови тебя господь, — и придавил сбитую в пыль осу сапогом.

Отец Евлампий возвел очи горе, окончательно уверившись в том, что горбатого могила исправит, и что бедствий, о которых он только что говорил своему неуправляемому диакону, похоже, будет очень трудно избежать.

В это время Архипыч деликатно кашлянул в кулак, давая понять, что недурно было бы поспешить. Отец Евлампий спохватился и, перекрестившись, тронулся в путь, коего оставалось уже всего ничего.

На главной парковой аллее, что вела к парадному крыльцу, им повстречался конный патруль — двое улан на одинаковых рыжих лошадях. Уланы не спеша подъехали, с ленивой угрозой опустив пики. Отец Евлампий с замирающим от страха сердцем замедлил шаг, но шедший позади него диакон весьма непочтительно, хотя и незаметно для посторонних, двинул батюшку между лопаток, побуждая его продолжать движение. От этого весьма ощутимого прикосновения голова отца Евлампия сама собою гордо задралась, и он скорым шагом прошествовал мимо улан. Сгорбленный диакон из-за его спины осенил французов кривым, размашистым и в обратную сторону положенным крестом. Уланы почтительно подняли уставленные на путников пики, и один из них сказал другому:

— Это попы идут исповедовать старого принца.

Говорят, он собирается на тот свет и не нашел времени лучше нынешнего.

— Смерть не спрашивает, какое время для нас удобно, а какое нет, — откликнулся другой. — Пришел твой черед — собирайся в дорогу, вот и весь разговор. А дочка у старика, говорят, хороша. Ты видел ее?

— Не дочка, а внучка, — поправил его первый улан. — Нет, я не видел, но вот Бертье клянется, что принцесса чудо как хороша, хотя и несколько костлява.

Косматый диакон вдруг обернулся и сверкнул на улан глазами сквозь закрывавшую лицо шерсть с таким видом, будто понимал по-французски. К счастью, уланы этого не заметили: поворотив коней, они продолжали свой обход.

— Негодяи, — пробормотал диакон, щупая что-то твердое, выпиравшее у него под рясой, — вы мне еще попадетесь!

Слышавший его слова отец Евлампий механически перекрестился и вознес к небу краткую безмолвную молитву, моля всевышнего о том, чтобы он дал своему недостойному служителю пережить сегодняшний день и в здравии встретить завтрашний рассвет. Учитывая поведение диакона, отцу Евлампию казалось, что он просит у господа слишком большой милости.

В молчании они приблизились к крыльцу, на котором, дымя сигарой и сверкая стеклами очков, стоял носатый полковой лекарь — тот самый, который осматривал князя и того раненого, что был накануне сдан на попечение отца Евлампия. Из уважения к священнику лекарь вынул изо рта сигару и посторонился. Отец Евлампий, проходя мимо него, снова испуганно перекрестился, а диакон еще больше скукожился, сделавшись похожим на горбуна.

Никто не чинил им препятствий, когда, сопутствуемые уже совершенно выдохшимся Архипычем, священнослужители прошествовали через превратившуюся в казарму прихожую и по широкой мраморной лестнице, испятнанной грязными следами сапог, поднялись во второй этаж, где были покои князя. Здесь навстречу им вышла бледная, с заплаканными глазами, но пытающаяся приветливо улыбаться княжна. Архипыч с поклоном и одышливо доложил ей, что по ее приказанию доставил батюшку, и был удостоен ласковых слов благодарности в сочетании с печальной улыбкой. Старик в ответ на эту улыбку прослезился и, шмыгая носом, зашаркал прочь, от греха подальше.

Отец Евлампий благословил княжну и спросил, в каком состоянии пребывает Александр Николаевич. В ответ ему было сказано, что князь со времени второго удара не приходил в сознание, и переданы слова лекаря о том, что надежды на выздоровление нет. Мария Андреевна повторила эти слова, сумев каким-то чудом удержаться от слез — вероятно, потому, что слезы все были ею уже выплаканы. Да и то сказать: что проку плакать над словами, когда любимые тобою люди один за другим уходят из жизни?

Неизвестно с какой целью явившийся в дом вместе с отцом Евлампием дьякон во время этого разговора скромно стоял в углу, засунув кисти рук в рукава своей порыжелой короткой рясы, сгорбив плечи и непрестанно стреляя из стороны в сторону чрезвычайно живыми, смотревшими сквозь занавес спутанных волос черными глазами. Княжна Мария, не в силах удержаться, два или три раза удивленно взглянула на эту совершенно новую для нее фигуру, но спрашивать ничего не стала и через несколько минут вовсе забыла о присутствии не вполне обычного дьякона, захваченная печальной торжественностью момента.

Дьякон между тем переместился в другой, дальний от двери и затененный выступом книжного шкафа угол кабинета. Здесь он, пользуясь тем, что о нем как будто все забыли, с видимым облегчением опустился в кресло. Посидев немного в позе отдыхающего после тяжких физических нагрузок человека, дьякон вдруг спохватился и зачем-то полез под рясу. Задрав пыльный подол, под коим обнаружились высокие, армейского фасона сапоги и синие французские кавалерийские рейтузы, дьякон вытащил из-за пояса и положил в кресло подле себя большой заряженный пистолет. Бросив в сторону княжны и отца Евлампия быстрый испуганный взгляд и убедившись, что его странный маневр остался незамеченным, дьякон прикрыл пистолет полой рясы и принял прежнюю расслабленную позу, выглядевшую весьма необычно в сочетании с его одеянием и, в особенности, с его прической и бородой.

Княжна пошла проводить отца Евлампия к умирающему. О дьяконе, казалось, все забыли. Оставшись в одиночестве, он тяжело поднялся из кресла и подошел к окну, больше не горбясь и держась, напротив, с той почти неестественной прямотой, которая свойственна кадровым офицерам. Стоя у окна и глядя во двор, по которому слонялись уланы, дьякон бормотал слова, которых, к счастью, не мог слышать отец Евлампий. Его небольшие, красивые и крепкие ладони с длинными нервными пальцами то и дело сжимались в кулаки, выдавая обуревавшие его чувства, испытывать которые, по всеобщему мнению, священнослужителю не пристало.

Потом дверь княжеской спальни распахнулась, и в кабинет вышла Мария Андреевна, оставившая отца Евлампия наедине с князем для свершения последнего таинства. Стоявший у окна спутник батюшки быстро обернулся на шум. Княжна заметила его и остановилась в нерешительности, не понимая, кто он и зачем пришел в дом.

— А вы... — начала она и замялась, не зная, как обратиться к этой странной косматой фигуре. — Вы... Не хотите ли воды с дороги? Больше, увы, мне нечего вам предложить.

— Не стоит беспокоиться, ваше сиятельство, —

отвечал дьякон чистым, звучным голосом, в котором слышался странно знакомый княжне акцент. Только два человека, которых знала княжна, говорили с таким акцентом, но один из них был мертв, а другой необъяснимо исчез, о чем она вспомнила только сейчас, услышав знакомый акцент. — Простите, Мария Андреевна, — продолжал дьякон, делая шаг от окна по направлению к княжне, — но неужели же этот нелепый маскарад обманул вас, и вы меня совсем не узнаете?

Княжна вдруг почувствовала слабость в ногах и вынуждена была схватиться рукой за край письменного стола.

— Но это... — слабым голосом едва сумела проговорить она, — это просто не может быть!

Дьякон вздохнул и снял головной убор вместе с паклей, изображавшей волосы. За волосами последовала приклеенная на меду козлиная бороденка, и перед Марией Андреевной предстал Вацлав Огинский в порыжелой рясе с чужого плеча, с забинтованной головой, но несомненно живой вопреки имевшимся у княжны сведениям о его смерти.

— Я должен просить у вас прощения за этот глупый спектакль, разыгранный в столь тяжелое для вас время, — продолжал он, — но я не знал иного способа проникнуть в усадьбу и разузнать о вашей судьбе.

— Но вы... Как это может быть, что вы живы? — воскликнула княжна, не веря собственным глазам. — Ведь я же... Ведь мне... сказали...

Не в силах более сдерживаться, она подбежала к Огинскому и, упав к нему на грудь, разрыдалась, смачивая пыльную рясу слезами огромного облегчения. Судьба, отнявшая у нее все, что было ей знакомо и дорого, неожиданно вернула ей того, кто считался умершим. Радость была слишком нежданной, чтобы приготовившаяся стойко встретить неисчислимые беды княжна могла теперь удержаться от слез. И она плакала, вовсе не думая о том, что ее поведение может показаться неприличным, на время забыв даже о том, что происходило сейчас за закрытой дверью спальни.

— Мне сказали, — справившись с рыданиями и утирая слезы платком, — что вы убиты на дуэли.

— Почти так оно и было, — заботливо усаживая ее в кресло и садясь напротив, сказал Огинский. — Я был на волосок от смерти. Пуля попала вот сюда. — Он осторожно прикоснулся рукой к повязке, показывая, куда попала пуля. — Но кто, хотелось бы мне узнать, передал вам это известие? Мне казалось, что у свидетелей дуэли просто не было на это времени.

— Ах, это странная история, — сказала княжна, впервые сама серьезно подумав о том, что история вышла и в самом деле странная. От этой мысли она нахмурилась, и между бровей ее пролегла поперечная складочка. — Нет, право, странная, очень странная история. Уже после того, как ваши товарищи покинули усадьбу и сюда вошли французы, вчера ночью ко мне явился ваш кузен. Он совершенно определенно сообщил мне о вашей смерти. Что же, он солгал мне?

— Кузен? Кшиштоф здесь? Вот славно! — обрадовался Огинский. — Не думаю, чтобы его ложь была намеренной. В том состоянии, в каком я находился сразу после дуэли, меня легко было принять за... ну, вы понимаете, за мертвое тело. Ежели было нападение французов, то у кузена просто не оставалось времени разобраться, жив я или уже умер.

— Но он даже передал мне ваши последние слова! — воскликнула княжна, в другой раз подумав, как все это странно, будто в романе.

— Вот как? — Вацлав Огинский рассмеялся, несмотря на серьезность момента. — И какими же они были, мои последние слова?

— Он сказал, что вы велели ему позаботиться обо мне, — вдруг смутившись, ответила княжна.

Огинский тоже несколько смутился.

— Что же, — сказал он наконец, — это как раз очень может быть, хотя я ничего этого не помню. Помню лишь, как шел к барьеру, а потом ничего... Просто стало темно. Перед этим я как раз думал о вас, так что... Но что же, — воскликнул он, оборвав себя на полуслове, — значит, кузен здесь? Как же ему удалось? Где он? Ах, как славно, когда под рукой в нужную минуту оказывается верный человек!

— Право, не знаю, где он может быть, — несколько растерянно сказала княжна, не видевшая пана Кшиштофа с самого утра и почти о нем не вспоминавшая. — В последний раз я видела его утром, где-то в десятом часу. Я дала ему платье дедушки и представила его начальнику французов как своего родственника, приехавшего из Москвы мне на выручку. Казалось, этот Жюно всему поверил, но вот... Ваш кузен куда-то пропал.

— Возможно, у него есть какой-то план, — сказал Вацлав задумчиво. — Но может статься, что ваш Жюно оказался много хитрее, чем вы думали, и тогда Кшиштоф угодил в скверный переплет. Что же, это придется проверить... Ведь вы не станете возражать, если я попрошу у вас приюта на какое-то время?

Княжна потупилась.

— Если бы я только могла надеяться, — сказала она, — если бы я могла просить вас... просить остаться здесь хотя бы на несколько дней... Но я понимаю, что вы должны будете скоро уехать, и это очень грустно.

— Мы уедем вместе, княжна, — твердо сказал Огинский. — Я не оставлю вас одну. Прошу лишь извинить все те неудобства и опасности, которые доставит вам мое пребывание в доме. Я постараюсь изо всех сил сделать его как можно менее заметным и как можно более полезным. Мы уедем, как только... — Он запнулся и бросил смущенный взгляд на дверь княжеской спальни, поняв, что едва не сказал бестактность. В самом деле, единственной причиной, по которой княжна все еще оставалась здесь, был старый князь. Его смерть, как это ни прискорбно, должна была развязать Марии Андреевне руки. — Мы уедем, как только это станет возможным, — твердо закончил Вацлав начатую фразу.

За дверью спальни раздавались шаги и голос читавшего молитву отца Евлампия. За окном слышались крики улан, горячо споривших из-за какого-то котла, потом раздался зычный командирский окрик, и голоса спорящих стихли. Княжна Мария серьезно посмотрела на Вацлава Огинского.

— Это хорошо, что вы живы и пришли сюда, — сказала она тихо. — Право же, очень хорошо.

Глава 8

Спустя какое-то время дверь княжеской спальни распахнулась, и оттуда выглянул отец Евлампий. Поманив к себе княжну, он сказал ей:

— Дитя мое, мужайся. Обряд почти завершен. Александр Николаевич приготовлен к встрече с Господом нашим настолько, насколько это было в моих слабых силах. Есть, однако же, одна вещь, которую было бы не худо сделать для нашего благодетеля. В покоях князя я не нашел ни одной святой иконы. Нет ли поблизости образа, который я мог бы приложить к устам князя, дабы надлежащим образом завершить обряд?

— Подождите только одну минуточку, батюшка, — попросила княжна. — Я сейчас принесу.

Она бегом бросилась в свою спальню, чтобы принести одну из стоявших там икон, однако, войдя в комнату, увидала, что и здесь уже успели побывать уланы. Все было перевернуто вверх дном, киот разграблен. Вероятно, кто-то из улан польстился на золотые и серебряные оклады — не слишком массивные, но старинной работы и очень красивые.

Между бровей княжны снова пролегла поперечная морщинка, делавшая ее столь похожей на деда. Закусив губу, княжна решительно сошла вниз и очень быстро отыскала капитана Жюно.

Капитан учтиво поклонился княжне и выжидательно уставился на нее, пряча в усах снисходительную улыбку. Он ждал расспросов об исчезнувшем лже-кузене, про которого княжна сама не знала, кто он такой, и был весьма удивлен, когда Мария Андреевна заговорила совсем о другом.

— Господин капитан, — сказала она, — сударь. У меня к вам имеется просьба, в которой вы, как человек благородный, не сможете мне отказать.

— Я весь внимание, принцесса, — галантно ответил капитан и склонил голову, выражая готовность слушать.

— Вы знаете, что мой дедушка, князь Вязмитинов, находится при смерти. У него сейчас священник. Право, мне неловко говорить... Для завершения обряда ему необходима православная икона. Как это ни прискорбно, но стараниями ваших солдат в доме не осталось ни одной иконы. Я не требую вернуть их, я лишь прошу предоставить одну из них на время в мое распоряжение.

Капитан Жюно нахмурился и с досадою крякнул, подкручивая ус.

— Сударыня, — сказал он, — мне странно слышать от вас подобные речи. Уж не хотите ли вы сказать, что мои солдаты — воры?

— Я хочу лишь сказать, — дрожащим от подступающих слез голосом проговорила она, — что мой дедушка, мой самый близкий и горячо любимый мною человек, сию минуту умирает наверху, не имея возможности получить последнее отпущение грехов, в то время как я здесь спорю о достоинствах и недостатках ваших солдат.

Капитан заметно смутился. Перед ним стояла девушка, почти девочка, беззащитная и слабая. Если бы у капитана Жюно была дочь, она могла бы быть похожей на эту русскую принцессу, волею жестокой судьбы брошенную в кипящий котел войны. Княжна держалась с мужеством и достоинством, поразившим капитана. Ему вдруг, впервые за все годы военной службы, сделалось неловко не перед начальством, а перед шестнадцатилетней девицей, обитательницей покоренной французами страны.

— Прошу простить, принцесса, — беря под козырек и уже много мягче, чем вначале, сказал он. — Вы совершенно правы. Солдаты всегда воры, это заложено в их природе. Приношу вам свои извинения. Ступайте к себе, я что-нибудь придумаю. То, о чем вы просите, хотя имеете полное право требовать, будет вам доставлено в течение пяти минут.

Когда княжна ушла, капитан Жюно не стал производить расследование и обыск, чтобы узнать, кто именно из его солдат обчистил иконостас в спальне русской принцессы. Он кликнул своего денщика Поля, плутоватого сына лавочника из Лиона, и не терпящим возражений тоном отдал ему приказание. Денщик, хорошо знавший этот тон, не стал, по своему обыкновению, ворчать и пререкаться, а молча и со всех ног бросился к капитанскому возку. Порывшись там среди награбленного и приготовленного к отправке во Францию барахла, он выволок из-под узла с подсвечниками оправленную в золото старинную потемневшую икону и, непочтительно взяв ее под мышку, поспешил в дом.

Икона эта была личной добычей денщика, который, как и любая прислуга, постоянно путал вещи своего господина со своими собственными и свободно размещал в капитанском возке свою долю награбленного. Это было весьма удобно, за исключением тех редких случаев, когда, вот как теперь, имущество Поля почему-либо делалось нужно капитану Жюно.

Если бы капитан знал, где и при каких обстоятельствах его денщик обнаружил икону, он нашел бы другой способ удовлетворить просьбу княжны, а то и вовсе отказал бы ей. Но капитан знал лишь то, что его вороватый денщик стащил где-то икону и держит ее в его, капитанском возке. Это могла быть одна из украденных у княжны икон, а могла быть совершенно другая, из иного места и не украденная, а, к примеру, выигранная Полем в кости у кого-нибудь из солдат. Капитана Жюно не интересовали эти тонкости, он был доволен тем, что смог без труда угодить очаровательной хозяйке дома в такой, по его мнению, мелочи. К тому же, посылая денщика с иконой наверх, он ничем не жертвовал, и это было ему приятнее всего.

Нарочно громко стуча сапогами и тем выражая свое неудовольствие от выполняемого поручения, капитанский денщик Поль прошагал коридором второго этажа и постучался, куда ему было велено. Княжна открыла дверь.

— Господин капитан просил принять, — недовольным голосом и глядя в сторону, сказал Поль. — Это изображение святого Жоржа, — добавил он от себя, — принадлежит лично господину капитану, и с ним ничего не должно случиться.

Княжна с благодарностью приняла тяжелую, в массивном окладе икону и, грустно улыбнувшись вороватому денщику, попросила его подождать в коридоре. Несмотря на вызванное поручением капитана недовольство, денщик не сумел удержаться от ответной улыбки, с удивлением впервые в жизни поймав себя на мысли, что война все-таки не такая веселая и славная штука, как ему всегда казалось.

Увидев принесенную княжною икону, отец Евлампий чему-то очень удивился. Удивление его было столь велико, что он даже не сразу освободил Марию Андреевну от ее ноши. Близко вглядевшись в изображение святого Георгия, пронзающего копьем богомерзкого змия, батюшка истово перекрестился и пробормотал:

— Господи спаси и помилуй, что ж это такое?

С этими непонятными словами он принял у княжны икону и скрылся с нею в спальне старого князя.

— Что это с ним? — удивленно спросил Вацлав Огинский, из предосторожности занявший свое прежнее место в углу за шкафом и державший в рукаве рясы заряженный пистолет.

Княжна в ответ лишь развела руками.

— Георгий Победоносец, — сказала она. — Это не наша икона, я ее прежде не видела.

— Святой Георгий? — зачем-то переспросил Вацлав и тоже впал в странную задумчивость. — Этот француз, кажется, сказал, что икона принадлежит его капитану?

— Тише, прошу вас, — шепотом воскликнула княжна. — Он наверняка стоит под дверью, ожидая, когда ему вернут икону.

— Право же, только ваше присутствие удерживает меня от того, чтобы выйти в коридор и передать ему то, в чем он действительно нуждается, — мрачно пробормотал Вацлав. — Ежели бы не опасность, которой вы неминуемо подвергнетесь в таком случае, я непременно свернул бы голову сначала этому холую, а потом и его капитану. Бог свидетель того, во что эти сыны цивилизованного Запада превратили ваш дом, не смогли бы сделать даже варвары Аттилы.

— Отчего же не смогли бы? — думая о своем, переспросила княжна.

— Ума бы у них не хватило, — сердито ответил Вацлав.

В это время отец Евлампий, закончив соборование, вышел из спальни и звучно откашлялся, прочищая горло. Услышавший у себя в коридоре этот кашель, в дверь немедленно просунул голову денщик. Вацлав вжался в угол за шкафом, но денщик капитана Жюно, не глядя по сторонам, прошел прямо к от-

147

цу Евлампию и почти насильно выдернул у него из рук икону.

— Вот супостат-то, господи, помилуй, — промолвил на это отец Евлампий, по христианскому обычаю благословляя своего обидчика.

Денщик щелкнул каблуками, поклонился княжне и вышел, весьма довольный собой, унося свою добычу, как и принес, под мышкой.

— Соборование закончено, дети мои, — не обращая более внимания на денщика, умягченным, едва ли не со слезой голосом проговорил отец Евлампий. — Вы можете взойти к князю, но он без памяти.

Постояв немного у изголовья действительно пребывавшего в беспамятстве князя Александра Николаевича, Вацлав Огинский оставил княжну в спальне и вернулся в кабинет, где отец Евлампий собирался в обратный путь.

— Скажите, святой отец... — обратился к нему Огинский.

— Батюшка, — механически поправил его отец Евлампий, погруженный в какие-то раздумья.

— Батюшка, — послушно повторил за ним Огинский. — Скажите мне, батюшка, что так сильно поразило вас в иконе, которую принес француз?

Отец Евлампий обернулся к нему так живо, что было сразу же ясно: Вацлаву удалось верно угадать причину одолевавших священника сомнений. С минуту отец Евлампий медлил отвечать, теребя нательный крест, трогая пальцами нос и даже в нерешительности дергая себя за бороду.

— Нелепая вещь, — пробормотал он наконец. — Этого просто не может быть... Чудны дела твои, господи!

— Итак? — усаживаясь в кресло против батюшки, поторопил его Вацлав, лицо которого тоже выражало озабоченность, не имевшую ничего общего со скверным состоянием здоровья старого князя.

— Видишь ли, сын мой, — продолжая рассеянно

таскать себя за бороду, отчего та вскоре начала сильно напоминать растрепанный веник, отвечал отец Евлампий, — во времена обучения моего в духовной академии при Троице-Сергиевой лавре, помнится, сподобился я лицезреть святую чудотворную икону Георгия Победоносца, что хранится в Георгиевском зале московского Кремля. Так вот, сын мой, что я тебе скажу: ежели бы дело происходило в другое время и в другом месте, я бы призвал в свидетели самого господа, стараясь уверить тебя, что перед нами только что была та самая икона. Но икона сия, хранимая как зеница ока, никоим образом не могла попасть в грязные лапы этих нехристей-католиков... прости, сын мой, я говорил не о тебе. Очевидно, то, что мы видели, был все-таки список с чудотворной иконы, сделанный, несомненно, большим мастером, осененным божьей благодатью. Я, правда, по убожеству моему, никогда не слыхал о таком списке, но он, если глаза меня не обманывают, все ж таки существует. Басурманы эти, без сомнения, похитили его из храма, где тот сохранялся до сего дня, и будут строго наказаны за свое злодеяние. Ибо сказано в Священном писании: мне отмщение, и аз воздам...

— Так вот в чем дело, — еще более озабоченным, чем ранее, тоном проговорил Вацлав Огинский. — Ах, проклятье! Простите, святой отец.

Отец Евлампий, внимательно вглядывавшийся в потемневшее от какой-то неясной ему тревоги лицо собеседника, на сей раз даже забыл его поправить.

— Тебя что-то тревожит, сын мой, — сказал он.

— Да, святой отец. Боюсь, что икона, которую мы с вами только что держали в руках, стала пусть не главной, но одной из главных причин того, что Смоленск был сдан французам.

— Как?! — в один голос воскликнули отец Евлампий и княжна Мария Андреевна, появившаяся на пороге спальни как раз вовремя, чтобы услышать последнюю фразу Огинского.

— Перед началом сражения за город, — отвечал Вацлав, — в войсках широко распространился слух, что чудотворная икона святого Георгия Победоносца должна быть вот-вот доставлена к армии из Москвы. Ожидали торжественного молебна, который должен был поднять дух православного воинства на небывалую высоту. — При этих словах уголок его красивого рта едва заметно изогнулся книзу, показывая, что Вацлав Огинский полагал такую меру весьма спорной, но не считал себя вправе делать замечания по этому поводу. — Но икона к войскам доставлена не была, и лично я счел все эти разговоры досужими сплетнями, до которых солдаты и офицеры на бивуаке охочи не меньше праздных столичных барынь. Однако же, мне не раз приходилось даже и между офицерами слышать разговоры, что вот коли бы святой Георгий был при войске, то Наполеона живо вышибли бы за Неман и далее, за Вислу. Вера русских людей в бога и его святых воистину велика и безгранична, — заключил он с некоторым даже удивлением.

Отец Евлампий от его рассказа пришел в великое волнение.

— Скажи, сын мой, а не могло ли так случиться, что кознями сатаны чудотворная икона попала в руки его прислужников? — спросил он, снова дергая себя за бороду.

— Что касается козней сатаны, — сказал Вацлав, — то в этом деле я целиком полагаюсь на ваше мнение, святой отец. Ежели же вы спрашиваете моего суждения, как солдата, так я вам скажу, что коли икону везли из Москвы, так большого конвоя при ней, быстрее всего, не было. А хоть бы и большой... Французская-то армия будет поболее любого конвоя! Могли встретить и отбить могли. Просто так, между делом, не зная даже, что берут, а так, чтоб не даром воевать...

— Ах ты, господи, горе-то какое! — совершенно по-деревенски воскликнул отец Евлампий и даже всплеснул руками от огорчения. — Нельзя, ведь нельзя же... Ах ты, господи!..

Вацлав Огинский вдруг заметил, что в кабинете старого князя наступила странная тишина. И княжна Мария, и священник смотрели на него с одинаковым выражением на лицах. Вацлав был еще слишком молод, чтобы уметь легко читать по лицам других людей их мысли и чувства, но теперь даже ему было без слов ясно, что это общее выражение, делавшее юную княжну и пожилого приходского священника странно похожими друг на друга, было выражением ожидания и надежды.

Огинский нахмурился. «Чего они ждут от меня? — подумал он с невольным раздражением, которое было признаком вызванной ранением слабости. — Чего они оба от меня хотят? Я еще мог бы попытаться как-то вывезти отсюда княжну, хотя и в этом деле шансов на успех у меня немного. Но икона?.. Они что же, рассчитывают, что я, с пробитой головой и в этой глупой рясе, с единственным пистолетом разгоню эскадрон улан, отобью у них икону и с триумфом верну ее в Москву, проскакав сквозь всю неприятельскую армию?»

Но в то время как он, все более раздражаясь, отыскивал в уме новые и новые причины, в силу которых добыть похищенную икону было невозможно и не нужно, в душе его, к велениям которой он всегда прислушивался больше, чем к голосу трезвого разума, происходила совсем другая работа. И чем больше Вацлав Огинский находил причин для отказа от участия в деле, которого ему никто пока что не предлагал, тем сильнее становилась в его душе уверенность в том, что он это сделает — выкрадет украденную икону и вернет ее туда, где ей надлежит быть.

Потребность совершить нечто подобное, выходящее за рамки привычных обязанностей армейского гусарского офицера настолько, что граничило уже с безумием, зрела в душе Вацлава Огинского с самого начала отступления из Дрисского лагеря. Когда

N-ский полк оказывался в деле, Огинский дрался храбро, ожесточенно и с каждым разом все более умело. Но этого ему было мало: так же, как он, и даже лучше, дрался каждый офицер и каждый гусар его полка. На его глазах сходились, чтобы умереть, тысячи и тысячи людей, и всякий из них умел и хотел драться, и ни один в отдельности от всех остальных не оказывал решающего влияния на общий ход дела. Этого было мало Вацлаву Огинскому, который с нетерпением молодости желал, чтобы от его поступков немедленно что-то менялось в окружающем его мире.

И теперь, сидя в этом полутемном из-за опущенных штор кабинете, через стенку от умирающего старого князя, молодой польский дворянин Вацлав Огинский почувствовал себя находящимся в полушаге от одной из тех невидимых осей, вокруг которых вращаются судьбы больших и малых событий и жизни тысяч и миллионов людей. Он чувствовал, что может если не совсем изменить направление этого вращения, то, по крайней мере, придать оси чуть-чуть иной наклон; казалось, его рука находилась в вершке от серенького неприметного камешка, шевельнув который, можно было стронуть лавину.

— Что ж, святой отец, — обратился он к батюшке, — я вижу, вы недовольны, что эта икона попала к французам, и хотели бы оставить господ улан с носом. Я верно вас понял?

— Возвращение чудотворной иконы в Москву было бы весьма полезно для боевого духа православного воинства, — оглаживая растрепанную бороду, степенно ответствовал отец Евлампий, — и стало бы примером самоотверженного служения господу нашему и России-матушке.

Вацлав вдруг улыбнулся.

— Вы забывайте, святой отец, — сказал он, — что я, во-первых, католик, а во-вторых, поляк. Ну, полно, полно, я пошутил. Я сделаю это, по крайней мере, попытаюсь.

Он посмотрел на княжну, и взгляд, которым та ответила ему, был для Вацлава Огинского дороже любых наград.

* * *

Даже самый слабый духом человек в минуты крайнего отчаяния, оказавшись в безвыходном положении, способен на кратковременные приступы решимости. Так загнанная в угол крыса бросается на своего преследователя, чтобы подороже отдать жизнь.

Очутившись без гроша в кармане, без коня и оружия, в тесной чужой одежде за воротами парка, пан Кшиштоф Огинский понял, что на этот раз пропал окончательно. Он не мог явиться к королю Неаполя, как именовал себя в последнее время Мюрат, в подобном виде и с пустыми руками. Что он мог сказать Мюрату? У него были полномочия, деньги, оружие, у него было, наконец, написанное самим Мюратом письмо. Черт подери, у него была даже икона, за которой Мюрат посылал его в Москву! Он сделал невозможное, преодолел все преграды и в самом конце пути нелепо споткнулся о собственную ненависть к кузену. Если бы не задержка в Вязмитиново, он давно был бы в лагере Мюрата — сытый, отдохнувший и, главное, богатый. С кузеном можно было бы разобраться позже...

И как объяснить Мюрату, почему капитан Жюно взашей вытолкал его из дома, где осталась икона? Улан был прав: объяснение это никоим образом не могло бы удовлетворить короля Неаполя.

Закрыв глаза, пан Кшиштоф будто наяву увидел себя стоящим на краю свежевырытой ямы под дулами взвода пехотинцев. Впрочем, какой там взвод! Ему, Кшиштофу Огинскому, нищему неудачнику и глупцу, хватит и отделения...

Выход был только один: во что бы то ни стало,

153

любой ценой вернуть икону. Своим неосторожным карточным жульничеством пан Кшиштоф лишил себя всех возможностей действовать хитростью или подкупом. Взять икону чужими руками теперь было нельзя, оставалось лишь пойти и украсть ее самому, рискуя единственным, чем он отныне располагал — собственной жизнью.

Проклиная судьбу и собственную глупость, которая довела его до столь бедственного положения, пан Кшиштоф двинулся вдоль ограды, обходя парк по периметру. На ходу он строил и тут же отвергал разнообразнейшие и одинаково безумные планы повторного похищения иконы. Было совершенно очевидно, что для достижения цели существовал только один, весьма рискованный и неприятный путь: дождавшись темноты, снова проникнуть в усадьбу и выкрасть икону из-под носа у часовых.

Остановившись в тени свисавших наружу над решеткой парковой ограды ветвей старого разлапистого дуба, пан Кшиштоф присел отдохнуть на край каменного фундамента. Одна из сигар, которыми во время карточной игры щедро угощали его французские офицеры, еще лежала у него в жилетном кармане. Он вынул ее оттуда и, скусив кончик, закурил, бездумно выпуская изо рта дым колечками, которые сразу же сминались и таяли под порывами легкого, дувшего с полей ветерка.

Все безумие нынешней его жизни представилось вдруг пану Кшиштофу. Посреди огромной войны, один, никому не нужный и ни в ком не нуждающийся, сидел он на сложенном из дикого камня фундаменте парковой ограды, курил чужую сигару, извлеченную из кармана чужого платья, и думал не о войне, которая уже унесла множество жизней и должна была унести их еще больше, а об иконе, которая для него была просто испачканным старыми красками куском доски, оправленным, правда, золотом. На этом деревянном, вовсе не нужном и не интересном ему, кусочке клином сошелся весь оставшийся в жизни пана Кшиштофа смысл; и если еще сегодня утром Кшиштоф Огинский мечтал о богатстве и славе, то теперь икона представлялась ему единственным средством выжить и невредимым выбраться из того беспорядочного кошмара, в который внезапно, как ему казалось, превратилось его существование. Пану Кшиштофу более не было дела до войны, и даже смерть кузена его уже не радовала; он устал и хотел только поскорее развязаться с этой историей и отдохнуть. Его беседы с глазу на глаз с королем Неаполя Мюратом, его планы и даже его замысел присоединить огромное состояние княжны Вязмитиновой к своему богатству, которое он уже считал решенным и почти что лежащим в кармане, — все, все пошло прахом из-за одной ошибки и больше не интересовало его. Пан Кшиштоф вообще редко интересовался тем, чего не мог достать и потрогать руками.

Это вовсе не означало капитуляции, просто, скатившись на самое дно, пан Кшиштоф должен был сначала подняться на ноги, а уж после мечтать о том, чтобы взлететь.

Потушив окурок о камень ограды и поднявшись на ноги, он двинулся дальше, через час, приблизительно, дойдя до того самого пролома в ограде, что был неподалеку от места дуэли. Пролом этот не был обнаружен французами и потому не охранялся; вообще, с начала кампании французы основательно разболтались и порой, не чувствуя реальной угрозы со стороны русских, вели себя весьма беспечно. Это было на руку пану Кшиштофу, поскольку, кроме беспечности часовых, не существовало ничего, на что он мог бы рассчитывать в своем отчаянном предприятии.

Жара стояла немилосердная, и пан Кшиштоф на ходу стащил с себя и бросил на землю тесный ему сюртук старого князя. Раздражение его против этой глупой тряпки само собой обернулось против Александра Николаевича, и пан Кшиштоф от души пожелал князю Вязмитинову скорейшей и по возможности мучительной смерти.

Избавившись от сюртука, Огинский пролез сквозь пролом в ограде и оказался в густой тени парковых деревьев, среди замершего в безветрии чахлого подлеска. Пан Кшиштоф каждую секунду ждал сердитого окрика или даже выстрела из этой зеленой непролазной гущи, но в заросшем парке было тихо, лишь щебетали где-то высоко в густых кронах птицы да жужжали вездесущие насекомые.

Не разбирая дороги, пан Кшиштоф двинулся через парк, придерживаясь примерно того направления, в котором, как ему представлялось, находился дом. Вскоре он набрел на заросшую, похороненную под толстым слоем прошлогодних прелых листьев тропинку и пошел по ней — не потому, что ему нужно было попасть туда, куда она вела, а потому лишь, что идти по ней было легче, чем по густому подлеску.

Тропинка вывела его к пруду. Огинский не сразу узнал это место, потому что в прошлый свой приход сюда смотрел на него с противоположной стороны лужайки. Потом он услышал человеческие голоса и отпрянул назад, скрывшись под низко нависающими ветвями.

В пруду купались французы. Их было человек пять или шесть, и они вели себя в точности как расшалившиеся дети — плескались, брызгали друг на друга водой и весело хохотали над собственными глупыми выходками. Пан Кшиштоф всухую глотнул, только теперь осознав, до какой степени измучен жаждой. Последние три недели стояла жара и засуха, так что по дороге ему не встретилось ни ручейка, ни хотя бы лужицы, из которых можно было бы зачерпнуть горсть воды. Вид бездумно плещущихся в пруду и наверняка не испытывающих жажды улан привел пана Кшиштофа в самое мрачное и даже злобное расположение духа. Это был один из тех редких моментов, когда Огинский хотел и мог кого-нибудь убить — не тайком, из-за спины, чужими руками, а в открытом яростном столкновении. Впрочем, когда это желание из головы и перехваченной злобой гортани стало понемногу переливаться в отяжелевшие, разом налившиеся недоброй силой руки и ноги, дремавший в душе пана Кшиштофа заяц настороженно поднял голову и шевельнул ушами.

Весь боевой пыл пана Кшиштофа мигом улетучился, и он сел на землю за кустами, обхватив руками колени и с унылым нетерпением выжидая, когда же, наконец, уланы капитана Жюно накупаются всласть и уберутся восвояси. Ему пришло в голову, что было бы не худо украсть у кого-нибудь из них одежду и оружие, но он тут же отверг эту мысль, не найдя в ней никакого практического смысла. Обнаружив себя голым и безоружным, улан немедленно поднял бы тревогу; прочесать весь парк для целого эскадрона улан было пустячной работой, а уйти от кавалеристов пешком через открытое поле нечего было и думать. Да и что проку было пану Кшиштофу во французском мундире и тяжелой солдатской сабле?

Он лег на спину, уверенный, что здесь его никто не найдет, и, заложив руки за голову, стал смотреть прямо вверх, где на фоне ярко-голубого летнего неба слегка покачивалась темная августовская зелень деревьев. Для него в этом покачивании ветвей и едва заметном скольжении по небу легчайших перистых облаков не было ни красоты, ни привлекательности: он видел лишь небо с облаками и ветки с листьями, качавшиеся от ветра. Все эти вещи не имели никакого влияния на его дела и потому были ему неинтересны.

На щеку ему опустился тощий серый комар. Пан Кшиштоф убил его, прежде чем тот успел вонзить в него свой хоботок, накрыл лицо носовым платком и заставил себя выбросить из головы все до единой мысли. Это ему удалось, и вскоре он заснул в пятидесяти шагах от купавшихся французов — не потому, что был храбр и презирал опасность, а потому, что нуждался в отдыхе и не имел сейчас никакого занятия.

Проснулся он уже далеко за полдень, весь покрытый потом и искусанный комарами. Тени от деревьев, сливаясь в одну темную полосу, уже протянулись до середины лужайки, почти доставая до пруда. Французы ушли и, видимо, давно. В парке было тихо. Пан Кшиштоф встал, отряхнулся, как мог, и осторожно, с оглядкой, но быстро двинулся к пруду.

По дороге он заметил, что мертвецов с лужайки уже убрали. Это было ему все равно: мертвых он не боялся, давно поняв, что опасаться в этой жизни следует только живых. Дойдя до берега пруда, пан Кшиштоф присел на корточки и, черпая ладонью, с жадностью и в то же время с отвращением стал пить теплую стоячую воду.

Потревоженная его появлением, с берега в воду тяжело булькнула крупная, с ладонь, лягушка. «Жаль, что я не француз, — утирая губы и глядя ей вслед, подумал Огинский. — Вон и закуска поплыла...»

Утолив жажду и ополоснув в пруду разгоряченное, опухшее после сна лицо, пан Кшиштоф пересек лужайку и двинулся в сторону дома, идя не по самой аллее, а параллельно ей. Здесь, ближе к центру усадьбы, опасность нарваться на кого-нибудь из французов была велика, но пан Кшиштоф испытывал острую необходимость в рекогносцировке. Он имел лишь самое приблизительное представление о том, как устроен лагерь, где и чьи стоят повозки и как расставлены вокруг лагеря посты. Вся эта информация должна была пригодиться ночью, когда ему в темноте придется отыскивать дорогу к цели.

Ему удалось почти вплотную подобраться к строениям, окружавшим задний двор. По пути сюда он заметил и постарался как можно тверже запомнить расположение двух постов. Кроме того, по аллее мимо него один раз шагом проехал конный патруль в полном вооружении. Выглянув из-за угла амбара и оценив обстановку, пан Кшиштоф выбрал удобную позицию в кустах сирени, откуда он видел всех и вся и где его не мог заметить никто, не подойдя к нему на расстояние вытянутой руки.

Задний двор был заставлен распряженными повозками и фурами, нагруженными боеприпасами, провиантом и личным имуществом солдат и офицеров. Имущество это по мере продвижения французов в глубь России заметно возрастало, так что теперь, после Смоленска, повозки были набиты битком. При мысли о том, что ему надо будет в темноте и оставаясь при этом незамеченным тщательнейшим образом обшарить этот передвижной склад награбленного от Немана до Днепра имущества, пан Кшиштоф ощутил тягостную неуверенность в успехе задуманного им предприятия. Неуверенность эта еще усилилась при виде часового, который с чрезвычайно скучающим и недовольным видом расхаживал между повозок, держа под мышкой ружье на охотничий манер и с завистью поглядывая на своих бездельничающих товарищей. Товарищи эти, судя по их виду, продолжали знакомиться с содержимым винного погреба князя Вязмитинова, которое, как уже успел на собственном опыте убедиться пан Кшиштоф, действительно было богатым.

Мимо прошел, ведя в поводу рыжего с черной гривой коня, усатый капрал в расстегнутом мундире с засученными до локтей рукавами. Дымя трубкой и чтото недовольно ворча, он удалился в сторону конюшни.

Затем на заднем крыльце появился с присущим ему видом веселой озабоченности денщик капитана Жюно пройдоха Поль. Под мышкой Поль нес какойто предмет прямоугольной формы, по краям блестевший на солнце золотым блеском. У пана Кшиштофа екнуло сердце: он узнал икону, которую считал подло украденной у себя французами.

Он не знал, зачем Поль бегает с иконой по двору, и не строил догадок на сей счет. Это не имело прямого отношения к делу, а значит, было несущественно. Главное, что икона была тут, рядом, буквально в пяти шагах. Пан Кшиштоф отлично видел, в какую повозку и под какой именно тюк засунул жуликоватый денщик икону, и старательно запомнил расположение повозки, чтобы ночью не ошибиться, забравшись не туда.

После этого знаменательного события пан Кшиштоф решил более не искушать судьбу и, пятясь, покинул свой наблюдательный пункт. Удалившись от дома на безопасное расстояние, он забился в гущу каких-то кудрявых кустов, нашел среди них удобную для лежания ложбинку и, прогнав оттуда весьма рассерженного подобным обращением крупного ужа, улегся, подперев рукою голову.

Столь своевременное появление денщика Поля с иконою в руках пан Кшиштоф счел добрым знаком, поданным ему самою судьбой. Он сам испортил то, что было так славно начато, теперь ему представился шанс все исправить. Еще ничто не было потеряно безвозвратно, нужно было лишь избежать повторения старых ошибок.

«Клянусь всем святым, — подумал пан Кшиштоф, — больше никаких ошибок! Никаких карт, никакого вина, никаких разговоров и сделок с кем бы то ни было до тех пор, пока икона не будет у Мюрата, а обещанные им деньги — у меня. А дело выеденного яйца не стоит. Всего-то и надо, что верно посчитать повозки, подойти к нужной и взять то, что по праву принадлежит мне. Я рисковал из-за этой иконы жизнью, за нее я погубил более двух десятков человек, а этот француз просто стянул ее, воспользовавшись моим отсутствием. Я имею право на эту вещь, и я ее возьму, хотя бы мне снова пришлось кого-нибудь убить для этого!»

Он перевернулся на спину и заложил руки за голову, приняв свою излюбленную позу, в которой было так удобно предаваться мечтам о богатстве и всеобщем уважении. Тут ему пришло в голову, что он безоружен и что без шума справиться голыми руками с вооруженным часовым будет не так-то просто. Обдумав это, пан Кшиштоф мысленно махнул рукой: после знамения, ниспосланного ему свыше под видом жуликоватого капитанского денщика, Огинский снова уверовал в свою счастливую звезду и рассчитывал, что в нужный момент что-нибудь подходящее обязательно подвернется ему под руку.

Все вышло именно так, как он рассчитывал.

С огромным трудом дождавшись темноты, пан Кшиштоф вынужден был еще более полутора часов после ее наступления сидеть в кустах, прежде чем уланы наконец-то угомонились, и до его убежища перестали доноситься их пьяные вопли, пение и громкий хохот. От нечего делать пан Кшиштоф даже вспомнил княжну Марию, подумав о том, каково ей сейчас сидеть квартиранткой в собственном доме у постели умирающего деда и слушать эту мерзкую какофонию. Девица была хороша чрезвычайно и в действительности очень нуждалась в защите; у пана Кшиштофа, однако, хватало собственных неотложных дел, и мысль о попавшей в беду княжне прошла по самой поверхности его сознания, ни на йоту не проникнув вглубь и не вызвав у Огинского никаких эмоций. Княжна была сама по себе, и Кшиштоф Огинский тоже был сам по себе. Сейчас ему было не до сватовства и не до рыцарских поз, тем более, что перед остриями уланских пик разыгрывать рыцаря Круглого стола казалось не только опасным и глупым, но и совершенно бесполезным. Кавалеристы капитана Жюно, как и сам капитан, вряд ли оценили бы актерское мастерство пана Кшиштофа, и его бенефис в роли сэра Ланселота наверняка закончился бы обещанной капитаном прогулкой за гумно в компании нескольких стрелков.

Поэтому пан Кшиштоф спокойно выбросил из головы и княжну, и ее деда, старого князя. Чутко прислушавшись к наступившей тишине, он осторожно, стараясь не трещать ветвями, покинул свою нору и так же осторожно двинулся вперед.

Ночь была тихой и теплой. Именно про такие ночи говорят, что они нежны. В кронах деревьев замогильным голосом кричала какая-то ночная птица, в траве кто-то старательно и непрерывно стрекотал — так громко, что даже равнодушный к чудесам природы пан Кшиштоф задумался, кто бы это мог быть: какие-нибудь экзотические цикады или обыкновенные сверчки. В конюшне, вдоль стены которой тенью крался последний отпрыск боковой ветви славного рода Огинских, тяжело переступали копытами, вздыхали и фыркали рыжие уланские лошади.

У распахнутых ворот конюшни кто-то забыл прислоненные к стене четырехзубые вилы. Рука пана Кшиштофа словно сама собой протянулась сквозь бархатный мрак и сомкнулась на отполированном прикосновениями мозолистых крестьянских ладоней деревянном черенке. Вилы легли в руки как-то очень правильно, ладно, словно были некогда утраченной и вновь счастливо обретенной частью организма. Взяв это холопское оружие наперевес, гордый пан Кшиштоф, пригнувшись, стал красться сквозь ночь к повозкам, ориентируясь по свету горевшего на заднем дворе костра и размеренным шагам бродившего на границе света и тьмы часового.

Ночь была нежна, и она не стала менее нежной, когда пан Кшиштоф, отведя вилы немного назад, с силой вонзил их в поясницу ходившего вокруг повозок улана. Улан покачнулся и, сказавши «а-ах-х!..», выронил ружье. Предусмотрительный пан Кшиштоф поймал ружье одной рукой, другой придерживая обмякшее тело улана. Это было тяжело, но пан Кшиштоф справился и ухитрился опустить и тело, и ружье на брусчатку двора, не произведя при этом почти никакого шума.

Теперь, когда часовой был мастерски выведен за скобки, как в простейшей арифметической задаче, все сделалось просто и понятно. Забрав на всякий случай саблю улана, пан Кшиштоф, почти не таясь, приблизился к повозке капитана Жюно, выделявшейся среди прочих своим обтянутым кожей полукруглым верхом. Остановившись подле повозки, он на всякий случай огляделся по сторонам, держа перед собой наготове саблю, которая зеркально отсвечивала в оранжевых отблесках костра и выглядела в таком освещении даже более грозно, нежели при свете дня.

Убедившись в том, что вокруг тихо и что расположившиеся на ночлег уланы своим многоголосым храпом заглушают все ночные звуки, пан Кшиштоф взял ненужную ему сейчас саблю под мышку и обеими руками по-хозяйски зарылся в содержимое капитанского возка.

Первым делом ему под руки попалось нечто, на ощупь более всего напоминавшее пыльный, туго набитый чем-то весьма твердым и тяжелым сапог со шпорой. Рядом с первым сапогом пан Кшиштоф обнаружил еще один, судя по всему, парный, и, уже успев раздраженно дернуть за этот второй сапог, вдруг сообразил, что это за сапоги и что находится внутри них.

— А! — глупо закричал спросонья денщик капитана Жюно Поль. — Ке дьябль?! Часовой! Тревога!!!

Пан Кшиштоф рубанул мерзавца, спутавшего ему все планы, саблей, но сабля зацепилась за верх кибитки, и денщик продолжал орать во всю глотку и отлягиваться от пана Кшиштофа сапогами.

Уже понимая, что ему снова не повезло и что все окончательно пропало, пан Кшиштоф ткнул саблей, как вертелом, в темноту кибитки, попав во что-то мягкое. От этого положение только ухудшилось, потому что денщик, которому острие сабли вонзилось пониже спины, заорал без слов и таким дурным голосом, что пана Кшиштофа перекосило от отвращения.

163

Недорезанный денщик орал именно как недорезанный — громко и визгливо. Пан Кшиштоф еще три или четыре раза ткнул саблей в мягкое, с неожиданной трезвостью понимая при этом, что дело кончено и что своими колющими ударами он добьется только того, что жирная свинья денщик будет с почестями отправлен домой в санитарном обозе и, может быть, получит за свои никогда не имевшие места подвиги орден Почетного легиона и пожизненную пенсию, которой ему, пану Кшиштофу, вполне хватило бы для безбедного существования. От обиды, произведенной этим вполне логичным предположением, он пырнул визжащую темноту острием сабли с совершенно нечеловеческой силой. Темнота отозвалась столь же нечеловеческим воплем и похожим на близкий удар молнии выстрелом из пистолета, который наконец-то подвернулся денщику под руку. Хотя выстрел был произведен почти в упор, бедняга Поль второпях ухитрился промахнуться, и пуля, шевельнув волосы на голове пана Кшиштофа, ушла в ночное небо.

Теперь все окончательно пропало. Со всех сторон слышались крики, топот и лязг торопливо расхватываемого оружия. Какой-то умник, быстрее других сообразивший, что к чему, схватил пана Кшиштофа за плечо похожей по силе хватки на столярные тиски рукой. Огинский с разворота, от всей души, рубанул умника саблей, попав, насколько он мог судить, в лицо. Умник выпустил его плечо и опрокинулся в темноту, но тут набежали другие умники, и началась потеха.

Заяц в душе пана Кшиштофа временно умер, уступив свое место льву или, что вернее, загнанной в угол крысе. Огинский рубился с уланами так, как только могут рубиться поляки — искусно, самозабвенно, целиком отдаваясь любимому делу рубки и не считая ран. Он азартно хэкал, приседал, отражал удары и делал выпады, калеча и убивая одного за другим набегавших из темноты противников. Гордость польского шляхтича вдруг проснулась в нем, подавив на время все иные чувства и расчеты. Ежели бы у пана Кшиштофа было время подумать перед тем, как вступить в бой, он непременно обратился бы в паническое бегство. Теперь же ни думать, ни бояться не было времени: пан Кшиштоф неистово рубился с уланами, целиком отдавшись на волю своего не забывшего старинной науки тела.

Сабли, сталкиваясь в воздухе, издавали высокий, режущий ухо лязг и высекали снопы бледных, хорошо видимых в ночной темноте искр. В тесном пространстве между повозками уланы могли нападать по одному, много по двое. Многие из них еще не успели до конца проснуться, и раньше, чем трубач протер глаза и заиграл тревогу, пан Кшиштоф успел молодецкими ударами свалить четверых противников. Он чувствовал в себе силы и желание прямо здесь, в этом узком, воняющем лошадиной мочой проходе, изрубить на куски весь эскадрон капитана Жюно до последнего человека, но тут кто-то, насев на него сзади, попытался обхватить его поперек и прижать руки к туловищу.

Овладевшая было паном Кшиштофом эйфория разом прошла. Он еще не впал в панику, тело еще помнило, что надобно делать, но холодный ум бывалого проходимца уже принял единственно возможное при настоящей расстановке сил решение: бежать, пока не зарезали. Пан Кшиштоф резко отвел назад локоть, глубоко погрузившийся в живот противника, одновременно ударив его затылком в середину лица. Раздался мягкий удар, неприятный хруст сломанного носа и придушенный вопль. Пан Кшиштоф почувствовал, что свободен, и кинулся отступать, держа курс на черную стену возвышавшихся позади конюшни деревьев парка.

Дорогу ему преградили трое улан, и пан Кшиштоф, дико и страшно крича, принялся снова рубиться — не так, как это делает поседевший в схватках ветеран, который рад случаю еще раз блеснуть своим мастерством, а так, как изнуренный путешественник по притокам никому не ведомых тропических рек прорубает себе сквозь заросли ядовитого бамбука дорогу к спасительной возвышенности.

В ноги ему откуда-то сбоку сунули пику — умело и, видимо, делая это не в первый раз. Пан Кшиштоф запутался в древке пики ногами, споткнулся, потерял равновесие, взмахнул руками и понял, что падает. Перед тем, как рухнуть спиною на брусчатку двора, он успел заметить кого-то, кто, стоя с ним рядом, так же яростно и безнадежно, как он сам, рубился с уланами. Потом каменный двор, предательски подпрыгнув, со страшной силой ударил его по спине, а сверху, из усыпанной звездами тьмы, прямо на лицо с треском опустился окованный железом ружейный приклад. Пан Кшиштоф услышал этот треск, подумал, что в жизни своей не слышал более отвратительного звука, и потерял сознание.

Глава 9

Человек, вступивший в бой несколько позднее пана Кшиштофа и сумевший до поры весьма успешно оберегать его от нападений с тыла и с флангов, был, конечно же, его кузен Вацлав Огинский, застигнутый переполохом в двух шагах от возка капитана Жюно.

Все произошло слишком быстро и неожиданно, чтобы Вацлав мог хотя бы сообразить, что за каша вдруг заварилась вокруг него. Только что вокруг стояла тишина, нарушаемая лишь мирными, вполне привычными звуками, производимыми спящими людьми и стоящими в стойлах лошадьми. Звуки эти были в точности такими же, как и те, которые Вацлав уже неоднократно слышал, обходя дозором расположение своего спящего эскадрона. И вдруг эта привычная мирная тишина была прорезана нечеловеческим визгом, словно с кого-то заживо сдирали кожу, а потом и выстрелом, гулко прокатившимся над задним двором и слышным, наверное, даже в находившейся за три версты отсюда деревне.

Дело, которое посреди ночи привело Вацлава на задний двор усадьбы Вязмитиновых, было точно такое же, как и то, ради которого его кузен, рискуя жизнью, снова вернулся туда, где его поджидала позорная смерть. Глядя из окна княжеского кабинета, Вацлав очень хорошо заметил, куда была спрятана вынесенная из дома денщиком капитана Жюно икона. Знал он, в отличие от своего кузена, и то, что пройдоха Поль ночует в капитанском возке, опасаясь за сохранность сложенного там имущества — не столько капитанского, сколько своего собственного. На случай внезапного пробуждения денщика у него были предусмотрены некоторые меры — не слишком благородные, но зато действенные.

Вацлав вполне благополучно добрался уже почти до самого капитанского возка, когда там, куда он направлялся, неожиданно разыгрался описанный выше скандал. Молодой Огинский, услышав этот адский шум, который впору было бы производить вырвавшимся из пекла демонам, отпрянул в тень ближней к нему фуры, выставив перед собой саблю и пистолет.

Вокруг него шумно зашевелились, вскакивая с постелей и расхватывая оружие, заспанные уланы. В большинстве своем это были бывалые, видавшие всевозможные виды вояки, для которых не составило особого труда разобраться, откуда именно исходит потревоживший их посреди ночи шум. В бархатистом ночном воздухе холодным серебром засверкали обнаженные сабли. После первого, разбудившего всех выстрела уже никто не стрелял, опасаясь в суматохе попасть в своих.

— Казаки! — истошно закричал из своего ук-

167

рытия Вацлав, рассчитывая еще более усилить суматоху.

Кто-то спросонья подхватил этот крик, но искра паники тут же потухла, не получив никакой пищи извне. Не было бородатых, налетающих из темноты всадников, не было сверкающих кривых сабель и грозно уставленных пик, была лишь ночь, суматоха, и были не прекращающиеся истошные вопли капитанского денщика.

Потом там, в эпицентре шума, в двух шагах от притаившегося в темноте Вацлава, залязгали сабли, и послышался стон первого раненого. Это уже не могло быть следствием дурного сна, привидевшегося с пьяных глаз пройдохе Полю. Близ капитанской кибитки кто-то рубился всерьез, перемежая удары отборными проклятьями, произносимыми на хорошем, вполне правильном польском языке.

Сотня самых противоположных мыслей и суждений вихрем пронеслась в голове Вацлава, но из всей этой сотни в мозгу гвоздем засела лишь одна: здесь, в двух шагах от него, насмерть бился с французами его кузен, голос которого ни с чем нельзя было спутать. Княжна Мария, умирающий в своей спальне князь, похищенная французами чудотворная икона и даже страх смерти, который в семнадцать лет бывает особенно силен, — все было забыто, заглушено и отброшено назад голосом крови, звавшим Вацлава Огинского вступиться за погибающего в неравном бою родича.

Вацлав выскочил из укрытия, увидел перед собой какую-то темную, поблескивающую двумя рядами металлических пуговиц массу и, не успев ни о чем подумать, ткнул в нее саблей. Заколотый наповал улан без единого звука повалился на землю, едва не вывернув саблю из руки Вацлава. Огинский, уперевшись ногой в труп, вырвал саблю как раз вовремя, чтобы отразить обрушившийся на него сверху удар.

Его белый французский колет был хорошо виден

даже в темноте, и потому пришедшийся на долю Вацлава натиск улан оказался даже сильнее того, с которым пришлось столкнуться пану Кшиштофу. Если бы на месте стычки вдруг случился сторонний и, к тому же, философски настроенный наблюдатель, он не преминул бы вспомнить старую шутку, гласившую, что поляк обыкновенно рождается с саблей в руке. Уроки, преподанные Вацлаву сначала старым дядькой, много воевавшим еще с запорожскими казаками, а после и темнолицым, худым и твердым, как клинок, учителем фехтования мсье Дюбуа, не пропали даром: юный Огинский дрался по всем правилам искусства, стойко отражая натиск многочисленных противников, которые сыпались на него со всех сторон — спереди, справа, слева, сзади и даже, казалось, прямиком с ночного неба.

Мало-помалу он прорубил себе дорогу к кузену и, пройдя по трупам улан, стал с ним плечом к плечу. Увы, эта семейная идиллия продолжалась недолго: кто-то сунул в ноги Кшиштофу пику, повалив его навзничь. На голову старшего кузена тут же опустился приклад ружья. Увернувшись от чьей-то сабли, Вацлав одним мастерским ударом зарубил того, кто это сделал, плечом оттолкнул еще одного улана и вырвался на относительно свободное пространство, сразу же прижавшись спиной к повозке.

Кто-то из улан ткнул в него пикой. Вацлав увернулся, и стальной наконечник пики с глухим ударом вонзился в дощатый борт повозки. Огинский схватился рукой за древко, удерживая вооруженного пикой улана на месте, и взмахнул саблей. Улан выпустил пику и опрокинулся в темноту, схватившись обеими руками за разрубленное горло.

— Стойте! — вдруг закричал кто-то по-французски. — Отставить, черт бы вас всех побрал! Капрал, остановите же своих идиотов! Всем стоять!

Мало-помалу свалка вокруг повозок прекратилась, и уланы с явной неохотой опустили оружие. Вацлав стоял, прижавшись спиной к шершавому, все еще хранившему дневное тепло борту повозки, и, тяжело дыша, ждал решения своей судьбы.

— Он мой! — снова раздался молодой, самоуверенный голос, и на освободившееся пространство, расталкивая полуодетых улан, вышел щеголеватый французский лейтенант, годами чуть постарше Вацлава, с аккуратнейшими бачками и подстриженными по последней моде усиками. В руке он не без изящества сжимал золоченую шпагу, жалованную князю Вязмитинову императрицей Екатериной Великой.

— Сударь, — надменно обратился он к Вацлаву, — храбрость ваша несомненна, но вы оказались в весьма незавидном положении. Предлагаю вам сложить оружие. В противном случае я буду иметь честь атаковать вас.

После отступления от Дрисского лагеря, после рева пушек и пожара Смоленска, после горячего дела у переправы через Днепр и, в особенности, после только что прекратившейся беспорядочной и кровавой резни напыщенный тон француза и весь вид его показались Вацлаву такими нелепыми, что он не удержался от хриплого каркающего смеха.

— Уж не думаете ли вы, — насмешливо сказал он лейтенанту, бессознательно пародируя его манеру говорить, в которой не так давно и сам предпочитал выражаться, — что украденная вами у парализованного старика шпага сама сделает за вас то, с чем вы были не в состоянии справиться со своим собственным оружием?

Лейтенант вспыхнул и сделал быстрый шаг вперед.

— Анри, — послышался откуда-то голос капитана Жюно, — мальчик мой, я бы вам этого не посоветовал.

— Но, мой капитан, он назвал меня вором! — звенящим голосом выкрикнул лейтенант, продолжая прожигать прижатого к повозке Вацлава яростным взглядом.

170

— Вы сами на это напросились, мой друг, — ответил на это невидимый капитан. — А впрочем, — он зевнул, — впрочем, как знаете.

Молодой лейтенант, которого капитан Жюно назвал Анри, с самым серьезным видом принял классическую фехтовальную стойку, слегка присев на широко, под прямым углом расставленных ногах и задрав выше головы согнутую крючком левую руку. Острие шпаги при этом нацелилось прямиком в лицо Вацлава, описывая перед ним медленные круги.

— Вы осел, сударь, — сказал ему Вацлав и тоже стал в стойку, выставив перед собой саблю и заложив левую руку за спину, как это делают обыкновенно те, кто дерется на эспадронах.

Золоченая шпага, жалованная за храбрость князю Вязмитинову великой императрицей, заплясала вокруг Вацлава, ныряя, совершая мудреные финты и все время норовя ужалить откуда-нибудь сбоку или снизу. Вацлав вертел тяжелой уланской саблей, отражая удары, с неудовольствием чувствуя, как немеет усталая кисть руки и как наливается чугунной тяжестью больная голова. Покрытое затейливым травленым узором узкое лезвие стремительно выскакивало со всех сторон, словно оно было не одно, а весь мир был утыкан, как булавками, одинаковыми блестящими лезвиями. Тяжелая сабля взлетала и размашисто опускалась, рубя воздух, шпага жалила колющими ударами и, казалось, извивалась, как живая змея.

Уланы, поначалу смотревшие на эту затею как на глупую и ненужную забаву, понемногу вошли во вкус зрелища и начали подбадривать своего лейтенанта одобрительными выкриками. Вацлав вдруг понял, что против собственной воли сделался игрушкой для этих людей. Стиснув зубы, он собрал в кулак все свое умение и волю и начал драться так, как дрался минуту назад между повозок — не заботясь о внешней красоте своих движений и стремясь лишь к тому, чтобы уничтожить врага.

Лейтенант, видимо, почуял перемену в своем противнике. Он заметно подтянулся, посуровел и уже гораздо меньше, чем в начале схватки, напоминал балетного танцора. Его движения сделались еще более быстрыми и точными, но все его хитроумные атаки разбивались вдребезги о глухую защиту Вацлава. Он бешено вращал кистью, избегая прямого столкновения своей шпаги с тяжелой уланской саблей, но эти столкновения происходили все чаще, сопровождаясь глухим лязгом. Золоченая именная шпага была весьма дурным оружием для настоящего, не на жизнь, а на смерть, боя, и Вацлав, наконец, окончательно доказал это, сильным ударом своей тяжелой и неудобной сабли сломав клинок противника у самого основания. Лейтенант растерянно выпрямился, все еще держа в руке бесполезную витую гарду с торчавшим из нее коротеньким обломком, которым нельзя было зарезать даже курицу.

— Кончено, — сказал Вацлав, с трудом переводя дыхание. — Что прикажете с вами делать: взять в плен или зарубить?

Отдавая должное мужеству противника, уланы встретили этот вопрос хохотом и одобрительными выкриками. Лейтенант Анри покраснел до ушей, что, к его большому счастью, было незаметно в темноте, отшвырнул обломок и закричал, озираясь по сторонам:

— Шпагу мне!

— Довольно, — прозвучал из темноты голос капитана Жюно, который по-прежнему оставался невидимым. — Возьмите его!

Уланы бросились вперед. Вацлав поднял саблю, намереваясь как можно дороже продать свою жизнь, но тут откуда-то сзади, по всей видимости, с повозки, которая была у него за спиной, кто-то ударил его по голове, как показалось Вацлаву, оглоблей. Продолжая сжимать в руке саблю, Вацлав Огинский без чувств упал на землю.

К месту стычки, слабо освещенному лишь отблесками горевшего поодаль костра, по приказу капитана принесли фонари и горящие головни. Сделалось светло — не так, как днем, но все же вполне достаточно для того, чтобы капитан мог как следует рассмотреть виновников ночного переполоха. Хорошенько всмотревшись в их лица, капитан Жюно беспомощно развел руками и повернулся к стоявшему рядом с ним офицеру — тому самому толстому лейтенанту, которого едва не обчистил в карты пан Кшиштоф.

— Ничего не понимаю, — сказал капитан Жюно. — На мой взгляд, это не лезет ни в какие ворота. Что общего может быть между этими двумя?

Лейтенант в ответ лишь так же беспомощно развел руками. Удивление французов было вполне естественным: на брусчатке двора перед ними лежали два человека, которым совершенно нечего было здесь делать — тем более, вместе. Один из этих двоих был выдававший себя за личного порученца Мюрата карточный шулер (или, наоборот, порученец Мюрата, решивший зачем-то словчить в карты), а другой — молодой офицер-карабинер, которого совсем недавно осмотрел полковой лекарь и, признав почти безнадежным, оставил на попечение местного священника. Оставалось только гадать, что свело эту парочку вместе и, главное, зачем они посреди ночи затеяли резню со своими соотечественниками. Тут явно была какая-то загадка, но капитан Жюно, как человек военный, прямой и сравнительно бесхитростный, вовсе не желал тратить свое драгоценное время на разгадывание шарад. Он был командир эскадрона, стоящего во фронте на вражеской территории, а значит, просто не имел права на колебания и отсрочки. Люди, посреди ночи тайно пробравшиеся в расположение его эскадрона, убившие часового и выведшие из строя не менее десятка солдат, были, независимо от своего происхождения, цели и побудительных мотивов, шпионами и диверсантами, и подлежали расстрелу. Именно так надлежало с ними поступить, и именно так намеревался поступить с ними капитан Жюно. Он уже открыл рот, чтобы отдать приказ, в природе которого не сомневался ни он сам, ни кто бы то ни было из его подчиненных, но тут его одолел беспокойный демон любопытства. В конце концов, в том, чтобы допросить пойманных вражеских агентов перед казнью, не было ничего дурного. Ведь не могло же быть такого, чтобы эти двое заведомо пожертвовали своими жизнями только для того, чтобы покалечить и убить десяток улан! У них наверняка была какая-то иная, гораздо более значительная цель, и капитан Жюно между делом подумал, что, разоблачив эту цель, он мог бы удостоиться особых милостей командования и, чем черт ни шутит, может быть, даже самого императора.

Поэтому, убедившись, что оба шпиона живы, но находятся в бессознательном состоянии, капитан отдал совсем не тот приказ, которого от него ждали.

— Запереть этих двоих, — скомандовал он, — выставить охрану. Утром я допрошу их и решу, что с ними делать дальше. Может оказаться, что это важные птицы.

Вокруг стонали раненые, и громче всех по-прежнему ныл и причитал капитанский денщик Поль, действительно изрядно пострадавший от сабли пана Кшиштофа. Между повозками уже мелькали блестящие стекла очков и отражающая блики факелов лысина доктора. Сделав все необходимые распоряжения, капитан Жюно отступил несколько в сторону, чтобы не мешать солдатам, занятым расчисткой места стычки, закурил трубочку и, сам не зная зачем, поднял глаза на погруженный в темноту дом. Он сразу же увидел распахнутое окно во втором этаже, где, как ему показалось, быстро мелькнуло что-то белое — не то платье, не то просто шевельнувшаяся от ночного сквозняка занавеска.

Заметив это шевеление, капитан Жюно глубоко затянулся трубкой, вздохнул и подумал, что завтра поутру, кроме двоих пойманных шпионов и диверсантов, ему, наверное, все-таки придется допросить кое-кого еще. Придя к такому выводу, он постарался выкинуть из головы ночное происшествие и все связанные с ним вопросы, крикнул, чтобы усилили посты и, выколотив трубку о каблук, отправился досыпать.

* * *

Сотрясение, вызванное в голове пана Кшиштофа ударом окованного железом ружейного приклада, было столь сильным, что он не пришел в себя даже тогда, когда его небрежно, словно рогожный куль с картошкой, свалили по каменным ступенькам в подвал, где еще при старом князе помещалась так называемая холодная. Сюда, в эту холодную, в былые времена сажали воров, браконьеров и буянов. Сиживали здесь и пойманные в непотребном виде пьяные дворовые, посаженные под замок до полного вытрезвления с тем, чтобы наутро предстать пред светлые очи грозного князя Александра Николаевича. Пьяных князь не любил особенно, говоря, что сознательное доведение себя до бессмысленного скотского состояния есть грех не только перед богом, но и перед самим собой и перед природой. Посему изловленных в пьяном виде дворовых мужиков (хотя бывали среди них и бабы), продержав в холодной, отправляли обратно в деревню, заменяя другими.

Холодная представляла собой довольно просторное, выложенное тесаным камнем помещение, в коем из мебели помещалась только груда прошлогодней подгнившей соломы да несколько намертво вделанных в стены железных, рыжих от ржавчины колец, к которым в давние, еще до Александра Николаевича, времена цепями приковывали самых буйных или тех, кто таковыми считался. Высокие кирпичные ступени вели к дубовой, обитой железными полосами двери, запиравшейся снаружи на засов; в другом углу, под самым потолком, помещалось полукруглое окно, забранное вертикальными стальными прутьями, поставленными так часто, что сквозь них с трудом могла протиснуться разве что кошка, да и то не слишком крупная. Помещение это было заранее присмотрено одним их наиболее хозяйственных капралов капитана Жюно под гауптвахту, хотя в тот момент никто не думал, для каких целей оно будет употреблено.

Вот сюда и поместили, сбросив со ступенек, сначала пана Кшиштофа, а потом и его кузена, который пребывал в таком же точно бессознательном состоянии. Тяжелая дверь с грохотом захлопнулась, лязгнул задвигаемый засов, и в холодной стало тихо.

Долгое время никто из пленных не шевелился. Они лежали рядом на каменном полу, напоминая более мертвецов, чем живых людей. Повязка сбилась с головы Вацлава Огинского, рана его открылась, и выступившая оттуда кровь опять залила половину лица. Пан Кшиштоф выглядел немногим лучше, хотя досталось ему меньше, чем Вацлаву. Именно он, пан Кшиштоф, первым начал приходить в себя.

Место, в котором он очнулся, страдая от жестокой головной боли, было мрачным и совершенно ему не знакомым. Вследствие сумятицы последних перед ударом по голове минут и вследствие самого этого удара воспоминания пана Кшиштофа о том, как он сюда попал, были, мягко говоря, неполными и отрывочными. Он помнил, что собирался выкрасть икону, помнил, что был обнаружен и что дрался, уже не рассчитывая остаться в живых. Судя по этим воспоминаниям, пану Кшиштофу в данный момент полагалось быть мертвым, как печная заслонка. Но голова у него болела, и руки, которыми он бессознательно шарил вокруг себя, ощущали камень, землю и солому. «Впрочем, — вполне резонно подумал пан Кшиштоф, — кто может знать, что ощущает и чего не ощущает душа человека, внезапно покинувшая бренное тело и вознесшаяся на небо?»

Тут ему сделалось по-настоящему страшно. Несмотря на свой образ жизни, а может быть, и благодаря ему, пан Кшиштоф был верующим человеком — не столько набожным, сколько суеверным. Ему не раз приходила в голову весьма неприятная мысль о том, что в будущей жизни его деяния зачтутся ему сполна, но в ту пору всегда находилось какое-нибудь дело — очередное мошенничество, или бутылка вина, или сговорчивая женщина, — которое отвлекало его от мрачных раздумий. Теперь же мысль о том, что он уже умер, лишившись в запале боя последней возможности замолить свои многочисленные грехи, поразила пана Кшиштофа до самой глубины души. Испуг его усугублялся тем, что место, куда он попал, совсем не напоминало небо, а походило, скорее, на его противоположность. Правда, здесь не было ни костров, ни котлов с кипящей смолой и серой, ни чертей с вилами, но пан Кшиштоф с замиранием сердца предвидел, что все это у него впереди. Вероятно, это было место, где над ним будут вершить суд и где он выслушает свой приговор — несомненно, суровый.

Пан Кшиштоф испуганно закрыл глаза и стал шептать слова молитвы, обращенной к святой деве Марии, матери и заступнице всех христиан. Слова казались сухими, мертвыми и не шли с языка. Пан Кшиштоф подумал, что так и должно быть: в таком месте, как это, дева Мария не имела никакой власти — просто потому, что сюда попадали только те, от кого она уже отвернулась, или те, кто отвернулся от нее.

Забыв от страха и отчаяния о боли в разбитой голове, пан Кшиштоф открыл глаза и сел, опершись руками о грязный каменный пол. Глаза его мало-помалу привыкли к темноте. Светившееся красноватыми отблесками огня полукруглое отверстие в стене, принятое им поначалу за топку одного из адских котлов, оказалось окном, сквозь которое в холодную проникал свет горевшего снаружи костра. Пан Кшиштоф различил ступени, дверь, ворох гнилой соломы в углу и лежавшего рядом с собой человека с залитым кровью, но странно знакомым лицом.

Вид привычных, земных, хотя и незнакомых предметов несколько успокоил пана Кшиштофа, заставив его почти поверить в то, что он жив. Однако, вглядевшись в лицо лежавшего рядом человека, пан Кшиштоф снова похолодел. Этот человек с простреленной, окровавленной головой был его кузен, третьего дня убитый на дуэли поручиком Синцовым, который действовал по наущению пана Кшиштофа. С тех пор, казалось, минула целая тысяча лет; однако же, и трех дней достаточно было для мертвеца, чтобы перестать разгуливать по свету и быть либо преданным земле, либо объеденным до костей лесным зверьем. Вацлав же выглядел так, словно был убит только что, сию минуту. К тому же, присмотревшись, пан Кшиштоф узнал на нем карабинерский мундир, неизвестно как на нем оказавшийся и по вполне понятным причинам вызывавший у старшего из кузенов самые неприятные воспоминания.

Это была уже самая настоящая чертовщина. Пан Кшиштоф перекрестился, но наваждение не развеялось, а, наоборот, даже усилилось: ему показалось, что лежащий рядом с ним труп дышит. Все-таки это был ад, или чистилище, или что угодно, но только не земля, на которой все сущее, помимо законов божьих, подчинено строгому порядку вещей и где мертвые остаются мертвыми, а не разгуливают по округе в поисках тех, кто их убил.

Мистический ужас, еще более сильный, чем вначале, обуял пана Кшиштофа. Лязгая зубами и бормоча имена всех святых, какие помнил, он пополз прочь от страшного соседа. В этот момент, словно нарочно желая перепугать пана Кшиштофа до смерти, Вацлав Огинский застонал, открыл глаза и поднес руку к голове.

Пан Кшиштоф тихо взвизгнул и отпрянул в сторону, как испуганная лошадь. Ему казалось, что оживший мертвец сию минуту встанет и, протянув к нему окровавленную руку, вцепится ему в горло холодными пальцами. Остатки мужества покинули его, и, вжавшись в угол, он расширенными глазами наблюдал за своим кузеном, который вернулся с того света, наверняка горя жаждой мести.

Покойник тем временем сел, подтянув под себя ноги в сапогах, и, по-прежнему прижимая руку к простреленной, как казалось пану Кшиштофу, голове, пробормотал по-польски:

— Дьявол, я все-таки попался! До чего же глупо... Где это я? И ни оружия, ничего...

Только тут пану Кшиштофу вспомнилось, что за секунду до того, как потерять сознание, он как будто видел рядом с собой какого-то человека, вместе с ним отражавшего атаки улан. Пан Кшиштоф напряг память и припомнил, что на его неизвестном союзнике как будто был белый колет, выделявшийся в темноте отчетливым пятном.

Уверившись в том, что память его не подводит, пан Кшиштоф приободрился настолько, что даже перестал стучать зубами и начал рассуждать более или менее здраво. Живой или мертвый, но кузен действовал на его стороне, а это означало, что ему ничего не было известно о роли пана Кшиштофа в дуэли с Синцовым. Того, кто был уже единожды обманут, ничего не стоило обмануть во второй раз, а это был как раз тот род человеческой деятельности, в котором пан Кшиштоф чувствовал себя как рыба в воде. По инерции перекрестившись еще раз, пан Кшиштоф выбрался из своего угла и осторожно приблизился к кузену.

— Матка боска! — воскликнул он вполголоса и всплеснул руками. — Кузен, Вацлав, ты ли это?!

Вацлав быстро повернул к нему голову, но, узнав, неожиданно для пана Кшиштофа успокоился. Казалось, появление рядом с ним в подвале его кузена было для него в порядке вещей.

— Кшиштоф, — сказал он с ноткой разочарования в голосе. — Тебе тоже не удалось уйти...

— Ну, по крайней мере, сеча получилась славная, — осторожно сказал пан Кшиштоф, желая для начала взять самую нейтральную тему разговора.

— Да уж, — откликнулся Вацлав, и в его голосе пан Кшиштоф явственно расслышал горькую насмешку, — славная... Кстати, кузен, ты не объяснишь мне, каким образом оказался здесь и зачем затеял эту свалку? Если бы не ты... А, да что теперь об этом говорить!

— Но ведь надобно же делать хоть что-то, — рассудительно заметил пан Кшиштоф. — Почему бы нам и не поговорить? Но только рассказывай ты первый. Уж коли я появился неожиданно для тебя, то вообрази, каково мне было увидеть тебя живым после той злосчастной дуэли! Ведь я сам объявил всем, что ты убит!

— Да? — вяло удивился Вацлав. — А зачем?

— Но как же, — сделав вид, что растерян, горячо воскликнул пан Кшиштоф, — как же иначе! Ведь ты и был убит... вернее, казался убитым. А потом вдруг налетели французские карабинеры, и нам пришлось с боем отступить. Двоих я убил своей рукой, — прибавил он, зная, что ничем не рискует, произнося эту ложь.

— Да, — с тем же странным отсутствием интереса к рассказу кузена повторил Вацлав. — Да, я так и думал... Но зачем ты вернулся? Я говорил с княжной, и она сказала мне, что ты сослался на мою просьбу позаботиться о ней. Но, сколько я ни ломал голову, я так и не смог вспомнить, чтобы мы с тобой говорили после дуэли. Да и сам ты только что сказал, что счел меня убитым наповал.

— Гм, — смущенно откашлялся пан Кшиштоф. В вопросе Вацлава не было обвинения, но пан Кшиштоф, будучи на самом деле виноватым, решил, что ему непременно надо оправдаться. — Понимаешь ли, кузен, — продолжал он, — я не могу всего сказать тебе. Тут замешаны государственные интересы, и притом весьма высокие…

— Победоносец, — тоном полной убежденности в правоте своей догадки перебил его Вацлав.

Пан Кшиштоф внутренне оледенел. Такого поворота он никак не мог ожидать, и теперь просто не знал, что сказать.

— Не понял, как ты сказал? — от души надеясь, что чего-то не расслышал, осторожно проговорил он.

— Чудотворная икона святого Георгия Победоносца из Московского Кремля, — повторил Вацлав. — Та, которую везли к армии, но так и не довезли. Она здесь, и ты пришел за ней. Я верно тебя понял?

Минуту пан Кшиштоф боролся с острым желанием задушить своего чересчур догадливого кузена голыми руками. Затем многолетняя привычка действовать прежде всего хитростью, и только потом силой, взяла в нем верх. Несмотря на свой ум, Вацлав казался ему простодушным, как всегда кажутся подлецам недалекими и простодушными честные люди. Его еще можно было обмануть и использовать в своих собственных целях. Будучи уверенным, что творит благое дело, он действовал бы самоотверженно и бескорыстно, а это было именно то, чего так не хватало пану Кшиштофу. О помощнике, который рисковал бы собственной жизнью ради наполнения его кошелька и ничего при этом не желал для себя лично, можно было только мечтать.

— Верно, — сказал он. — Я вернулся сюда за иконой. Я был в том отряде, который конвоировал икону, и один из всех уцелел после стычки с уланами. Мне удалось уйти от погони, и я следил за иконой до самой встречи с вами. Ежели бы то, что ты называешь своим полком, в действительности напоминало полк, я бы уговорил командира остаться и, дав бой уланам, отбить икону, за которую считаю себя по сию пору ответственным. Но в таком деле сорок человек хуже, чем один. Я выследил, где прячут икону, и был уже на расстоянии протянутой руки от нее, но в повозке оказался этот скотина-денщик, из-за которого пропало все дело.

— Ты поторопился, — устало сказал Вацлав. — Нужно было лучше следить за повозками. Тогда бы ты знал, что денщик ночует в капитанской кибитке. Я знал это, и если бы не твой скандал с денщиком, икона уже была бы у меня.

— М-да, — неопределенно сказал пан Кшиштоф, весьма довольный успехом своего обмана. — Интересно, что теперь с нами сделают?

Вацлав пожал плечами.

— Учитывая все обстоятельства, — сказал он, — я думаю, что расстрел будет самым легким для нас выходом. Могут ведь и повесить.

Голос его звучал вполне равнодушно. В последнее время Вацлав Огинский умирал так часто и неудачно, что это занятие успело утратить для него остроту новизны, превратившись в тяжкий рутинный труд.

Пан Кшиштоф воспринял его слова спокойно и даже с радостью. Он считал, что капитан Жюно не отважится казнить доверенное лицо маршала Мюрата, имеющее при себе подписанный самим королем Неаполя документ; что же касается кузена, думал пан Кшиштоф, то туда ему и дорога. Французы доделают то, что начал этот мазила Синцов, и притом совершенно бесплатно.

Думая так, он запустил руку в карман, где хранился драгоценный документ, и похолодел: бумажника на месте не было. Осторожно, чтобы не заметил кузен, пан Кшиштоф обшарил себя с головы до ног — с тем же печальным результатом. Бумажник пропал, и не имело смысла гадать, что с ним стало. Его могли вытащить не упускающие случая помародерствовать солдаты, но с таким же успехом это мог сделать и сам капитан Жюно, решивший во что бы то ни стало выполнить свое обещание расстрелять пана Кшиштофа.

Подписанная Мюратом бумага была ему в этом помехой, и капитан мог захотеть избавиться сначала от бумаги, а уж потом от ее владельца. Но так или иначе, а отсутствие документа означало для пана Кшиштофа крушение последней слабой надежды уцелеть. На мгновение ему даже сделалось жаль, что он не умер раньше, в горячем запале схватки, с саблей в руке. Теперь ему предстояла позорная смерть и, что было еще хуже, нестерпимое ожидание этой позорной и неминуемой смерти.

— Погоди, — пролепетал он, — постой, Вацлав. Что такое ты говоришь? Как это — расстреляют? Что это значит — повесят? Надо же что-то делать!

— Что делать? — с любопытством, которое показалось пану Кшиштофу совершенно неуместным, спросил Вацлав.

— Ну, как это — что? Надо бежать!

— Знаешь, — сказал Вацлав, — по-моему, тот улан слишком сильно ударил тебя по голове. Утешает только то, что я его зарубил. Не прими мой вопрос за насмешку, но все-таки, как ты собираешься бежать?

Эта реплика кузена слегка отрезвила пана Кшиштофа. Он взял себя в руки — как раз настолько, чтобы справиться с предательской дрожью в голосе, — и сказал:

— Так что же, мы будем сидеть сложа руки и ждать смерти?

— Думаю, ты прав, — после долгой паузы ответил Вацлав. — Нам отсюда не выбраться, но будет хуже, если мы не попытаемся.

Боровшийся с охватившим его при мысли о неизбежной смерти животным ужасом пан Кшиштоф не вполне понял, что хотел сказать Вацлав этими словами; он понял лишь, что кузен согласен вместе с ним искать выход из западни, в которую они угодили.

Помогая друг другу, они поднялись на ноги и приступили к детальному обследованию стен и пола холодной. Обследование это принесло весьма неутешительные результаты: холодная, как и весь дом Вязмитиновых, была построена на совесть. Камни были пригнаны друг к другу так плотно, что между ними не вошло бы и лезвие ножа, которого кузены все равно не имели; скреплявший эти камни известковый раствор даже не думал крошиться, сколько его ни скребли пряжкой ремня; прутья оконной решетки были намертво вделаны в кладку стен, а дверь оказалась такой массивной и так хорошо заперта, что казалась продолжением стены.

Устав от бесплодных поисков, кузены присели рядышком на ступеньки. Пан Кшиштоф пошарил по карманам, но сигары у него вышли уже давно, о чем он и так прекрасно знал. Вацлав не стал шарить по своим карманам, поскольку там не было решительно ничего любопытного или полезного — одним словом, ничего вообще.

— Итак... — начал он, но Кшиштоф остановил его, схватив за руку и жестом призвав к тишине.

Привлекший его внимание шорох повторился, а в следующее мгновение маленький камешек со щелчком ударился об пол холодной и, отскочив, отлетел к стене.

Глава 10

Хотя капитан Жюно и был встревожен ночным происшествием, он не стал предпринимать никаких чрезвычайных мер, не считая усиления караула. Даже и эта последняя мера была им предпринята скорее для очистки совести, нежели в силу необходимости. Он не стал ни обыскивать дом и парк, ни допрашивать княжну, которая могла знать что-нибудь о причинах ночного переполоха, а могла и не знать. Капитан Жюно рассуждал просто и здраво: если бы у двоих изловленных его людьми диверсантов где-то поблизости были сообщники, они непременно проявили бы себя в творившейся в тот момент неразберихе. Несмотря на обилие находившихся во дворе полуодетых и как попало вооруженных улан, горстка отчаянных бойцов могла бы нанести эскадрону огромный урон, смешавшись с этой галдящей и бестолково размахивающей саблями толпой. Поскольку этого не произошло, капитан Жюно вполне резонно рассудил, что никаких сообщников не было в помине, и, выкурив, как уже было сказано, трубочку табаку, преспокойно отправился спать.

Между тем, по крайней мере один сообщник у отчаянных кузенов имелся. Это была княжна Мария Андреевна, лично благословившая Вацлава на его вылазку и наблюдавшая за ходом событий из окна княжеского кабинета. Отправляясь спать, капитан Жюно учитывал возможность участия княжны в заговоре, но он не верил в то, что хрупкая шестнадцатилетняя девица благородных кровей окажется способной на решительные действия. В этом капитан Жюно ошибался; вообще, самым резонным из всех предположений ему казалось то, что он столкнулся с двумя отчаянными ворами, решившими поживиться содержимым обозных повозок.

После первых минут растерянности и отчаяния, охвативших княжну при виде того, как рушится придуманный ею совместно с Вацлавом Огинским план, Мария Андреевна постаралась взять себя в руки. Она более не сравнивала себя с героинями светских романов, на это у нее не осталось ни времени, ни охоты. Жизнь повернулась к ней своею темной стороной, и надобно было жить, а не фантазировать. Кузены Огинские были в плену, но живы. В судьбе их, однако, не приходилось сомневаться, а это означало, что у княжны есть время только до утра. Не следовало, к тому же, забывать и об опасности, которая грозила самой княжне. Мария Андреевна была неплохой наездницей, весьма успешно решала задачи из математики, говорила и читала на четырех европейских языках, умела мыслить логически и недурно стреляла в цель; единственное, чему не научил ее старый князь, это непринужденно лгать, глядя собеседнику в глаза и мило улыбаясь. Во время допроса, который, по мнению княжны, был неминуем, этот пробел в образовании мог сослужить ей весьма дурную службу. И кто знает, что станется тогда с нею самою, с верным Архипычем, с отцом Евлампием и, главное, со старым князем?

Впрочем, мысли о собственной участи и своем неумении лгать занимали княжну менее всего. Не будь старый князь прикован к постели, она бы, наверное, еще подумала о том, как спасти себя; впрочем, если бы не болезнь князя, ни его, ни княжны здесь бы уже давно не было. Здесь княжна ничего не могла изменить, а значит, и думать об этом не стоило. Судьба посаженных в холодную Огинских была совсем иное — ее можно и должно было изменить, и княжна знала, что могла бы с этим справиться.

Когда дверь холодной с грохотом захлопнулась, и уланы стали, ворча и возбужденно переговариваясь, расходиться по местам и устраиваться досыпать, княжна вошла в спальню деда. Совершенно заморенный Архипыч дремал в кресле подле кровати, ничуть не потревоженный шумом разыгравшейся прямо под окном баталии. Князь Александр Николаевич тоже спал, неловко свернув голову с подушки. Княжна осторожно поправила подушку и, став на колени лицом к красному углу, в котором не было икон, стала горячо молиться о здоровье деда, хорошо понимая при этом, что просит у господа невозможного.

Закончив молитву, она неслышно подошла к окну и выглянула наружу. Лагерь французов как будто угомонился, но у костров все еще сидели небольшие группки улан — курили трубки, допивали вино и о чем-то переговаривались, обсуждая, как видно, последние события.

Княжна поняла, что надо еще подождать, и ожидание это испугало ее больше, чем мысль о том, что предстояло ей сделать. Чтобы хоть чем-то заполнить эти томительные часы, Мария Андреевна, перейдя опять в кабинет, села в кресло старого князя и стала детально, шаг за шагом, придумывать, как и что она станет делать, когда в лагере уснут все, кроме часовых. Думать тут было особенно не о чем, но княжна заставляла себя раз за разом проигрывать все с самого начала, стараясь предусмотреть все возможные неожиданности и препятствия и зная точно, что занимается пустым делом, поскольку предусмотреть все было просто невозможно.

Потом она заметила, что начинает засыпать, в точности как старик Архипыч. Спать было нельзя; вскочив с кресла, княжна стала ходить из угла в угол по кабинету. Необходимо было и никак не получалось придумать какое-нибудь дело, чтобы не спать. Читать она не могла, писать было нечего и не к кому. В темноте бродила она по знакомому с раннего детства кабинету, не решаясь зажечь свет, который могли бы заметить снаружи.

Наконец, эта вынужденная праздность в сочетании с огромной внутренней потребностью немедленно что-то делать натолкнула княжну на счастливую мысль, в корне изменившую ее первоначальный замысел. Все слабые места этого замысла княжна видела и раньше; говоря по совести, это был и не замысел вовсе, а просто его черновик, из которого во все стороны торчали гибельные для любого серьезного дела «если бы» да «кабы». Замысел этот заключался в том, чтобы подойти к часовому, охраняющему дверь холодной, как-нибудь отвлечь его внимание и, снова как-нибудь, открыть дверь, не имевшую замка, а запиравшуюся снаружи на тяжелый железный засов. Казалось весьма сомнительным, чтобы часовой, даже вступив с княжною в беседу, позволил бы ей отпереть дверь; еще более сомнительной казалась княж-

187

не мысль, что она может справиться с вооруженным мужчиной. И потом, подумала она, что это значит — справиться? Убить? Связать? Нет, это, право, смешно...

Теперь же, найдя, как ей казалось, способ обойти эти и другие нерешенные вопросы, княжна несколько оживилась и даже повеселела. То, что она задумала, было не к лицу девице ее круга; некоторые ее знакомые сочли бы самую мысль о подобном образе действий непристойной. Но знакомые эти были сейчас далеко — в Москве, Петербурге и дальних своих имениях, не затронутых войной. Никто из них не прискакал, загоняя лошадей, в Вязмитиново, чтобы поинтересоваться судьбой хозяев; так какое право имели они осуждать ее? Никакого, ответила себе княжна и тут же спохватилась, что никто ее не осудит, потому что никто и ничего никогда не узнает.

Приняв решение, Мария Андреевна прошла в свою спальню и приблизилась к стоявшему в углу большому, обитому железом сундуку. Открывшееся ей зрелище заставило княжну грустно вздохнуть.

Сдерживаемые в какой-то мере капитаном Жюно и, отчасти, сочувствием к молодой хозяйке, уланы мародерствовали не слишком открыто и не применяя грубой силы — не так, как орудует на пасеке медведь, но так, как действует забравшаяся на кухню стая крыс. Встречаясь с княжною во дворе и в доме, солдаты улыбались, весело ей козыряли и говорили приветливые слова, но стоило ей скрыться из глаз, как еще какая-нибудь часть имущества Вязмитиновых бесследно исчезала в солдатских ранцах и в нагруженных до отказа повозках. Считалось, что в спальнях хозяев их беспокойные постояльцы не бывают; на самом же деле никакие приказы капитана Жюно не могли удержать находящихся на завоеванной территории солдат от мародерства, и спальня княжны, в которую она теперь заходила нечасто, не избежала участи других помещений в доме.

Запертый на висячий замок сундук был взломан,

и откинутая к стене полукруглая крышка напоминала пасть африканского зверя гиппопотама, из которой вместо травы и прочей гиппопотамовой пищи на пол свешивались впопыхах оброненные или просто не приглянувшиеся мародерам вещи. Затеплив свечу, княжна стала разбирать эту перепутанную, истоптанную сапогами груду, отыскивая нужное и с удивлением замечая, что не испытывает никакого сожаления. Ее любимые платья были украдены или испорчены, соболья шубка пропала бесследно, как и многое другое, но Мария Андреевна боялась лишь не найти то, что искала.

Ей, однако же, повезло. Нарядный красный сарафан и расшитая по рукавам и вороту праздничная рубашка не привлекли внимания мародеров. Красные козловые сапожки, дополнявшие этот якобы крестьянский наряд, исчезли, но княжна решила, что в темноте сойдет и так. Переодевшись, она ловко обвязала голову белым платком, сделав узел сзади на шее и оставив открытым только лицо до бровей. Поглядевшись в зеркало, княжна улыбнулась, довольная собой: непривычная одежда, и в особенности платок, изменили ее до неузнаваемости.

Оставалось лишь проверить, совпадет ли ее мнение с мнением часового.

Мария Андреевна подошла к окну и выглянула наружу. Лагерь французов спал. Ненужный костер на заднем дворе почти совсем догорел и светился в темноте большим красным пятном. Княжна заметила, что темнота уже не была темнотою: небо на востоке начинало светлеть, короткая летняя ночь катилась, как ей и было положено, к рассвету, а это значило, что времени у Марии Андреевны осталось всего ничего.

Она хотела задуть свечу, но потом передумала. Свеча наверняка была ясно видна со двора и не могла остаться незамеченной ходившими там караульными. Французы знали, что княжна не спит — если, конечно, их это интересовало. И, если их это интересовало, им лучше было думать, что она находится в своей комнате.

Обеспечив себе, таким образом, нечто наподобие того, что англичане называют алиби, княжна тихо выскользнула из комнаты. Уже спускаясь на цыпочках по лестнице, она подумала, что при ней нет даже ножа, но тут же сердито тряхнула головой и пошла дальше: мысль о ноже была детская, достойная вот именно героини скверного романа, а в реальной жизни совершенно неприменимая. Нож можно было разыскать и взять с собой, но что она стала бы с этим ножом делать, княжна не знала. Переступая со ступеньки на ступеньку, она на минуточку представила себе, как подкрадывается сзади к часовому и бьет его, живого, ножом в спину. Это получилось так жутко, что Мария Андреевна даже остановилась посреди лестницы, почувствовав, как под ней вдруг разом ослабли ноги. Она более не испытывала к французам даже той небольшой симпатии, которая была у нее к ним ранее, но это еще не означало, что она готова была убить человека.

«Ах, это все пустое, — подумала она, стоя на лестнице и держась за перила. — А на самом деле все просто: для того, чтоб убить человека, солдата, это надобно уметь сделать, а я не умею. Что я не хочу резать его ножом, потому что сказано «не убий», так это вздор. Если мой замысел будет удачен, я убью этого незнакомого мне солдата вернее даже, чем если бы ударила ножом. Не я убью, а убьют другие с моей помощью, но разве это не одно и то же? А если у меня ничего не получится, то убьют их, этих других — Вацлава и его кузена. И выйдет опять, что это я их убила, потому что могла спасти и не спасла. Что же получается? Получается, что выхода у меня никакого нет: и так, и этак виновата. Как же это?..»

Княжна знала ответ. Он был весьма прост и заключался в крылатой французской фразе: на войне как на войне. Фраза эта была ей знакома и казалась раньше пустым звуком, хотя и исполненным романтической мужественности. Теперь же смысл этой короткой фразы предстал перед Марией Андреевной во всей своей ужасной простоте. Война есть война, на войне люди только тем и заняты, что убивают, грабят и мучают друг друга. И если ты, по собственному желанию или невольно, участвуешь в войне, тебе приходится выбирать сторону, за которую ты воюешь, и вместе со всеми убивать тех, кто воюет против тебя. И, раз уж взялся воевать, надобно быть честным перед собой и знать, что и зачем делаешь.

«Знаю ли я, что я делаю и зачем?» — спросила себя княжна и тут же сама себе ответила: «Да, знаю».

Она сумела, оставшись никем не замеченной, выбраться на задний двор. Дверь холодной находилась за углом; с того места, где притаилась княжна, видно было только полукруглое окошко у самой земли, в котором раньше можно было иногда увидеть какое-нибудь бородатое, с подбитым глазом, бледное с похмелья лицо, выражавшее притворное раскаяние и желание поскорее выбраться на волю. Теперь это забранное толстой вертикальной решеткой незастекленное окно было пустым и черным.

Мария Андреевна собиралась уже подойти к окну, когда из-за угла послышались неторопливые шаги, и оттуда показался часовой в расстегнутом у шеи мундире и сдвинутой почти до самых глаз уланской шапке. Княжна обратила внимание на то, что видит часового почти совсем ясно, и поняла, что рассвет уже близок.

Нужно было торопиться. Когда часовой, пройдя немного вперед, развернулся и скрылся за углом, двигаясь в обратном направлении, княжна тенью скользнула из своего укрытия к окну холодной. Тут ее обожгла новая мысль: а что, если оба кузена все еще лежат в беспамятстве или просто спят? Как быть тогда? Что толку открывать дверь людям, которые не могут через нее выйти?

Присев у окна на корточки, княжна пошарила вокруг себя рукой и, нащупав камешек, бросила его между прутьями решетки в черную темноту полуподвала. Она слышала, как камешек стукнулся о каменный пол. Спустя секунду из темноты появились чьи-то руки и схватились за прутья. Мария Андреевна, хотя и ожидала этого, отпрянула в испуге, но тут вслед за руками показалось испачканное чем-то черным лицо Вацлава Огинского. Княжна с новым испугом поняла, что это черное была засохшая на лице кровь, сочившаяся из вновь открывшейся раны.

Молодой Огинский не сразу узнал княжну, доказав тем самым, что ее маскарад удался. Несколько секунд он вглядывался в нее, а потом, узнав, резко подался ближе к прутьям решетки, прижавшись к ним лицом.

— Княжна? — не веря себе, шепотом воскликнул он. — Мария Андреевна? Как вы...

— Тише, — перебила его княжна. — У нас нет времени. Я сейчас постараюсь отвлечь часового и отпереть дверь. Будьте наготове. Вы можете ходить?

— Мы можем даже бегать, — мрачно ответил Вацлав. — Из самой Польши бежим... Но я не позволю вам рисковать собою!

Княжна Мария нахмурилась.

— Не позволите? — сердито прошептала она. — Хотелось бы узнать, как вы предполагаете это сделать? Может быть, кликнете часового? Перестаньте болтать глупости, сударь, и будьте наготове.

Не слушая возражений, княжна поднялась с корточек и легко подбежала к углу дома. Она выглянула из-за угла и увидела часового, который, стоя к ней спиной, разжигал трубку. Дверь холодной была между ним и княжной примерно на одинаковом расстоянии. Мария Андреевна хотела быстро добежать до двери, отодвинуть засов и броситься наутек. Это было настолько соблазнительно, настолько напоминало какую-то невинную детскую проказу, что княжна уже готова была так и поступить. Но тут ей вспомнилось, что время проказ давно миновало. На войне как на войне, напомнила она себе; а раз так, то часовой, услышав звук отпираемого засова и увидев убегающую девушку в крестьянском сарафане, в самом лучшем случае выстрелит в воздух, поднимая тревогу. О том, куда он выстрелит в худшем случае, княжне думать не хотелось. Так или иначе, дело было бы этим безнадежно испорчено.

Замирая от волнения и страха, княжна вышла из-за угла и, ступая легко и бесшумно, с самым непринужденным видом направилась к часовому. Тот продолжал возиться с трубкой, тем самым облегчая задачу княжны. Когда звук легких шагов и едва слышный шорох сарафана достиг, наконец, его слуха и проник в сознание, заставив резко обернуться и схватиться за ружье, княжна была уже в шаге от заветной двери.

— Стой! — грозно сказал улан, направляя на княжну ружье. — Ты кто такая?

Княжна, отлично понявшая вопрос, заставила себя улыбнуться, стараясь при этом, чтобы улыбка вышла как можно более глупой.

— Не стреляй в меня, дяденька, — сказала она, старательно имитируя манеру разговора своей горничной и стреляя глазами так, как это делала во время балов одна ее знакомая графиня, большая дура, думавшая только о замужестве. — Я в деревне была, их сиятельство меня посылали. В деревне солдаты, тут солдаты, страшно бедной девушке...

Она говорила, сама не зная, что говорит, и помня только, что нужно все время заискивающе и глупо улыбаться, и при этом придвигалась все ближе к двери. Глаза ее, смотревшие как будто на улана, на самом деле постоянно возвращались к железному засову, прикипали к нему, ласкали его и ощупывали. Ей казалось, что, если бы не нужно было все-таки строить глазки часовому, она смогла бы отодвинуть засов одной силой своего взгляда.

Слова, произносимые княжной, заведомо не имели значения, поскольку француз их все равно не понимал. Значение имела только блестевшая жемчужными зубами улыбка княжны, ее черные глаза, игриво сверкавшие из-под низко повязанного платка, и прочие детали, которые могли, по ее мнению, привлечь внимание мужчины к тому, что перед ним женщина. Княжне впервой было прибегать к такому оружию против мужчин, и ей вдруг показалось смешным и жалким это древнее оружие. Оружию этому было место в салонах и в будуарах, на войне же оно, это оружие, оружием уже не являлось.

Потерявшись от этой мысли, княжна остановилась на середине фразы и замолчала, опустив глаза, уверенная, что ее сейчас арестуют или просто убьют. Боязливо взглянув на часового, она с удивлением заметила, что древнее оружие, впервые пущенное в дело праматерью Евой, хоть и находилось сейчас в неопытных, неумелых руках, сработало так, как надо. Часовой более не целился в нее из ружья. Ружье было приставлено к ноге, а часовой с неопределенной ухмылкой закручивал штопором свой длинный ус, прищуренными глазами разглядывая княжну.

— А девочка недурна, — вслух сказал улан, немного подвигаясь к княжне и пребывая в полной уверенности, что его не понимают. — Очень недурна, — добавил он и придвинулся еще ближе, обольстительно улыбаясь и выставляя напоказ длинные, пожелтевшие от табака лошадиные зубы.

Этот очевидный успех ободрил княжну настолько, что она, преодолев оцепенение, заставила себя снова войти в роль. Это получилось у нее неожиданно легко. Игривым движением отступив от надвигавшегося на нее улана, она с улыбкой притворной скромности потупилась и склонила набок головку. Отступив еще на полшага, она почувствовала лопатками гладкие доски двери с круглыми бугорками за-

194

клепок, а пальцы ее заложенной за спину руки легли на холодное железо засова.

— Что это вы выдумываете, дяденька, — закрываясь другой рукой, будто бы в смущении, певуче проговорила княжна. — Готовы вы или нет, — продолжала она тем же зазывающим игривым тоном, но обращаясь уже к сидевшим в холодной Огинским, — я открываю дверь. Другой попытки уже не будет.

Улан быстро и очень красноречиво огляделся по сторонам, проверяя, нет ли поблизости начальства. Начальства не было, лагерь спал. Часовой облизал губы, прислонил ружье к стене и, подкрутив на этот раз оба уса, решительно шагнул к неизвестно откуда и зачем появившейся здесь русской девке. Это было именно то развлечение, которого давно не хватало улану; наказание же, которое могло последовать, а могло и не последовать за подобные дела, представлялось ему совсем пустячным по сравнению с предстоявшим удовольствием.

Он почти схватил красотку — почти, но не совсем. Красотка вывернулась у него из рук и одним быстрым движением забежала ему за спину. Ее тихий, заманивающий русалочий смех наполовину заглушил другой звук — металлический, скользящий. Улан развернулся, ловя добычу, которую уже считал своею, и только теперь смысл услышанного им металлического звука проник в его сознание.

Княжна хорошо видела, как это произошло. Широкая плотоядная улыбка, топорщившая уланские усы, вдруг исчезла, словно стертая мокрой тряпкой с грифельной доски надпись, горевшие от приятных предвкушений глаза сделались круглыми, погасли и остекленели. Улан еще не успел понять, что произошло, но зато успел почувствовать неладное. Он сделал движение, собираясь обернуться, но было поздно: дверь холодной позади него распахнулась, и четыре руки, выскочив оттуда, как щупальца морского спрута, схватили его. Одна из этих рук зажала ему рот, а остальные три, совершенно как щупальца, резко втянули беднягу в темный дверной проем, как в подводную пещеру.

Княжна Мария, сама не зная зачем, подалась вперед и заглянула в дверь, тут же об этом пожалев. Она увидела Вацлава, который держал улана сзади, зажимая ему рот, и пана Кшиштофа, который, выпустив часового, выхватил из ножен его саблю и на глазах у княжны снизу вверх, как ножом, ударил его этой саблей в живот. Часовой содрогнулся всем телом и вытянулся, выгибая спину, а пан Кшиштоф налег на рукоять сабли и обеими руками втолкнул клинок глубже в тело умиравшего человека. Хлынувшая из горла убитого кровь проступила сквозь пальцы Вацлава, зажимавшие ему рот.

— Проклятье, Кшиштоф, — гадливо морщась и выпуская мертвеца из рук, сказал Вацлав, — зачем же так? Его можно было просто оглушить.

— К чему эта возня? — возразил пан Кшиштоф, небрежным жестом выдергивая саблю из тела убитого и вытирая окровавленный клинок об его мундир. — И потом, что сделано, то сделано. На войне как на войне, кузен.

Княжна отступила от двери, борясь с дурнотой и головокружением. Эти слова — на войне как на войне, — справедливость которых она сама признала всего несколько минут назад, в устах пана Кшиштофа показались ей пустым звуком, сочиненным только для того, чтобы оправдать убийство. Она понимала, что поступок старшего из кузенов был продиктован жизненной необходимостью убить, чтобы не быть убитым самому, но расчетливая и хладнокровная жестокость мясника, с которой все это было проделано, вызывала у нее невольное отвращение и какое-то внутреннее неприятие. Она еще не успела толком разобраться в своих чувствах, но ей казалось, что жестокость пана Кшиштофа была намеренной и доставляла ему удовольствие, а необходимость, напротив, была выдумана лишь для того, чтобы скрыть это обстоятельство.

«Глупости, — мысленно сказала она себе. — Я слишком мало в этом разбираюсь, чтобы судить. Да, на войне как на войне, и, уж наверное, мужчины понимают в этом поболее моего!»

— Торопитесь, господа, — сказала она, — светает.

— Но как же вы? — спросил, подойдя к ней, Вацлав. — Надеюсь, вы с нами?

Княжна поспешно отвела взгляд от его руки, которая, хотя и была наспех обтерта, все еще носила на себе следы крови зарезанного паном Кшиштофом улана.

— Знатная девица не может бегать с нами по лесам, как дикий зверь, скрываясь от охотников, — вмешался в разговор пан Кшиштоф, озираясь по сторонам с настороженным и затравленным видом. Было заметно, что ему не терпится бежать отсюда со всех ног.

— Это правда, — сказала княжна Мария. — И потом, я должна быть с дедушкой. Ступайте, господа, ступайте! Помните, что ваши жизни нужны для дела, которое осталось незавершенным!

Сказав это, она устыдилась собственных слов, показавшихся ей какими-то ненастоящими, выдуманными из головы и ничего не означающими. Она хотела сказать совсем другое, теплое, настоящее, но сказала почему-то то, что сказала. Впрочем, мужчины в ответ на ее слова одинаковым жестом наклонили головы, соглашаясь с тем, что было сказано.

Через минуту, забрав все оружие часового, кузены проскользнули вдоль стены дома и, благополучно миновав другие посты, скрылись в парке.

* * *

Княжна едва успела переодеться и затолкать свернутый узлом сарафан в самый дальний угол разграбленного сундука, когда в дверь ее спальни осторожно постучали. Мария Андреевна испуганно выпрямилась, прижав ладонь к губам, чтобы ненароком не вскрикнуть. Сначала она решила, что бегство Огинских уже обнаружено и что ее участие в этом бегстве раскрыто. Однако стук в дверь не был похож на то, как стучат солдаты, явившиеся арестовать преступницу: он был чересчур осторожным и тихим. Не было ни грохота сапог по коридору, ни лязга цеплявшихся за стулья сабель, ни стука ружейных прикладов — словом, ничего из тех звуков, которые производит марширующий по дому конвой неприятельских солдат.

Следующей ее мыслью была та, что это вернулся Вацлав Огинский, чтобы забрать ее с собой. Чувства, питаемые по отношению к ней молодым офицером, конечно же, не являлись тайной для княжны Марии, и она разделяла их — пусть не так пылко, как сам Вацлав, но все же разделяла. Однако сейчас, по ее разумению, было не самое удачное время для выражения этих чувств. Обученная старым князем рассуждать логически, княжна хорошо понимала, что после убийства часового и побега из-под стражи такое рыцарское возвращение было бы поступком, граничащим с непроходимой глупостью. Впрочем, очень многое из того, что с серьезным и даже величественным видом делалось и говорилось мужчинами, казалось княжне ненужным и глупым, и самой ненужной, самой подлой и расточительной из этих совершаемых мужчинами глупостей представлялась ей война.

В то же время сердце ее при этом стуке радостно забилось. Доводы разума были ничто по сравнению с желанием еще раз хотя бы на минуту увидеть Вацлава и сказать ему те самые нужные, теплые слова, которых она не нашла при расставании. С бьющимся сердцем подошла она к двери и щелкнула задвижкой.

За дверью стоял со свечой Архипыч. Одного взгляда на его потерянное, с трясущимися губами и стоящими в глазах слезами лицо, на более обычного сгорбленную фигуру и мелко дрожавшую в руке свечу хватило княжне Марии, чтобы понять причину его прихода. Сильно бившееся в ее груди сердце вдруг замерло, обратившись в комок холодного льда.

— Дедушка? — одними губами спросила она.

— Горе, ваше сиятельство, — дребезжащим голосом выговорил Архипыч, — горе-то какое! Князь наш, батюшка... кормилец...

Голос его сорвался, и старик тихо заплакал.

Не помня себя, княжна выбежала из комнаты и бросилась в спальню князя Александра Николаевича. Она утешала себя надеждой, что с дедом, может быть, случился еще один удар, что он при смерти, но еще жив. Архипыч не сказал, что он умер; умом княжна понимала, что старик просто не успел этого сказать, и что сказанного им было вполне достаточно, но сердце надеялось на другое. Марии Андреевне страшно было помыслить, что в то время как она заигрывала с пропахшим табаком и конским потом уланом, ее горячо любимый дед умирал, брошенный всеми, кроме старого слуги, и умер, не успев попрощаться с нею.

Вбежав в раскрытую настежь дверь спальни, она остановилась. Вид лежавшего на постели тела яснее всяких слов сказал ей, что ее надежда была тщетной. Князь лежал в том же положении, в каком она оставила его час или два назад, но жизни уже не было в нем, и это замечалось с первого взгляда даже при неверном мерцании свечей.

— Отмучился, страдалец, — сказал подошедший сзади Архипыч, подтверждая то, что и без него ясно видела Мария Андреевна. — Уж так он об вас спрашивал, так звал...

Упрек, которого не было в словах старого слуги, но который явственно послышался в них княжне, заставил ее разрыдаться и броситься к постели. Она припала губами к колючей щеке деда и невольно отшатнулась, напуганная неприятным ощущением от этого прикосновения. То, что было горячо любимым ею человеком, сохранив его внешность, странным образом превратилось во что-то чуждое, отталкивающее и почти страшное. От этого княжна разрыдалась еще горше позади нее, всхлипывая и отирая струящиеся по морщинистым щекам слезы трясущейся рукой, тихо плакал Архипыч.

Пока наверху происходила эта сцена, внизу, во дворе, обходивший посты французский лейтенант приблизился к дверям холодной, где содержались захваченные накануне пленники. С удивлением заметил он, что дверь подвала открыта настежь и что часового нигде не видно. На его оклик никто не ответил. Причина этого представлялась лейтенанту вполне очевидной, и он велел сопровождавшему его капралу трубить тревогу.

Резкий звук кавалерийской трубы прорезал тишину спящего лагеря, вдребезги разбивая самый сладкий предутренний сон и зовя людей к оружию. Повсюду послышался шум и встревоженные разговоры. Уланы хватали оружие и озирались по сторонам в поисках неприятеля, уверенные в том, что ночное нападение на лагерь повторилось. Капитан Жюно выбежал на крыльцо в расстегнутом мундире, на ходу пристегивая саблю и щуря заспанные глаза. Волосы на его непокрытой голове были взлохмачены, усы грозно топорщились.

Когда причина переполоха разъяснилась, капитан отдал приказ обыскать каждый уголок в доме и в парке, а также выслать конные разъезды для осмотра окрестностей и поимки беглецов. Приняв, таким образом, все необходимые в такой ситуации меры и понимая при этом всю их бесплодность, капитан застегнул мундир на все пуговицы, пригладил волосы и решительным шагом двинулся вглубь дома, придерживая на боку саблю. Мысленно он проклинал эту варварскую страну со всеми ее обитателями, а более всего — собственное благодушие, из-за которого допрос захваченных ночью пленных был отложен им до утра. Их нужно было просто облить водой и допросить, а допросив, немедленно расстрелять.

— Какого дьявола, — не замечая, что вслух разговаривает сам с собой, сердито проворчал капитан, — к чертям собачьим допрос! Их нужно было сразу расстрелять, вот и все. Эти двое слишком дорого мне обошлись!

Теперь, однако же, без допроса было не обойтись просто потому, что капитану необходимо было выместить на ком-то свое раздражение, а расстреливать теперь, после бегства пленников, стало некого. Княжна представила негодяя, имевшего при себе письмо Мюрата, как своего кузена; следовательно, с нее-то и нужно было начинать.

Нарочно громко стуча сапогами, бренча шпорами и грозно кашляя в кулак, капитан поднялся во второй этаж, прошел по коридору и без стука вошел в кабинет старого князя. В кабинете никого не было. Повернув голову, капитан увидел открытую дверь спальни, горевшие там свечи и услышал доносившиеся оттуда рыдания. Капитаном овладело довольно неприятное чувство: галантность офицера и француза боролась в нем с чувством долга и все еще владевшим им раздражением, которое усилилось от слышавшихся из спальни рыданий княжны. Он почти не сомневался, что княжна плачет из страха перед неминуемым наказанием, тем самым подтверждая свою вину. В глубине души ему было жаль эту девочку, которую почти наверное против ее воли втянули в то, чего она не могла понимать, хладнокровно использовали в своих интересах и бросили одну расплачиваться за все. Более всего капитан раздражался из-за этой своей жалости, поскольку уже успел убедиться, что варваров, каковыми он полагал всех без исключения русских, жалеть нельзя. Жалеть их было смерти подобно, но капитан против собственной воли жалел княжну.

«Какого черта, — думал он, уже значительно тише входя в спальню, — ведь это не шпион и не мародер, а всего лишь шестнадцатилетняя девочка, которая годится мне в дочери! Если она будет откровенна и раскается в том, что сделала, я, пожалуй, не трону ее. Она и без того достаточно наказана тем, что до сих пор находится здесь; вреда же от нее не может быть никакого. Почему бы мне не проявить великодушие? В конце концов, несколько убитых солдат — это всего лишь несколько убитых солдат. Солдаты для того и существуют, чтобы их убивали, да и этот ребенок виновен лишь в своем знакомстве с одним из убийц».

Остановившись в дверях спальни, он громко, значительно кашлянул в кулак, стараясь привлечь к себе внимание, и тут же пожалел об этом: представшая перед ним сцена не нуждалась в комментариях. Княжна, рыдая, стояла на коленях подле кровати, на которой лежал старый князь — несомненно и безвозвратно мертвый. Позади княжны топтался, тоже заливаясь молчаливыми слезами, трясущийся старик, единственный оставшийся при ней слуга, которому, как представлялось капитану, самому оставался шаг до могилы.

Княжна повернула на кашель капитана залитое слезами и оттого ставшее как будто еще прекраснее лицо. Взглянув в это лицо, капитан окончательно смешался. Смерть старика самым естественным путем освобождала княжну от всех подозрений; дряхлый слуга оказывался вне подозрений по тем же причинам, да еще и потому, что был ни на что не годен. Капитану оставалось лишь спросить себя, какого черта он сюда вперся со своей саблей, извиниться и откланяться.

— Простите, принцесса, — с поклоном сказал он, — я не знал... Выражаю вам свое глубочайшее сочувствие...

— Что вам угодно? — ломающимся от слез голосом, но стараясь при этом быть учтивой, спросила княжна.

— Нынче ночью мы изловили двоих диверсантов, — зачем-то сказал капитан, — но они убили часового и сбежали из-под замка. Я хотел задать... Впрочем, это вздор. Еще раз приношу свои извинения. Могу ли я быть вам чем-нибудь полезен?

— Полезен? — все тем же ломающимся голосом, в котором капитану теперь послышалось усталое презрение, переспросила княжна. — Чем еще, скажите на милость, вы можете быть мне полезны? Впрочем... Я ни за что не попросила бы вас, но больше мне обратиться не к кому, а сама я не могу... не могу... вы понимаете... — Она два раза всхлипнула, но тут же сердито, совсем не по-княжески утерла слезы кулачком и твердо закончила: — Я не могу сама похоронить его и прошу вас оказать мне помощь в этом деле.

Эта просьба стоила ей немалых трудов. Капитан Жюно был для нее враг, и его галантность и участливое выражение лица казались ей тем, чем они и являлись на самом деле — маской, тоненькой скорлупой, под которой скрывался кровавый оскал войны. Однако же, она вынуждена была просить своего врага о помощи, так как в действительности не могла самостоятельно и даже с помощью Архипыча предать тело старого князя земле.

Капитан не чувствовал этих тонкостей и потому не мог быть оскорблен ими, но просьба княжны не вызвала в нем никакой радости. У него, прошедшего множество войн старого кавалериста, было несколько иное, чем у княжны, отношение к смерти. Он понимал, что не согласиться помочь нельзя, понимал, что при этом придется хотя бы внешне соблюсти множество скучных условностей, и заранее этим тяготился. Гораздо привычнее и проще было бы ему бросить тело старика в выкопанную где-нибудь на заднем дворе яму и забросать землей, чтобы не воняло. В самых учтивых и соболезнующих выражениях заявляя княжне свое согласие, капитан вдруг поймал себя на том, что мысленно ищет способ обойтись с покойником именно так. В конце концов, чем он был лучше французских солдат, убитых его соотечественниками под Смоленском или прямо здесь, на заднем дворе его имения? Да ничем, кроме своего происхождения, на которое капитану Жюно было наплевать. Так какого же черта, спрашивается, должен он расшибаться в лепешку, организовывая для этого безразличного ему и совершенно чужого покойника пышные похороны?

Выйдя от княжны и перестав видеть ее заплаканное, но гордое лицо, капитан Жюно окончательно утвердился в своем решении поступить со стариком так, как поступают обыкновенно с убитыми на поле боя неприятельскими солдатами, то есть просто закопать поскорее во избежание появления дурного запаха. Он подозвал капрала, участвовавшего в обыске дома, и отдал ему краткое и энергичное распоряжение касательно организации похорон. Капрал козырнул и помчался собирать похоронную команду.

Тем временем обыск дома, с самого начала совершенно бесцельный и с каждой минутой все более превращавшийся в обыкновенный грабеж, продолжался. Все ценное уже было вынесено, теперь выносилось или уничтожалось остальное. Солдаты без нужды саблями вспарывали обивку кресел и диванов, как будто под нею могли скрываться беглецы, били посуду, которую не могли унести с собой, срывали со стен гобелены и портреты — словом, развлекались в свое удовольствие.

Наконец, волна этого варварского грабежа докатилась до покоев, где сидела над умершим князем Мария Андреевна. Передние солдаты, увидев лежавшего на постели покойника и сидевшую над ним заплаканную княжну, остановились в нерешительности, не зная, как поступить. Смерть на поле боя была для них делом вполне привычным и обыкновенным, случавшимся на их глазах даже более часто, чем насморк. Здесь же было совсем иное, не имевшее отно-

шения к их войне и потому пугающе-величествен-
ное. Кто-то перекрестился, еще кто-то снял шапку,
но тут задние, которым не было видно того, что происходило в комнате, надавили на передних, и не менее десятка улан под командой лейтенанта ввали-
лось в спальню, грохоча сапогами и оружием.

Княжна обернулась к ним, и глаза ее сверкнули
тем опасным блеском, завидя который в глазах старого князя, даже самые буйные из дворовых мужиков становились тише воды, ниже травы.

— Как вы смеете? — звенящим голосом спросила
она, вставая и обращаясь напрямую к возглавлявше-
му команду офицеру.

Голос этот звучал так надменно и властно, что
толстый лейтенант, накануне проигравшийся пану
Кшиштофу в карты, смешался и даже сделал коротенький шаг назад. Затем он устыдился собственного
смущения, и даже возмутился, как это бывает с ни-
чтожными людьми, когда им кажется, что кто-то, кто
заведомо слабее них, посягает на их достоинство, которого они на самом деле не имеют.

— Прошу меня простить, сударыня, — глядя мимо княжны и криво усмехаясь, неприятным голосом
сказал он, — но я имею приказ обыскать дом.

— Обыскать? — все тем же звенящим от напряжения голосом повторила княжна. — Да что вы ищете? Разве в этом доме остался хотя бы один уголок,
в который ваши мародеры не сунули бы свой нос,
и хотя бы одна тряпка, которую они не пощупали
своими грязными лапами?

Разговор этот велся по-французски и был вполне
понятен находившимся в комнате солдатам, которые
при слове «мародеры» негромко, но угрожающе за-
шумели. Толстый лейтенант с каменным лицом объявил княжне, что намерен выполнить приказ и что
для ее же блага он советует ей более не называть
солдат его величества императора Наполеона мародерами.

205

— Где-то в доме скрываются двое шпионов и диверсантов, и мы их найдем. Это война, сударыня, а на войне как на войне, — закончил он свою речь дословным повторением того, что сказал пан Кшиштоф Огинский своему кузену Вацлаву после того, как зарезал часового.

После этого заявления говорить стало не о чем.

— Убирайтесь вон! — приказала княжна таким тоном, что кое-кто из солдат сделал невольное движение в сторону дверей.

— Обыскать комнату! — крикнул толстый лейтенант и первым подал пример, перевернув ночной столик, который стоял у постели князя.

Обыск был недолгим, но весьма основательным. Двое улан даже подрались, не поделив ордена князя. В продолжение всего этого погрома княжна с каменным, вдруг повзрослевшим и осунувшимся лицом стояла у окна, глядя на деревья парка. Толстый лейтенант, привалившись к притолоке дверей, разглядывал ее насмешливым взглядом победителя.

— Еще раз прошу меня простить, — сказал он, когда последний из солдат покинул комнату. В голосе его, как и во взгляде, явственно читалась насмешка победителя над побежденным. — Вы должны понимать, что я только исполняю свой долг. Счастливо оставаться, сударыня.

Княжна не ответила и не обернулась, и толстый лейтенант, небрежно поднеся руку к шляпе, вышел из спальни.

Через полчаса в разгромленную спальню вошли четверо пахнущих землей, в перепачканных глиной сапогах солдат похоронной команды. Не говоря ни слова княжне, громко стуча сапогами и роняя с подошв комья грязи, они подошли к постели, с четырех углов взялись за простыню и подняли ее вместе с телом умершего. Одеяло свалилось на пол, обнажив худые и костлявые ноги князя, торчавшие из-под ночной рубашки. Княжна с криком бросилась к ним, поняв, каким образом капитан Жюно вознамерился выполнить ее просьбу. Один из солдат угрюмо отодвинул ее локтем. Архипычу, который тоже попытался вмешаться и не дать закопать своего благодетеля, как бездомного пса, досталось больше: улан ударил его в лицо пудовым кулачищем, после чего старик, упав на пол, замер, не подавая признаков жизни.

Княжна, поняв, наконец, что сделать ничего нельзя, бросилась к старику-камердинеру. Лицо Архипыча было окровавлено, но он дышал и даже слабо постанывал. Между тем тело князя вынесли вон, небрежно обернув простыней.

Мария Андреевна бросилась следом за уланами. Во дворе она увидела капитана Жюно, который стоя рядом с приехавшим из штаба адъютантом, с сосредоточенным видом читал какую-то бумагу. Бумага эта была приказом выступать в сторону Москвы. Капитан для вида хмурился, но в душе был рад покинуть разоренное имение и двинуться дальше, наступая на город, о котором в армии рассказывали сказки.

— Капитан, это неслыханно! — подойдя прямо к нему, горячо воскликнула княжна. — Это не по-христиански, в конце концов! Ведь вы же обещали!..

Капитан, отлично знавший, о чем идет речь, ожидавший этого нападения и потому старательно делавший вид, что не замечает стоявшую прямо перед ним княжну, с неохотой оторвал взгляд от бумаги и едва заметно поморщился.

— А, это вы... Сожалею, принцесса, но большего я для вас сделать не могу. Через час мы выступаем на Москву, и у нас нет времени на соблюдение формальностей. В конце концов, это война...

— А на войне как на войне, — договорила за него княжна, глядя прямо в лицо капитана Жюно опасно блестевшими глазами.

— Именно так, — согласился капитан. — Я очень рад, что вы согласились меня понять, и хочу еще раз выразить вам свое сочувствие и сожаление о том, что похороны проходят в некоторой спешке.

— В некоторой спешке, — медленно и раздельно, будто эти слова ей были незнакомы, повторила за ним княжна. — Да, мсье Жюно, я вас очень хорошо поняла и запомнила на всю жизнь.

Капитан быстро взглянул на нее, пытаясь понять, была ли в словах княжны угроза, или это ему только почудилось. Княжна продолжала смотреть на него прямым, сухим и блестящим взглядом, говорившим так много, что, казалось, не говорил ничего. В глазах капитана что-то мигнуло, и он поспешно отвернулся к адъютанту.

— Так передайте генералу, что через час мой эскадрон уже будет в седлах, — сказал он. — Скажите генералу, что он может рассчитывать на улан Жюно, как рассчитывал на них всегда.

— Я все передам, — сказал адъютант и сел на подведенную ему лошадь.

— Сударыня, — продолжал капитан, снова повернувшись к княжне Марии, но глядя при этом мимо нее, — мне действительно очень жаль. Я искренне хотел бы помочь вам, но все, что я могу для вас сделать, это предложить место в одном из наших экипажей. — Он сделал жест рукой, указав на дорожную карету князя Вязмитинова, уже выкаченную из сарая, поставленную в ряд с другими повозками и нагруженную награбленным в доме имуществом. — Поверьте, вам опасно здесь оставаться. Одна, в огромном доме, без прислуги... С вами может случиться все, что угодно. Со своей стороны я готов гарантировать вам безопасный проезд до самой Москвы, где, я уверен, между нашими государями будет заключен мир. Там вы сможете вернуться к нормальному течению жизни, а пока... на войне как на войне.

Почти целую минуту княжна смотрела на капитана Жюно своими огромными, сухими, странно и опасно блестевшими глазами, после чего, приняв решение, медленно кивнула и сказала изменившимся, каким-то чужим и мертвым голосом:

— Благодарю вас, капитан. Я с радостью принимаю ваше предложение и готова воспользоваться любезно предоставленным мне в вашем экипаже местом.

— Черт подери, — сказал капитан Жюно, провожая взглядом удалявшуюся княжну, — девчонка чертовски горда!

После этого, на время забыв о княжне, он занялся приготовлениями к предстоявшему походу. Ровно через час, как и было обещано штабному адъютанту, эскадрон капитана Жюно покинул опустевшее имение и вышел на Московскую дорогу, слившись с другими частями французской армии, двигавшимися со стороны разоренной деревни.

Глава 11

Ни один из посланных вдогонку за бежавшими пленниками разъездов по счастливой случайности не наткнулся на кузенов. В восьмом часу утра они, обессилев от голода, жажды и уже начинавшейся, несмотря на раннее время, жары, присели, а вернее, упали отдохнуть в тени старой приземистой березы, которая возвышалась посреди круглой лесной поляны.

Где-то по дороге Вацлав сбросил с себя изорванный, грязный и окровавленный французский колет, оставшись в не менее грязной и окровавленной рубашке. В руке он сжимал ружье, а его левое плечо ощутимо оттягивала книзу сумка с зарядами. Кшиштоф, в коротких ему брюках старого князя и без сюртука, отирая со лба одной рукой смешанный с кровью пот, другой придерживал под мышкой саблю.

— Вот жизнь, — тяжело дыша и еще шире распахивая и без того широко распахнутый ворот, сердито проворчал Кшиштоф Огинский. — А кто-то сейчас нежится в мягкой постели, а когда проснется, станет пить кофе с бисквитами... Тьфу!

Он всухую плюнул на землю и в сердцах воткнул в дерн саблю.

— Да, — стягивая с левой ноги сапог и морщась при этом от боли, согласился Вацлав, — хорошо было бы сейчас стоять во фронте и ни о чем не думать.

Кшиштоф покосился на него с удивлением и несколько раз быстро моргнул глазами, будто не в силах поверить услышанному. Вацлав как будто был неглуп, но как же он, в таком случае, мог мечтать о возвращении в действующую армию — туда, где люди тысячами гибнут и получают увечья без всякой выгоды для себя?

— Ты прав, кузен, — сказал он, — но не надо забывать о том, что перед нами стоит задача возвышенная и благородная — вернуть русскому народу похищенную у него святыню.

— Русский народ мог бы получше присматривать за своими святынями, — заметил Вацлав, принимаясь за правый сапог, — но делать нечего. О том, где находится икона, знаем только мы, а значит, только мы можем ее спасти. Ах, черт возьми, кузен! И зачем ты полез в эту повозку! Сейчас мы были бы уже далеко вместе с иконой, а главное, не поставили бы под удар княжну. Ты знаешь, — обеспокоенный пришедшей ему в голову мыслью, встревоженно повернулся он к Кшиштофу, — ведь французы могут догадаться, кто помог нам бежать!

— Не догадаются, — легкомысленно отмахнулся Кшиштоф. — А если и догадаются, то княжна как-нибудь вывернется. Французы — галантная нация, они с женщинами не воюют.

— В Смоленске, — мрачно сказал Вацлав, — я своими глазами видел, как французское ядро разорвало на куски беременную женщину на пороге ее собственного дома.

— Это случайность войны, — возразил пан Кшиштоф, которому было в высшей степени наплевать на судьбу княжны Вязмитиновой. — Та женщина была просто глупа, если вышла на крыльцо, когда по городу стреляли из пушек. И потом, что ты предлагаешь — напасть вдвоем на эскадрон улан? Ты успеешь один раз выстрелить по ним из ружья, а я — несколько раз махнуть саблей, после чего мы быстро и очень некрасиво умрем. Много ли пользы будет от этого княжне?

— Вот как ты заговорил, — сказал Вацлав, неприятно пораженный этими рассуждениями кузена. — Значит, по-твоему выходит, что княжна Вязмитинова была глупа, когда, рискуя собственной жизнью, выпустила нас из той мышеловки, в которую мы угодили благодаря тебе?

— Опять — благодаря мне! — начиная горячиться, воскликнул Кшиштоф. — Почему ты думаешь, что там, где не повезло мне, тебе сопутствовала бы удача?

— Потому что я видел, что в повозке спал денщик, — ответил Вацлав.

Пан Кшиштоф закусил губу, подумав о том, что это была правда. Мальчишка всегда одерживал победы там, где он сам терпел поражения. Ему чертовски, оскорбительно везло. Впрочем, последнее поражение пана Кшиштофа еще могло обернуться победой: не подними он ненароком на ноги весь лагерь, икона могла бы достаться Вацлаву.

— Ты прав, кузен, — сказал он. — Я просто устал и сам не понимаю, что говорю. Если бы не княжна, мы уже были бы мертвы. Не стоит нам ссориться из-за одного необдуманного слова. К тому же, и княжна, и икона находятся в одном месте. Если мы твердо решили добыть икону, то почему бы нам заодно не позаботиться и о княжне?

Вацлав кивнул, но тут же тяжело вздохнул, подумав, что в их теперешнем положении будет весьма затруднительно позаботиться не только о княжне, но и о себе самих.

— Да, — сказал он. — Остается пустяк: придумать, как это сделать. Кстати, кузен, ты не хочешь перекусить?

— И пить тоже, — откликнулся Кшиштоф. — Прежде всего пить. Если за каким-нибудь из этих кустов у тебя припрятан накрытый стол, то тебе пора в этом признаться.

— Увы, — печально улыбнулся Вацлав, — увы...

— Да, — раздумчиво протянул пан Кшиштоф, — история... Должен тебе сказать, что если в ближайшее время мы не добудем еды, то можно будет с легким сердцем забыть и о княжне, и об иконе.

Говоря это, он вспомнил об украденном у него из кармана письме Мюрата и с трудом удержался от злобного возгласа. За каких-нибудь два-три дня лишиться всего и превратиться в умирающего от голода беглеца — это было не так-то легко переварить. И икона, и Мюрат, дожидавшийся ее, находились от него буквально в двух шагах, а он вынужден был скрываться в лесу, изнемогая от голода и жажды и не смея высунуть носа из кустов! «Княжна, — подумал он, из-под опущенных век злобно поглядывая на Вацлава, — княжна, княжна и княжна, всюду одна только княжна! Провалился бы ты вместе со своей княжной! А ведь как удачно все складывалось, пока я не повстречался с тобой!»

Ему хотелось, не вставая с места, схватить торчавшую из дерна саблю и рубануть Вацлава по голове — раз, и еще раз, и рубить до тех пор, пока то, что от него останется, невозможно будет узнать. Но он сдержал этот неразумный порыв: Вацлав нужен был ему для того, чтобы достать икону. До тех пор им предстояло действовать плечом к плечу, как союзникам и братьям. Ну, а потом... Ах, поскорее бы оно наступило, это «потом»! Но до тех пор было просто необходимо завоевать и укрепить доверие Вацлава, чтобы в нужный момент можно было спокойно подойти к нему со спины, не боясь, что он оглянется — подойти и ударить наверняка...

Он снова посмотрел на Вацлава. Тот, судя по его виду, задремал, сморенный усталостью после проведенной без сна ночи. Тогда пан Кшиштоф устроился поудобнее и тоже закрыл глаза. Мысли его приняли неожиданное направление: ему вдруг представился переполох, произведенный в русской армии и во всей России известием о том, что чудотворная икона святого Георгия похищена и исчезла без следа. Спустя две или три минуты он уже думал о себе как о человеке, только благодаря которому французы продвинулись так далеко и без особенных усилий продвигались дальше. Это он, Кшиштоф Огинский, подорвал боевой дух русского войска; он сыграл в этой войне роль гораздо более значительную, чем оба поссорившихся императора, взятые вместе; и где же, спрашивал он себя, слава, где заслуженный почет? Где деньги, наконец? Подарок для Наполеона — чушь, ерунда по сравнению со значением, которое поступок пана Кшиштофа оказал на ход войны.

В полусне ему представлялось, что он горячо спорит с самим Мюратом, доказывая королю Неаполя, что тот просто обязан выплатить ему двойную против обещанной сумму, несмотря на отсутствие при нем иконы. Пусть иконы нет здесь, у вас, как будто бы говорил он маршалу, — это мелочь. Для истории же важно только то, что иконы нет и у русских. Так неужели тот, кто сумел одной короткой стычкой с десятком кирасир изменить ход истории, не заслуживает столь скромной награды, как несколько миллионов франков? Мюрат в ответ лишь тряс головой с длинными завитыми волосами, бренчал многочисленными золотыми браслетами и смеялся неестественно высоким, более всего напоминавшим лошадиное ржание, смехом.

От этого смеха пан Кшиштоф проснулся, чувствуя себя вялым, разбитым и неимоверно, фантастически усталым. Лицо и все тело его были покрыты холодной испариной, выступившей во сне, в ушах до сих пор отдавались потусторонние звуки нечеловеческого смеха. Пан Кшиштоф тряхнул головой, прогоняя остатки сна, и понял, что на самом деле слышит лошадиное ржание. Потом лошадь с топотом проскакала где-то совсем рядом, и лишь теперь пан Кшиштоф заметил, что остался на поляне один. Его сабля по-прежнему торчала из земли под прямым углом, как стержень солнечных часов, но ни Вацлава, ни его ружья рядом не было. О присутствии кузена напоминала только примятая трава в том месте, где он лежал. Пан Кшиштоф понял, что мальчишка обвел его вокруг пальца, и в сердцах хватил кулаком по земле.

Словно в ответ на этот удар, кусты на противоположном краю поляны раздвинулись, и из них выбрался Вацлав с ружьем в руке.

— Ты знаешь, — сказал он, приблизившись к облегченно переводившему дыхание пану Кшиштофу, — мы с тобой устроились на привал в двух шагах от дороги. Это просто чудо, что нас здесь не обнаружили.

— Черт возьми! — торопливо вскакивая с земли, воскликнул пан Кшиштоф. — Надо уходить отсюда поскорее!

— Я думаю, не стоит, — возразил Вацлав. — Только что мимо нас в сторону усадьбы галопом проскакал какой-то адъютант. Вероятнее всего, у него приказ о выступлении. Мы должны, мы просто обязаны видеть, куда и в каком порядке уходит эскадрон нашего приятеля Жюно.

Пан Кшиштоф снова присел, утирая пот рукавом рубашки.

— Ну и пекло, — сказал он. — Ты не знаешь, сколько можно прожить без воды?

— Точно не помню, — ответил Вацлав, — но

214

знаю, что недолго. Еще я знаю, что совсем недалеко от нас есть речка и усадьба, из которой вот-вот уйдут уланы и в которой имеется колодец с отличной ледяной водой.

Пан Кшиштоф издал мученический стон и закатил глаза. Вацлав в ответ на это засмеялся и дружески хлопнул его по плечу, вызвав тем самым новую вспышку ненависти в душе пана Кшиштофа. Желание зарубить этого самоуверенного и самодовольного, всеми незаслуженно обласканного, богатого и удачливого сопляка накатывало на пана Кшиштофа волнами, и он уже начал сомневаться, что сможет ли долго это выдерживать. Впрочем, он надеялся, что их совместные с Вацлавом приключения скоро закончатся.

Сборы их были недолгими. Пан Кшиштоф выдернул из земли уланскую саблю и сунул ее под мышку, как тросточку, Вацлав поудобнее пристроил на плече ружье, после чего кузены вышли на дорогу и двинулись в сторону усадьбы Вязмитиновых, держась на всякий случай поближе к обочине, чтобы, во-первых, оставаться все время в тени деревьев, а во-вторых, чтобы при первом же подозрительном звуке иметь возможность своевременно убраться в кусты. Дорогой они беседовали, вспоминая мирное время. Пану Кшиштофу эта беседа не доставляла никакого удовольствия: он вынужден был все время маневрировать между полуправдой и совершенной ложью, не зная, что известно и что неизвестно Вацлаву о его прежних похождениях. Вацлав же, напротив, был весел, оживлен и простодушно сетовал на то, что ранее не нашел случая сблизиться с кузеном, который казался ему прекрасным человеком и верным другом. Старания отца Вацлава, так тщательно оберегавшего честь своей фамилии, что его сын вовсе ничего не знал о своем кузене, кроме одного факта его существования, неожиданно сослужили Вацлаву Огинскому дурную службу: он даже не подозревал, с кем имеет дело, и страшная опасность, которой он подвергался, находясь рядом с кузеном, оставалась незамеченной им.

Теперь, когда он был не один и имел ясную цель, ради которой стоило рисковать и сражаться, Вацлав был вполне доволен жизнью. Рядом с ним был кузен, старший не только по возрасту, но и по воинскому званию (Вацлав не знал, что виденная им на Кшиштофе кирасирская форма была таким же маскарадом, как и его французский мундир или ряса деревенского дьячка, в которой он явился в усадьбу), впереди его поджидало опасное и славное дело, княжна Мария Андреевна была, кажется, к нему благосклонна, и Вацлав не видел, чего еще ему следовало желать от жизни. Неприятности и лишения, испытываемые им сейчас, были делом временным, и избавление от них зависело только от него самого и от его кузена. Да, его могли ранить и даже убить, но Вацлаву с детства внушали, что дворяне для того и живут на свете, оттого и пользуются так широко всеми земными благами, что в момент, подобный нынешнему, отечество может и должно рассчитывать на их самоотверженную готовность умереть в бою. Он был теперь при деле, в строю, и чувствовал себя почти так же, как если бы вернулся в свой полк.

Пан Кшиштоф через силу поддерживал разговор, обходясь по мере возможности одними междометиями, и думал примерно о том же, о чем и Вацлав, но под совершенно иным углом. Сотни подстерегавших на каждом шагу несчастливых случайностей представлялись ему, тысячи возможностей быть убитым или искалеченным, преданным и обманутым, и не было никакого способа избегнуть их. Он тоже, как и Вацлав, был сейчас во фронте, но, в отличие от кузена, совсем этому не радовался, и потому необходимость поддерживать оживленный разговор тяготила его все сильнее.

Вацлав, наконец, заметил его мрачное настроение и нежелание беседовать. Сделав несколько безуспешных попыток развеселить кузена, он замолчал, оставив его в покое. В молчании добрались они до опушки леса, откуда были хорошо видны окрестные поля, невысокий холм, где стояла невидимая за густыми кронами парковых деревьев усадьба, и большой отрезок Московской дороги, петлявшей между возвышенностями. Дорога пересекала узкую речку, через которую был перекинут деревянный мостик. Увидев воду, пан Кшиштоф рванулся было вперед, но тут же остановился и в нерешительности присел под кустом. До воды было самое малое полчаса ходьбы, так что, будучи застигнутым на полпути конным разъездом французов, он не имел бы никакой возможности скрыться. Окрестные поля были частично скошены на корм лошадям, частично вытоптаны проходившими здесь войсками, так что ближайшим от леса укрытием являлся как раз мостик, перекинутый через речку.

Вацлав заметил и правильно понял колебания пана Кшиштофа.

— Нет, Кшиштоф, — с огорчением сказал он, — ничего не выйдет. Нужно ждать. Пока нас ищут уланы Жюно, показываться на открытом месте очень опасно. Нужно ждать, — повторил он со вздохом.

— Ждать, — недовольно пробормотал пан Кшиштоф, отлично осознававший правоту кузена, но хотевший дать выход своему раздражению. — Сколько ждать? Чего ждать?

— Ухода улан, — ответил Вацлав. — А если они не уйдут, — продолжал он, угадав следующий вопрос кузена по недовольному движению его губ, — то уж ночь-то наступит наверняка.

Они залегли в кустах близ дороги, выбрав местечко потенистее, и стали ждать, изнемогая от жары и скуки. Через какое-то время, показавшееся обоим неимоверно долгим, со стороны деревни показалась длинная колонна построенной поэскадронно конницы, за которой тянулся в пыли обоз. С холма, от княжеского дома, спустилась и влилась в эту колонну другая, поменьше — эскадрон капитана Жюно, тоже с обозом в конце. Поднимая до самого неба горячую пыль, уланский полк двигался по дороге, как одно живое существо, похожий на чудовищную змею. Вацлав Огинский наблюдал за этим неторопливым движением, стиснув зубы, сжав кулаки и более всего жалея в данный момент о том, что позади и вокруг него нет его родного полка, вместе с которым можно было бы сию минуту на рысях выскочить из укрытия и обрушиться на французов. Но полка не было, а был один только кузен Кшиштоф, который, привстав на локтях, спокойно разглядывал приближавшихся улан прищуренными, будто бы от солнца, глазами. Этот прищур показался Вацлаву внешним выражением тех же чувств, которые владели сейчас им самим. На самом же деле такое лицо у пана Кшиштофа бывало всякий раз, когда он сосредоточенно обдумывал какую-нибудь очередную свою подлость. Сейчас он внимательно следил за повозкой капитана Жюно, опасаясь потерять ее среди множества других похожих повозок, и одновременно пытался придумать, как заставить Вацлава добыть икону в одиночку. Пан Кшиштоф чувствовал, что уже досыта наигрался в войну. Снова лезть под пули и заниматься фехтованием в темноте с множеством противников ему не хотелось. Пан Кшиштоф жаждал покоя и безопасности и полагал, что все это он уже сполна отработал на многие годы вперед.

Наконец полк подошел так близко, что поднятая копытами лошадей пыль достигла кустов, в которых прятались кузены. На сытых, одинаковой рыжей масти высоких лошадях, отдохнувшие и еще не успевшие даже как следует запылиться, проходили мимо них уланы. В голове колонны везли полковое знамя, безжизненно обвисшее на древке; начищенная медь и острое железо блестели на солнце так, что было больно глазам. Лошадиные копыта шлепали по пыли, взбивая ее фонтанчиками, звякала сбруя, звякали, задевая о стремена, сабли; в рядах слышался смех и разговоры, в которых то и дело повторялось произносимое на французский манер слово «Москва».

Неосторожно вдохнув висевшую в воздухе пыль, пан Кшиштоф разразился неудержимым чиханьем. Он побагровел от усилий, которые прилагал к тому, чтобы удержать в себе предательские звуки, зажал обеими руками рот, страшно выкатил глаза и скорчился, отвернувшись от дороги, но справиться с природой было выше его сил: чем больше он старался не чихать, тем чаще и громче это у него выходило. Впрочем, производимый марширующим мимо кавалерийским полком шум поглощал эти звуки без остатка, так что даже сам пан Кшиштоф едва мог их слышать.

Вацлав сидел рядом с чихающим кузеном на корточках, держа на коленях заряженное ружье, и смотрел на ехавших мимо французов. Он видел командира полка, проехавшего так близко, что его, казалось, можно было достать стволом ружья. Молодой Огинский подумал при этом, что стволом не стволом, а пулей он достал бы полковника наверняка и так же точно, как если бы ткнул в выбранное место пальцем. Сразу же вслед за этим он подумал не без грусти, что в самом начале кампании, только-только надев гусарскую форму, он бы, наверное, так и поступил, несмотря на угрозу собственной жизни и явную бесполезность такого поступка. Но с тех пор он сильно переменился, хотя времени прошло всего ничего, каких-нибудь два месяца. Вацлав, со свойственной юности склонностью к преувеличению, чувствовал себя совсем другим, чем раньше — повзрослевшим и даже, как ему казалось по молодости лет, постаревшим в боях ветераном. До ветерана ему, конечно, было далеко, но он теперь уже не нуждался более в том, чтобы каждую секунду доказывать другим и себе, что он храбр и может не кланяться пулям. Избавившись от этой потребности, занимавшей ранее все его мысли, он сделался свободен в своих поступках и незаметно для себя самого превратился в настоящего солдата, способного действовать умело, хладнокровно и с наибольшей пользой для дела.

Кавалерия прошла, и мимо кузенов потянулся обоз, уже успевший раздуться до невероятных размеров.

— Вот она, — сказал Кшиштоф, утирая выступившие на глазах от щекотания в носу слезы и указывая на повозку капитана Жюно, в которой поверх клади лежал на животе денщик Поль. — И этот мерзавец тоже здесь, — прибавил он, подразумевая денщика.

— Ты славно его отделал, — с улыбкой отвечал Вацлав. — Пожалуй, с его ранами он не сможет до конца кампании сесть не только на лошадь, но даже и на стул.

— Жалко, что он не издох, — кровожадно проворчал Кшиштоф. — Этакая крикливая скотина!

— На Москву идут, — забыв о денщике, задумчиво проговорил Вацлав.

— Да, — согласился Кшиштоф. — У них сила. Ле гран батальон он тужур резон, как они говорят. Большое войско всегда право, — зачем-то перевел он французскую поговорку. — Служить русским было с твоей... с нашей стороны, — торопливо поправился он, — большой ошибкой. Но еще, наверное, не поздно пристать к какому-нибудь польскому корпусу Наполеона.

Вацлав удивленно, непонимающе взглянул на него.

— О чем ты, кузен? Это шутка, надеюсь? Право же, не стоит так шутить!

— Я просто хотел испытать тебя, — ненатурально засмеявшись, ответил Кшиштоф. — Согласись, это зрелище, — он указал на проходивший мимо полк, — впечатляет. Взгляни-ка, а вот и карета. Готов поклясться, что точно такую же я видел в каретном сарае князя Вязмитинова. Ба, да в ней сама княжна!

— Не может быть! — возразил Вацлав, но тут же увидел, что кузен прав.

В запряженной парой кавалерийских лошадей карете мимо них проехала княжна Мария Андреевна. Ее бледное лицо лишь на миг мелькнуло между занавесок в окне кареты, но этого было достаточно Вацлаву, чтобы узнать ее.

— Вот видишь, — сказал Кшиштоф, — княжна умнее нас с тобой. На войне, кузен, ум заключается в том, чтобы всегда оказываться на стороне победителя.

Он говорил таким тоном, что было непонятно, осуждает он поступок княжны или, напротив, полностью одобряет. Неясно было даже, говорил он всерьез или просто дразнил кузена, испытывая его твердость. Пан Кшиштоф и не хотел, чтобы это было понятно; он просто развлекался, изливая скопившийся на кончике языка яд.

Вацлав вспыхнул и резко повернул к кузену хмурое лицо.

— Не говори так о ней, — холодно сказал он, — если не хочешь поссориться со мной. Я уверен, что ее забрали силой и что она, как никогда, нуждается в помощи.

Кшиштоф криво улыбнулся.

— Не горячись, Вацлав, — сказал он. — Ты уже дрался из-за княжны на дуэли и едва не погиб. Я не хочу с тобой ссориться, более того, ссориться и драться мы с тобой просто не можем. У тебя ружье, у меня сабля — как ты себе это представляешь? Кроме того, драться нам не из-за чего. Я неудачно пошутил, согласен, и, если тебе это нужно, готов принести извинения. У нас есть дело, которое мы должны сделать, и я клянусь, что помогу тебе вызволить княжну, коли на то будет ее и божья воля.

Обещая помочь в освобождении княжны, пан Кшиштоф думал о том, что как только икона окажется у него в руках, он просто прикончит надоевшего ему мальчишку. Княжна его теперь не интересовала. Для него казалось очевидным, что она отправилась с французами исключительно по собственному желанию. Рыба ищет, где глубже, а человек — где лучше; эта поговорка была единственной заповедью, которой руководствовался в своей жизни пан Кшиштоф, и он не сомневался, что все, кто имеет в голове хотя бы с наперсток ума, разделяют это его мнение.

* * *

С того самого дня, как французская армия подошла под стены Смоленска, княжна Мария против собственной воли представляла себе все те ужасы, которые, по ее мнению, могли произойти с нею при вступлении в Вязмитиново наполеоновских солдат. Ужасы эти представлялись ей довольно смутно и, в основном, в виде разорения, каких-то весьма туманно обрисованных материальных лишений и неизбежного унижения, которое приходится терпеть мирным жителям и патриотам своей родины от победившего неприятеля.

Теперь, когда эти воображаемые ужасы сделались явью, оказалось, что, хотя в целом представления княжны об оккупации были верны, действительность далеко превзошла все, что рисовало княжне ее воображение. В реальной жизни было многое, чего не встречалось в светских романах и чего, вследствие этого, даже не могла представить себе княжна. Неприятельские солдаты не только грабили дома мирных жителей и разводили костры из мебели и поваленных фруктовых деревьев; они еще и гадили повсюду, как бессмысленные животные, оставляя после себя вонь экскрементов и кучи гниющих отбросов — так же, кстати, как и свои, русские, воины. Они били вшей и голые купались у колодцев, нисколько не стесняясь присутствия княжны и даже как будто гордясь своей наготой. Они, наконец, зарыли в саду старого князя, свалив его, как издохшего бездомного пса, в наспех вырытую неглубокую яму.

Это последнее унижение было хуже всего. После него княжна вдруг успокоилась — не только внешне, но и внутренне. Так ей, по крайней мере, казалось, но то, что ей представлялось спокойствием, на самом деле было ожесточением — таким сильным и напряженным, что оно сковывало все остальные чувства. Перед нею, вокруг нее — со всех сторон — были враги, не враги Отечества, а ее личные, кровные враги, которым она хотела мстить, хотя еще не знала, как. Самым главным врагом был однофамилец французского маршала, уланский капитан Жюно. Он был не хуже и, может быть, даже лучше многих других, но именно он нанес княжне смертельную обиду и потому сделался для нее олицетворением всей французской армии. Она думала о необходимости посчитаться с ним так же спокойно и почти безразлично, как спокойно и безразлично думает о необходимости избавиться от мышей хозяйка, запирая на ночь в амбаре голодного кота. Хозяйке не интересно, как именно будет ловить мышей кот; еще менее интересуется она тем, что будут испытывать при этом мыши; ей только надо, чтобы серые грабители были переловлены и перестали уничтожать и портить ее запасы.

Всего минута понадобилась княжне на то, чтобы перейти от отчаяния и страха к этому холодному, расчетливому спокойствию — та самая минута, в течение которой она обдумывала ответ на предложение капитана Жюно ехать в Москву с полком. Предложение это было оскорбительно и, более того, просто невообразимо, но Марии Андреевне потребовалась всего минута на то, чтобы принять его и даже высказать капитану какие-то слова благодарности.

Благодарность эта была выслушана капитаном Жюно тоже спокойно и с оттенком презрительной жалости во взгляде: он был победитель, а княжна представлялась ему просто случайной жертвой, между делом попавшей в жернова войны и, как и множество других таких же точно жертв, в мгновение ока перемолотой ими. Согласие ехать с полком неприятельских кавалеристов было белым флагом, выкинутым на руинах дворянской гордыни и того, что называлось девичьей честью. В разумении капитана это был для княжны единственно приемлемый выход, но он не мог не презирать ее за то, что она им воспользовалась. Впрочем, капитан мысленно дал себе обещание, хотя и не очень твердое, по мере возможности оберегать бедную девочку от посягательств со стороны своих подчиненных — по крайней мере, солдат.

За тот час, что был дан ей на сборы, княжна успела только отыскать в парке то место, где французы закопали тело Александра Николаевича, и немного постоять над холмиком свежей, еще не успевшей высохнуть, слипшейся комьями земли. Она хотела плакать, но не могла: слезы не шли на глаза. Княжна прочла молитву и дотронулась рукой до земляной грядки, обозначавшей могилу, прощаясь с самым дорогим ей человеком. После этого она пошла собираться в дорогу.

Сборы не отняли у нее много времени: в доме, благодаря стараниям мародеров, не осталось почти ничего, что могло бы пригодиться в дороге. Это отсутствие самого необходимого оставило княжну вполне равнодушной: мелкие житейские тревоги мгновенно и без следа сгорали в топке ее огромного ожесточения и решимости отомстить.

Княжна почти не думала о двух кузенах, столь ловко выпущенных ею из холодной. Они были живы и куда-то ушли, так чего же боле? Если бы они не умудрились столь неуклюже попасть в плен этой ночью, княжна была бы рядом с дедом, когда он умирал. Вместо этого ей пришлось заманивать часового, красться, прятаться и быть соучастницей убийства; и кто же был в этом виноват, если не Огинские?

Мария Андреевна знала, что несправедлива к кузенам, но в настоящее время такое положение вещей ее вполне устраивало. У нее не было лишних душевных сил на то, чтобы беспокоиться об этих двоих. Они были мужчинами и могли позаботиться о себе сами, без ее участия. То, что до сих пор это выходило у них весьма посредственно и даже дурно, было их собственным, не имевшим касательства до княжны Вязмитиновой, делом.

Простившись с Архипычем, который тихо плакал в опустевшей и разоренной княжеской спальне, она велела ему отправляться в деревню, к отцу Евлампию, и там ждать. Чего ждать — вестей ли от нее, ее возвращения или его, Архипыча, смерти от старости, — княжна не сказала, потому что сама этого не знала. В темном простом дорожном платье, с тощим узелком в руках спустилась она по каменным ступеням крыльца и села в уголке набитой украденными из ее дома вещами княжеской кареты. Капитан Жюно сам подсадил ее на ступеньку, и княжна не вырвала у него локтя, оставив это неуместное проявление французской галантности без внимания, хотя в этот момент она готова была, не дрогнув ни одним мускулом лица, убить капитана на месте, и сделала бы это, если бы только могла.

Когда колонна тронулась, княжна не стала оглядываться на дом, в котором прошла почти вся ее жизнь. Дом этот не являлся более ее домом — это была пустая оболочка, наподобие разбитой скорлупы торопливо и неопрятно выеденного яйца. Возможно, в отдаленном будущем дом еще мог бы вернуться к жизни, но сейчас думать об этом было рано и ни к чему. День сегодняшний с каждой минутой и с каждой секундой, которую необходимо было как-то прожить и пережить, заслонил от княжны и прошлое, и будущее, как ночной кошмар заслоняет от спящего человека всю остальную его жизнь.

Копыта множества лошадей и колеса нагруженных сверх всякой меры повозок, прогрохотав по камням двора, мягко застучали по пыльной дороге. Солнце жгло немилосердно, пыль поднималась до самого неба.

Впереди кареты, в которой ехала княжна, двигалась крытая повозка с имуществом капитана. Полог сзади нее был поднят и подвязан к верхней дуге навеса, и на поворотах княжна могла видеть лежавшего на груде вещей капитанского денщика Поля, который, с забинтованными ногами и нижней частью спины, куда ранил его саблей Кшиштоф Огинский, животом лежал на тюках с добром и о чем-то весело перекрикивался с уланом, правившим ее каретой. При толчках и раскачиваниях повозки его круглое, с большим носом лицо морщилось от боли, но в остальном он, казалось, был вполне доволен жизнью.

Княжна вспомнила, что икона святого Георгия лежит в этой самой повозке, но вспомнила, как о чем-то ненужном и постороннем. Икона была делом бога, как и все, что творилось на земле; по тому же, что видела вокруг себя княжна Мария, бог справлялся со своей работой далеко не лучшим образом, так что надеяться на его помощь ей пока что не приходилось. «Раз так, — подумала княжна, закусив губу от страха перед своим богохульством, — раз так, то богу богово, а кесарю кесарево. Пусть сам разбирается со своими иконами и поруганными, разоренными церквями; я же стану разбираться со своими делами».

Здоровая телом, княжна Мария была тяжело ранена в самую душу и вряд ли осознавала всю бессмысленность и даже пагубность своего озлобления. Ее состояние напоминало шок, который бывает у солдат сразу после ранения, когда в горячке боя они не чувствуют боли и продолжают бежать вперед рядом со своими товарищами. Княжна не знала этого и думала, что теперь так будет всегда: холодная, безразличная и жестокая пустота внутри и легкий звон в ушах, происходивший оттого, что она слишком сильно стискивала зубы.

Выйдя на Московскую дорогу, эскадрон Жюно влился в полковую колонну. Здесь, на большой дороге, пыли стало еще больше, и княжна, подняв стекло кареты, задернула занавески. Она отодвинула их только один раз, когда карета достигла опушки леса: ей хотелось все-таки бросить последний взгляд на дом. Но за стеной пыли ей не удалось разглядеть ничего, кроме соседней повозки да ближайшего из конвоировавших обоз всадников, лицо которого от пыли было завязано платком. Как раз в этот момент сидевшие в кустах кузены заметили ее мелькнувшее в запыленном окне кареты лицо. Княжна не видела их, а если бы и видела, то в своем теперешнем состоянии лихорадочной, граничившей с оцепенением напряженности вряд ли сумела бы их узнать.

Ближе ко второй половине дня дорога с ее неторопливым тряским движением и медленно сменявшимися за пыльным окошком кареты пейзажами несколько рассеяла княжну и ослабила владевшее ею напряжение. Способность рассуждать здраво вернулась к ней, и княжна поняла, что не только задуманная ею месть, но даже и само это путешествие как таковое потребует от нее огромных усилий и отказа от большинства ее прежних привычек и представлений.

Страх неизвестности начал понемногу закрадываться в ее душу. Она вдруг увидела себя такою, какой была на самом деле: одинокой, слабой и со всех сторон окруженной врагами. Она пыталась молиться, прося у бога прощения за свои недавние несправедливые мысли о нем, но слова молитвы казались ей пустыми, лишенными смысла, и не шли с языка.

На привале, когда солдатам были розданы вода и сухари, к карете княжны подошел молодой офицер — тот самый, который минувшей ночью едва не погиб, попытавшись сразиться один на один с Вацлавом, и которого капитан Жюно называл Анри. Мундир, ботфорты и верхняя половина лица лейтенанта Анри были покрыты слоем серой пыли, в то время как закрытые платком щеки, нос и подбородок оставались чистыми. Из-за этого лейтенант имел нелепый вид человека, вернувшегося с маскарада и забывшего снять с лица домино. По его красивым губам блуждала застенчивая улыбка, а в руках лейтенант держал флягу в мокром полотняном чехле и салфетку, в которую были завернуты два сухаря.

— Прошу простить, сударыня, — любезно и почтительно обратился он к княжне, — за неудобства передвижения и грубость той пищи, которую я могу вам предложить. Это короткий привал, вечером же нас ожидает ужин со свежей бараниной и вином, взятым в... — Он осекся, вспомнив, где было взято вино, и заметно покраснел. — От имени и по поручению нашего капитана, — продолжал он, справившись со смущением, вызванным этой невольной оговоркой, — я имею честь пригласить вас на этот ужин, который будет несомненно украшен вашим присутствием. Ваше горе велико, я искренне сочувствую вам и вполне вас понимаю, поверьте. Мне хотелось бы как-то скрасить ваше путешествие, и, если вы позволите мне...

Княжна смотрела на него огромными сухими глазами, не вполне понимая, зачем он говорит ей о какой-то баранине, вине и здесь же, безо всякой паузы, о ее горе, до которого ему не было никакого дела. Он был ее враг, еще он был вор, укравший шпагу старого князя и полезший в драку с Вацлавом единственно из тщеславного желания отличиться и при этом блеснуть при всех своим новым краденым оружием. Желание врага и вора сохранять видимость приличного человека было так нелепо, что она чуть было не сказала ему об этом. Но он был не сам по себе, за ним стояла огромная сила, частью которой являлся этот лейтенант с модными усиками и аккуратными, хотя и пыльными теперь, бакенбардами. Княжна ничего не могла противопоставить этой силе, кроме своего умения терпеливо ждать и надеяться, что когда-нибудь удобный для мщения момент все-таки наступит. Она не представляла себе, каким будет это мщение, но верила, что в свое время это знание к ней придет.

К тому же, как с большим неудовольствием заметила княжна, ответить холодной грубостью на учтивый и в высшей степени почтительный тон лейтенанта оказалось для нее невозможным. В то время, как слова «вор» и «мерзавец» крутились у нее в голове, губы ее сами собой сложились в некое подобие улыбки, и с них легко и привычно слетели учтивые слова сдержанной благодарности за все, что было сказано и предложено лейтенантом Анри. Она приняла от него сухари и воду, с удивлением чувствуя, что это было именно то, что ей сейчас требовалось.

— Не смею вам мешать, — с легким поклоном сказал лейтенант, всем своим видом показывая, что по первому слову княжны готов остаться и развлекать ее разговором.

Так и не дождавшись этого слова, он еще раз поклонился и отошел, стараясь не выглядеть слишком разочарованным. От кружка сидевших поодаль и грызших все те же сухари с водою офицеров раздались в его адрес шутки и смех. «Что, Дюпре, не вышло дело?» — кричал кто-то. «Стыдись, Анри! — заливаясь смехом, говорил другой. — Уланы шестого полка не отступают перед неприятелем!» «О, да! — подхватывал третий. — Пригрози ей своей золотой шпагой, приятель!»

Лейтенант Анри Дюпре отвечал что-то неразборчиво и сердито. Княжна перестала обращать внимание на офицерский кружок. Насмешки и оскорбительные намеки этих людей не имели значения по сравнению с тем, что они уже сделали и что еще намеревались сделать. Слова были ничто против сгоревших городов, вытоптанных домов и убитых людей; никакие слова не могли вернуть и изменить позорные сцены грабежа, обыска в комнате, где лежал умерший князь, и того, что капитан Жюно имел наглость назвать похоронами. Выбросив из головы этих людей, которые для нее более не были людьми, княжна с аппетитом принялась за сухари и воду.

После короткого привала полк двинулся дальше.

В самом начале движения произошла какая-то заминка. В середине колонны вдруг поднялся какой-то крик. Невольно прислушавшись, княжна поняла, что пропали двое солдат. Их оседланные лошади стояли, привязанные поводьями к деревьям, лениво отмахиваясь от мух, самих же кавалеристов никак не могли дозваться. Кто-то сказал, что видел их идущими в сторону леса — очевидно, по нужде, как пояснил этот очевидец.

Полковой командир с трудом навел порядок и приказал отрядить команду для поиска исчезнувших улан. Вскоре команда вернулась со страшной новостью: один их пропавших был найден в ста шагах от лагеря висящим на березе, другой же исчез бесследно. «Партизаны! — послышалось со всех сторон. — Бандиты!»

Слово «партизан» было новым для княжны Марии, но она поняла, о ком идет речь. Солдаты, по всей видимости, были похищены и убиты прятавшимися в лесу вязмитиновскими мужиками. К ее удивлению, командир полка не отдал приказа о поиске и уничтожении бандитов; напротив, полк, сократив интервалы, со всей возможной поспешностью тронулся вперед. На всех лицах, которые видела княжна, застыло одинаково сосредоточенное выражение, все глаза старались смотреть прямо перед собой и при этом явно против собственной воли поминутно косились в сторону леса. Лишь некоторое время спустя княжна поняла, что́ за выражение стыло на всех без исключения окружавших ее чужих лицах: это был обыкновенный страх.

Поняв это, княжна откинулась на спинку сиденья, задернула на окне занавеску и медленно, холодно и безрадостно улыбнулась собственным мыслям в душном полумраке кареты.

Глава 12

Ближе к вечеру одиноко тащившимся по пыльной дороге кузенам вдруг повезло. Позади них в вечерней тишине раздался конский топот. Укрывшись в придорожных кустах, кузены наблюдали за приближением троих всадников, судя по виду — отставших от своего полка мародеров. Это были драгуны, воинственный вид которых несколько портили навьюченные на лошадей мешки с добычей.

Увидев, что кавалеристов всего трое, Вацлав взвел курок своего ружья и прижался щекой к прикладу.

— Опомнись! — прошипел пан Кшиштоф, хватаясь за ружье и пригибая его к земле. — Пусть скачут! К чему нам рисковать?

— У них лошади, — сквозь зубы ответил Вацлав, высвобождая ружье. — Пусти же, Кшиштоф, уйдут!

Пан Кшиштоф с тяжелым вздохом выпустил ствол ружья и подобрал с земли саблю. Кузен был прав: преследовать пешком ушедший далеко вперед кавалерийский полк было не только тяжело и очень опасно, но и совершенно бесполезно. Правда, он не вполне понимал, каким образом Вацлав намеревался справиться с тремя вооруженными до зубов, сытыми и сидящими верхом на лошадях драгунами. У него мелькнуло подозрение, что его проклятый кузен сошел с ума от жары и лишений, но предпринять что бы то ни было по этому поводу он уже не успел: ружье Вацлава громко выпалило над самым его ухом, сделав дальнейшие колебания невозможными.

Передний драгун взмахнул руками и кувыркнулся в пыль. Двое оставшихся от неожиданности так резко натянули поводья, что лошади их поднялись на дыбы, сбросив на землю пару мешков с добычей. «Ну, и что теперь?» — хотел спросить пан Кшиштоф, но его безумный кузен уже выскочил на дорогу, держа перед собой разряженное ружье и наведя его на французов.

«Верно, он сошел с ума, — подумал пан Кшиштоф, поглубже забиваясь в куст. — Ну, и пропади он пропадом! Обойдусь и без него, а он пусть получит то, чего давно заслуживает».

— Господа, — звучным и уверенным голосом крикнул Вацлав, держа ружье наведенным куда-то в пространство между двумя всадниками, — предлагаю вам бросить оружие и спешиться. В лесу сидят мои люди, и на вас сейчас нацелены полсотни ружей. Мы не хотим вашей смерти, нам нужны лишь ваши лошади и оружие.

Он говорил и держался столь уверенно, что даже сидевший в кустах пан Кшиштоф, хорошо знавший, что все это ложь, чуть было не поверил ему. Он еще колебался, не зная, что предпринять, но отразившийся на лицах мародеров страх помог ему принять верное решение. Он вспомнил об иконе и понял, что без лошадей его предприятие обречено на неудачу. Тогда пан Кшиштоф густо кашлянул и затрещал кустами, давая знать о своем местонахождении.

При этих звуках французы заметно вздрогнули, бросая в сторону леса испуганные взгляды. Ход их мыслей было легко предугадать: даже если бы в лесу сидело не пятьдесят, а пять человек или хотя бы трое, для стоявших на открытом месте драгун это было безразлично. Убить человека очень легко даже одною пулей, что и случилось только что с их товарищем. Умирать никто из этих двоих не хотел. Приободренный такими рассуждениями пан Кшиштоф, пригибаясь к самой земле, быстро и бесшумно отбежал в сторону и, выбрав подходящий сухой сучок, наступил на него ногой. Сучок переломился с громким треском, и тут же один из драгун поспешно бросил на дорогу саблю и пистолет. Второй сделал то же. Спешившись, драгуны сразу же подняли руки и по команде Вацлава отошли от лошадей.

— Мы сдаемся, — угрюмо сказал один из них. — Просим сохранить нам жизнь.

— Отведите лошадей! — властно крикнул Вацлав, обернувшись к лесу.

Пан Кшиштоф не сразу понял, что этот приказ обращен к нему: ему опять показалось, что сейчас из леса выбежит какой-нибудь бородатый солдат в русском мундире и возьмет захваченных лошадей под уздцы. Это его промедление едва не стоило успеха всей вылазки: заметив, что из леса никто не выходит, драгуны переглянулись, и один из них сделал неуверенный шаг в сторону лежавшего на земле оружия. Вацлав остановил его окриком и резким движением ружейного дула. Пан Кшиштоф, опомнившись, с треском выбрался из кустов и вышел на дорогу. Первым делом он подобрал пистолеты и подал один из них Вацлаву, который тут же бросил бесполезное ружье.

На лицах обоих французов при этом появилось одинаково кислое выражение: они поняли, что их надули.

— Проклятье, — сказал один из них другому, — их всего двое, и они безоружны!

— Были безоружны, — с насмешкой поправил его пан Кшиштоф, чувствовавший себя хозяином положения, хотя на спине его еще не высох холодный пот. — Молитесь, господа, — добавил он, поднимая пистолет.

— Оставь их, Кшиштоф, — вмешался младший Огинский. — К чему это бессмысленное убийство? Нам пора, мы и так потеряли слишком много времени.

Пан Кшиштоф с сожалением посмотрел сначала на пистолет в своей руке, а потом на пленных драгун. Он испытывал потребность поквитаться с кем-нибудь за свой недавний страх; раз уж убить кузена пока что было нельзя, на худой конец сошли бы и французы. Но слова Вацлава о бессмысленном убийстве остановили его. Убийство это действительно представлялось лишенным всякого смысла, к тому же, хладнокровно расстрелять безоружных людей, сдавшихся в плен, было бы жестоко, а пан Кшиштоф понимал необходимость поддержания хороших отношений с идеалистически настроенным кузеном. Нельзя было давать этому мальчишке повод обвинить себя в бессмысленной жестокости, и пан Кшиштоф нехотя засунул пистолет за пояс.

— Ваши мундиры, господа, — скомандовал французам Вацлав.

Лица французов еще поугрюмели, но деваться им было некуда. Один из них, хмуря густые брови и кусая усы, отстегнул подбородочную чешую своей хвостатой каски, другой нехотя взялся за пряжку ремня.

— Веселее, веселее, господа, — развлекаясь, поторапливал драгун пан Кшиштоф, у которого окончательно отлегло от сердца. Униженное положение драгун доставляло ему огромное удовольствие, хотя где-то в глубине души он очень боялся, что если его поймают, то даже заступничество Мюрата не избавит его от петли. — Веселее, сударь, не стесняйтесь! Ваша добыча остается при вас. — Он указал стволом пистолета на мешки с награбленным добром. — Надеюсь, в этих тюках найдется пара женских платьев, в которых вы будете просто неотразимы!

Высокий драгун с длинными черными усами, подковой охватывавшими его рот и квадратный загорелый подбородок, стаскивая с себя сапоги, исподлобья бросил на пана Кшиштофа свирепый взгляд.

— Встретившись со мной в честном бою, ты бы живо потерял охоту шутить, — проворчал он.

— О да! — воскликнул уверенный в собственной безопасности Огинский. — В бою я бы с тобой не шутил, а просто изрубил бы в капусту, не успев заметить, что имею дело с бабой в мундире. Снимай, снимай панталоны, герой! Мне некогда с тобой возиться.

Подобрав все оружие драгун и их мундиры, кузены вскочили в седла и с места пустили лошадей в галоп. Третья лошадь, оставшаяся без седока, тоже была ими взята: привязанная поводьями к луке седла, она бежала за лошадью пана Кшиштофа. Раздетые до нижнего белья драгуны остались стоять на пыльной дороге. Злобное и вместе с тем растерянное выражение их лиц окончательно развеселило пана Кшиштофа. Погоняя свою лошадь, он посмотрел на Вацлава, скакавшего рядом, в который раз поражаясь его удачливости. Любому другому такая безумная выходка, как эта, почти наверняка стоила бы головы, и именно по этой причине ни один здравомыслящий человек на нее бы не отважился. Мальчишка же не колебался ни минуты, и, вероятно, только его уверенность в себе заставила французов дрогнуть и сдаться без боя. Им и в голову не пришло, что кто-то отважился в одиночку напасть на вооруженный разъезд с разряженным, не более грозным, чем березовая палка, ружьем.

Пан Кшиштоф криво усмехнулся в усы. Вацлав действительно был мальчишкой, и его безумная храбрость более чем наполовину происходила от мальчишеской убежденности в том, что убить или ранить могут кого угодно, но только не его. Казалось бы, дуэль с Синцовым должна была его чему-то научить, но она, похоже, лишь укрепила его веру в собственную неуязвимость. Это был мальчишка, и обходиться с ним нужно было именно как с мальчишкой: хвалить его, восхищаться им и осторожно, под видом родственной заботы, поворачивать в нужном направлении. При соблюдении этих условий мальчишку можно было подстрекнуть на любое безумство, в результате чего пан Кшиштоф получил бы свои деньги, а мальчишка — свою пулю.

— Право, кузен, — сказал пан Кшиштоф, — ты настоящий храбрец. Поверь, я безумно рад, что получил возможность узнать тебя поближе. Раньше ты казался мне избалованным инфантом, привыкшим прятаться от всех невзгод за отцовскими деньгами и титулом. Теперь я вижу, что глубоко заблуждался в отношении тебя. Должен сказать тебе прямо, что это большая честь для меня иметь такого родственника. На тебя можно положиться. С тобой, черт подери, приятно иметь дело!

Опытный льстец хорошо знал свое дело. Вацлав Огинский, несмотря на все выпавшие ему испытания, был еще слишком юн и неопытен, чтобы слова похвалы оставили его равнодушным. Он вспыхнул от удовольствия и улыбнулся кузену открытой белозубой улыбкой.

— На самом деле мне было страшно, — признался он, — и только твое присутствие поддерживало меня.

— О, на что ты всегда можешь рассчитывать, так это на мою поддержку, — с легким сердцем и самым задушевным тоном сказал ему пан Кшиштоф.

Проскакав версты три, кузены свернули в лес и там переоделись в мундиры плененных Вацлавом драгун. Вацлав застегнул чешую каски и тряхнул укрепленным на гребне конским хвостом.

— Хорош, хорош, — похвалил его пан Кшиштоф, подтягивая сапоги. — Не забывай только, что многие из улан Жюно хорошо запомнили нас в лицо. Поэтому я бы не стал слишком рассчитывать на это переодевание.

В седельных сумках они нашли немного сухарей и вяленого мяса, в притороченных к седлам флягах булькала вода. Пан Кшиштоф был этим несколько разочарован — он рассчитывал на вино. Кузены наскоро перекусили и двинулись в путь.

Пан Кшиштоф, сгорая от нетерпения, погонял свою потную лошадь, вонзая ей шпоры в бока и колотя ее по крупу саблей. Темп, заданный им, был чересчур высок, бока лошадей вскоре потемнели от пота. Вацлав хотел было сказать, что, продолжая в том же духе, они непременно загонят лошадей, но, подумав, промолчал: уланы ушли уже очень далеко от них, а настигнуть капитана Жюно желательно было этой же ночью. Кроме того, кузен был старше, опытнее и наверняка отлично понимал, что делает; так, во всяком случае, казалось Вацлаву, до сих пор не знавшему, с кем он имеет дело.

Смеркалось. Небо над дорогой еще отливало голубизной, но в узком ущелье между двумя стенами старого строевого леса было уже почти совсем темно. Грунтовая дорога, истолченная проходившими здесь войсками в тончайшую пыль, смутно белела впереди, копыта лошадей тяжело и мягко ударяли в землю, позвякивало железо, и раздавались сердитые покрикивания пана Кшиштофа, который подбадривал свою лошадь. С лошадью он беседовал по-французски, рассчитывая, видимо, что так она его скорее поймет. «Пошла, кляча! — кричал он на несчастное животное, которое и так выбивалось из сил. — Пошла, пошла, волчье мясо!»

Погоняя лошадь, пан Кшиштоф испуганно оглядывался по сторонам. Рассказанная Вацлавом история о том, как его собирались повесить какие-то прятавшиеся в лесу люди, запала старшему кузену в душу гораздо глубже, чем ему того хотелось. Предположить, что бежавшие в леса мужики станут грабить и убивать всех подряд, и в особенности французов, было легко и вполне логично, но скакать в неприятельской форме ночью через лес, полный этих мужиков, оказалось очень неуютно. Пан Кшиштоф вертел головой во все стороны, бросая испуганные взгляды в темную лесную чащу, где время от времени светлыми пятнами белели стволы берез.

Вацлав не думал о разбойниках и не испытывал страха перед ночной темнотой. Нечаянно вспомнив о княжне Марии, он немедленно с головой ушел в мечтания. Какая-то небольшая часть его сознания продолжала следить за дорогой и погонять лошадь, чтобы не отстать от скакавшего впереди пана Кшиштофа, но все остальные силы души Вацлава Огинского были направлены на придумывание все новых и новых подробностей будущей встречи с княжной. Подробности эти в большинстве своем были совершенно фантастическими, и Вацлав об этом знал. Но воображать себе романтические сцены было все-таки приятнее, чем думать о подстерегавших его опасностях, доводя себя до того позорного состояния, когда человек вздрагивает от каждого шороха и готов с женским визгом бежать сломя голову куда глаза глядят при виде промелькнувшей птицы. Продумывать план предстоящих действий было нечего: он был готов. Им с кузеном надобно было догнать уланский полк, отыскать в обозе повозку капитана Жюно, подобраться к ней, завладеть иконой и, освободив попутно княжну, скрыться. План этот очень мало напоминал подробную диспозицию, составляемую полководцем перед началом сражения; более всего он был похож на мечтания проигравшегося в прах офицера, думающего нечаянно найти у себя в кармане незамеченный ранее рубль и на рубль этот не только отыграть все свои деньги, но и подчистую выпотрошить своих партнеров. У Вацлава Огинского под началом не было никаких войск, передвижения, атаки и отступления коих ему нужно было бы планировать; не знал он и того, где и при каких обстоятельствах они с Кшиштофом настигнут французов. Поэтому думать о том, с какой стороны он подберется к капитанской повозке, можно было с таким же успехом, как и о том, какие слова он скажет при встрече молодой княжне, но думать о княжне казалось приятнее, чем о французах.

Наступивший вечер принес очень мало прохлады. Расстегнутые воротники мундиров не спасали от жары, из-под хвостатых касок по пыльным лицам струился пот, затекая в глаза и вызывая самые неприятные ощущения. Вацлав протер глаза потной ладонью, но от этого сделалось только хуже: глаза защипало так, что он вынужден был зажмуриться.

В этот самый момент на дорогу, прямо под копыта лошади, на которой ехал пан Кшиштоф, выскочили какие-то оборванные, волосатые люди. Лошадь шарахнулась в сторону, увлекая за собой заводную, которая была привязана поводьями к луке седла, но один из оборванцев ловко схватил ее за поводья костлявой, с обломанными ногтями рукой. В другой его руке блеснуло острое лезвие топора.

Выбежавшие из леса люди действовали в полном молчании, как сбившиеся в стаю пауки-охотники. Пауки не охотятся стаями, но эти люди напоминали именно пауков. В гробовой тишине бросились они со всех сторон на ехавшего первым пана Кшиштофа, выставив перед собою, как ядовитые жала, пики и рогатины. Будь на месте Огинского кто-то другой, более храбрый или хотя бы чуть менее трусливый, дело бы решилось за пару секунд. Да оно и решилось именно за пару секунд, хотя и вовсе не так, как предполагали эти лесные люди-пауки.

Заяц проснулся в душе пана Кшиштофа намного раньше, чем он успел осмыслить то, что видели его глаза. Шпоры глубоко вонзились в лошадиные бока, а сабля, которой пан Кшиштоф вместо плетки погонял лошадь, словно сама собой взвилась в воздух и опустилась на покрытый густыми волосами череп разбойника, державшего лошадь под уздцы. Никакой герой, поднаторевший в ночных схватках с бандитами, не смог бы действовать быстрее и правильнее, чем перетрусивший до полной потери способности соображать Кшиштоф Огинский. Пришпоренная лошадь взвилась на дыбы и рванулась вперед, опрокинув убитого разбойника и разбросав тех, что загораживали ей дорогу. Вторая, привязанная к ней, лошадь послужила дополнительным тараном, по дороге затоптав одного из упавших.

Вацлав, к этому моменту все еще не до конца сморгнувший пот, который попал ему в глаза, щурясь и почти ничего не видя, но поняв уже, что на них напали, мог только следовать за кузеном. Он видел мельтешившие кругом темные фигуры, слышал крики и страшные ругательства, внезапно сменившие тишину. Несколько растерявшись от неожиданности, он целиком положился на мнение своего более опытного родственника. Секунды хватило ему на то, чтобы признать избранную Кшиштофом тактику единственно возможной при сложившихся обстоятельствах; в следующее мгновение он уже дал шпоры своей лошади, которая и без него успела сообразить, что надобно бежать за своими товарками.

Справа мелькнуло широкое загорелое лицо с оскаленным, обросшим волосами ртом. Вацлав увидел медвежью рогатину, направленную ему в грудь, и выстрелил в оскаленное лицо из пистолета, неизвестно как очутившегося у него в руке. Лицо заволоклось пороховым дымом, послышался крик, и рогатина, вильнув в сторону, слабо и безопасно ударилась о лошадиный круп. Чьи-то цепкие пальцы ухватились за колено Вацлава, соскользнули, царапнули гладкую кожу сапога, уцепились было за подпругу, но опять соскользнули; кто-то выпалил из ружья, и пуля просвистела совсем рядом со щекой Вацлава.

Он не сразу понял, что уже прорвался сквозь строй нападавших. Вслед ему дали неровный залп, но ни одна из пуль не задела молодого Огинского. Погоняя лошадь, он торопился вдогонку за Кшиштофом, который так гнал, что уже успел ускакать довольно далеко.

Лошадь Вацлава, напротив, шла все медленнее, несмотря на прилагаемые им усилия. Рысь ее сделалась какой-то неровной и вихляющей, словно лошадь вот-вот собиралась упасть. Очевидно было, что она либо находится в последней стадии усталости, либо ранена последним ружейным залпом. Пан Кшиштоф с заводной лошадью все дальше уходил вперед, не оглядываясь и не слыша криков кузена. Наконец он вовсе скрылся из вида за поворотом дороги, и вскоре, проскакав еще две или три версты, лошадь Вацлава сначала остановилась, а потом медленно, тяжело легла в пыль, вытянув ноги и устало запрокинув голову.

К вечеру владевшее княжной Марией холодное ожесточение несколько ослабло, уступив место обыкновенной усталости. Жара, пыль и тряска сделали свое дело: теперь княжна гораздо сильнее мечтала об отдыхе и еде, чем о мести. Ей было стыдно: она не думала, что окажется такой слабой. На самом же деле то, что казалось ей слабостью и малодушием, было просто признаком душевного и физического здоровья. Княжна была рождена и воспитана так, что не могла подолгу упиваться своей ненавистью, как это умеют другие. В отличие от этих других, княжна Мария была создана, чтобы любить, ненависти же ей еще предстояло учиться.

Уланский полк остановился на ночлег в большой, совершенно разоренной проходившими здесь ранее войсками деревне. Раздались басистые окрики капралов, далеко впереди что-то проиграла труба, и колонна, спешившись, рассыпалась по деревне в поисках местечек поуютнее, корма для лошадей и хоть какой-нибудь добычи.

Княжне отвели небольшую комнату в крепком, просторном доме, где раньше, вероятно, жил деревенский староста, а теперь разместился со своими офицерами капитан Жюно. Едва княжна успела умыться и привести в относительный порядок свое платье, как в дверь постучали.

— Войдите, — по-французски сказала княжна.

Дверь, каким-то чудом уцелевшая и не использованная ни в качестве импровизированного стола, ни в чем-то ином — например, в качестве дров, — со скрипом отворилась, и в комнату, пригнув голову под низкой притолокой, вошел лейтенант Анри. Он уже успел почиститься и умыться и снова сделался похож на того щеголеватого лейтенанта, каким впервые увидела его княжна на крыльце своего дома. Воспоминание о том, каким лейтенант впервые предстал перед нею, неприятно кольнуло княжну, на минуту вызвав в ее душе утреннее ожесточение: там, на крыльце, лейтенант с удовольствием рассматривал украденную им шпагу старого князя.

Звякнув шпорами, лейтенант Дюпре поклонился и повторил уже сделанное им на привале приглашение на ужин, прибавив от себя, что он придет в отчаяние, если это предложение не будет принято. На его губах играла легкая грустная улыбка, выражавшая одновременно удовольствие от разговора с княжной и печаль по поводу постигшего ее горя. Улыбка эта, хотя и была вполне искренней, показалась Марии Андреевне насквозь фальшивой: ей сейчас не хотелось видеть человека ни в одном из своих врагов. Слишком глубока и свежа была нанесенная ей рана, чтобы княжна могла отделить войну от остальных человеческих отношений. Первым ее побуждением было вовсе отказаться от приглашения, сославшись на усталость и траур, но княжна подавила в себе этот естественный порыв. Она ехала с французами не для того, чтобы спастись. Ее целью было отмщение, а раз так, то княжна не имела права упускать ни одной минуты, каждая из которых могла предоставить ей желанную возможность. Что это будет за возможность, она не знала. Ей представлялось сомнительным, что она сможет убить капитана или кого-либо другого собственными руками. Думая об этом, она начинала чувствовать себя слабой и беспомощной, даже смешной: в самом деле, какой вред могла она причинить этим людям?

— Господин Дюпре, — сказала она лейтенанту, — сударь! Я с благодарностью принимаю приглашение капитана Жюно, что же касается ваших попыток оказывать мне знаки внимания, то в моем теперешнем положении они кажутся мне неуместными.

Смущенный неожиданной прямотой, с которой это было сказано, лейтенант Дюпре вспыхнул, покраснел и склонил голову.

— Простите, принцесса, — пробормотал он, — я не думал, что это так заметно.

— Не лгите, сударь, — твердо сказала княжна. Видя смущение своего врага, она не смягчилась, а, наоборот, почувствовала себя гораздо свободнее в выражении собственных чувств. — Никто не пускается в ухаживания, надеясь, что это останется незамеченным. Напротив, все ухаживания предпринимаются с прямо противоположной целью: обратить на себя внимание.

Лейтенант Анри Дюпре покраснел пуще прежнего и, еще ниже склонив голову, отступил на шаг.

— Прошу меня простить, — повторил он. — Я действительно... Право, вы меня смутили, сударыня. Я понимаю, что недостоин вашего внимания, особенно сейчас, когда вас постигло такое горе, но мне хотелось бы знать, могу ли я хотя бы надеяться...

— Прекратите, сударь, — резко оборвала его княжна, у которой сейчас не было ни малейшего желания выслушивать излияния француза. — Прекратите, прошу вас. Ваше поведение граничит с оскорблением. Я понимаю, что нахожусь в вашей власти, однако надеюсь, что ваша честь не позволит вам этим воспользоваться.

— Ваши слова незаслуженно жестоки, сударыня, — тихо проговорил лейтенант. — Как вы могли подумать, что я способен... Простите, — он поклонился, — и приходите на ужин. Вас ждут.

Княжна отвернулась, едва заметно кивнув головой. Возможно, Дюпре был прав, говоря, что она излишне с ним жестока. Он вел себя почти безупречно, особенно если учесть его безусловно низкое происхождение, которое явствовало из его фамилии; однако же, именно это его поведение, словно целиком заимствованное из светского романа, более всего раздражало княжну, ибо совершенно не вязалось с тем, что ей пришлось увидеть и почувствовать в течение трех последних дней. Блестящие и галантные французы, которым с таким тщанием подражало московское и петербургское высшее общество, на деле оказались шайкой грабителей и убийц, для которых не было ничего святого. И то, что они при этом сохраняли видимость хороших манер, не могло более обмануть княжну, обученную старым князем видеть сущность людей и явлений сквозь любые словесные ухищрения. Умение это, как и многое другое, привитое Александром Николаевичем своей внучке, долго оставалось незамеченным ею; теперь же, когда настало его время, это умение вышло вперед так просто и естественно, что княжна почти не замечала произошедших с нею перемен. Лейтенант Дюпре виделся ей без прикрас: это был просто соскучившийся по женскому обществу офицер неприятельской армии, решивший, воспользовавшись удобным случаем, приволокнуться за хорошенькой и оказавшейся без мужской поддержки девицей. Он сам мог не понимать этого, видя все приключение в романтическом свете и воображая себя храбрым рыцарем, пришедшим на выручку прекрасной принцессе, но суть дела от этого его заблуждения нисколько не менялась: в конечном итоге княжна Вязмитинова была для него и его приятелей только частью военной добычи, ценным трофеем наподобие парчовой скатерти или какой-нибудь богатой шубы.

Вацлав Огинский относился к ней совсем по-другому. Не имея никакого опыта в делах любви, княжна, тем не менее, не могла ошибаться, видя горевший в глазах Вацлава огонь настоящего чувства. На Вацлава можно было положиться, ему можно было доверять. Он понял бы все, даже то, почему княжна покинула усадьбу вместе с французами. Этот поступок наверняка очень дурно выглядел со стороны, и княжна не сомневалась, что в будущем он непременно станет поводом для многочисленных пересудов в московских салонах. Но Вацлав, верила княжна, ни на минуту не усомнится в ней... если, конечно, он до сих пор жив.

От кузенов не было, да и не могло быть никаких

известий. На привале, выйдя из кареты размять ноги, княжна нарочно старалась держаться поближе к лесу, чтобы дать Огинским, если они тайно следовали за колонной, возможность дать ей знать о своем присутствии. Но ее никто не окликнул. Княжна понимала, что это было совершенно естественно, но все равно чувствовала себя покинутой. Отныне ей приходилось рассчитывать только на себя, и она снова, в который уже раз, вспомнила слова старого князя, сказавшего, что надеяться она может лишь на бога и на себя самое. Правда, говоря это, князь имел в виду нечто иное, чем то, что происходило с его внучкой теперь.

Думая о кузенах, княжна не могла не вспомнить об иконе, которая двигалась сейчас в сторону Москвы в одной из обозных повозок. Вацлав и его кузен намеревались похитить икону у французов, но потерпели неудачу. Мария не знала, отважатся ли Огинские на вторую попытку: уж слишком неравны были силы, слишком уж похожа была такая попытка на самоубийство. И потом, что за дело полякам до святыни русского народа? Княжна хорошо знала, что в наполеоновской армии служит множество поляков. Почему это так, она не знала, но умом понимала, что на то должны иметься весьма веские причины. Наверное, им было за что не любить русских; наверное, даже Вацлавом Огинским двигало не столько стремление помочь России отразить нашествие, сколько желание выручить даму своего сердца, попавшую в беду. И то, и другое было для него сейчас трудно, почти невыполнимо. Он мог погибнуть, пытаясь что-то сделать, а мог и отступить — на время или насовсем.

Княжна стыдилась этих мыслей, но в то же время понимала, что в них был определенный резон. Война резко изменила ее представление о возможном и невозможном, приличном и неприличном; война изменила все вокруг и, словно этого было мало, продолжала изменять все, до чего могла дотянуться, превращая хорошее в плохое и наоборот.

Через полчаса вернулся лейтенант Дюпре. Постучав в дверь и не дождавшись ответа, он, оставаясь в коридоре, сообщил, что ужин подан, все собрались и ждут только появления принцессы. Княжна оправила волосы и последовала за ним в большую горницу, где вокруг сделанного из амбарной двери стола действительно собрались все офицеры эскадрона. На столе в глубокой миске дымилась баранина, пламя свечей играло на бутылках с вином и блестящих боках серебряных кубков с гербом князей Вязмитиновых.

Княжне освободили место во главе стола, и капитан Жюно, поднявшись во весь рост с княжеским кубком в руке, произнес пространный тост, сводившийся к тому, что война войной, но дамы особенно столь прекрасные, как их сегодняшняя гостья, стоят выше подобных мелочей. Выпить он, однако же, предложил не за княжну Вязмитинову, а за императора.

— Да здравствует император! — хором, как на плацу, взревели офицеры, вскочив со своих мест и с грохотом содвинув кубки. — Да здравствует Франция!

Княжна осталась сидеть и не притронулась к своему кубку. Такое пренебрежение к священной особе императора не осталось незамеченным. Толстый лейтенант, партнер пана Кшиштофа по картам, осушив свой бокал, наклонился к княжне и довольно громко спросил:

— Вы не пьете за здоровье императора, сударыня? Напрасно. Император — великий человек.

— Он не мой император, — спокойно ответила княжна, глядя в стол. — И ежели величие заключается в том, чтобы ради собственной прихоти губить тысячи людей, то я не признаю такого величия просто потому, что не понимаю, для чего оно нужно.

Круглое лицо толстого лейтенанта стало наливаться багровым румянцем. Кое-кто из офицеров удивленно уставился на княжну, словно не в силах поверить собственным ушам. Капитан Жюно, поморщившись, будто от зубной боли, положил ладонь на плечо толстого лейтенанта и сильно надавил книзу.

— Сядьте, Жак. Что это вы намерены делать, уж не ссориться ли с дамой? Право, мне стыдно за вас. Далеко не каждый мужчина способен сразу понять суть величия императора Наполеона. Что же говорить о юной девице, пострадавшей, к тому же, не от стихии и не от лесных разбойников, а от наших храбрых, но весьма дурно воспитанных солдат? Поверьте, сударыня, — обратился он к княжне, — если бы вы имели счастье быть лично знакомой с императором, вы были бы очарованы им. Да, да, очарованы и безнадежно влюблены! Этого человека нельзя не любить, это не человек, это — полубог.

— Увы, — отвечала на это княжна, — я не имею чести быть лично знакома с императором Наполеоном и, более того, я не желаю его знать. Поймите меня, господа: я не намерена оскорблять ни вас, ни Францию, но любить этого человека за то, что он разорил мой дом, я не могу.

За столом наступило неловкое молчание. Все понимали, что нужно что-то делать, но никто не знал, что именно. Что бы ни говорила княжна о своих намерениях, оскорбление, пусть даже невольное, было нанесено. Но как отплатить за это оскорбление, никто не понимал; непонятно было даже, следует ли платить вообще. По-своему эта русская была права: любить императора Наполеона ей было не за что. Большинство офицеров склонялись к мысли, что на выходку русской принцессы не стоит обращать внимания: для того, чтобы понять величие императора, надобен ум, способный охватить все его великие дела, а кто же требует ума от женщины, да еще и от такой напуганной и одинокой девицы, как эта?

— Оставим этот спор, — сказал капитан, — он ни к чему не приведет. Сейчас вы огорчены и терпите неисчислимые бедствия, коим я сочувствую всей душой. Но пройдет совсем немного времени, и вы, принцесса, будете со снисходительной улыбкой вспоминать свои несправедливые слова. Женщины выше войны, но ее последствия сказываются и на них тоже — и дурные, и хорошие. Поверьте слову старого солдата, принцесса: очень скоро все ваши страдания будут позади, и вы поймете величие момента, который все мы переживаем сейчас. Горести преходящи, зато впереди вас ожидает счастье и благоденствие под сенью императорских орлов. За вас, сударыня!

Этот дипломатический ход был встречен хором одобрительных возгласов. Ужин продолжался, незаметно переходя в обычную офицерскую попойку. Языки постепенно развязывались, манеры делались свободнее, глаза блестели. Некоторые офицеры, забыв о присутствии дамы или решив, что стесняться ее не стоит, расстегивали мундиры, выставляя напоказ несвежие рубашки. Общий разговор, как всегда бывает в подобных случаях, разбился на несколько кружков, в которых велись свои собственные беседы. Кто-то рассказывал свои любовные похождения, кто-то вспоминал смоленский штурм, демонстрируя товарищам заштопанную дырку в сюртуке, пробитую русской пулей. В одном кружке говорили о заварушке, случившейся минувшей ночью в усадьбе Вязмитиновых, гадая, что могло послужить ее причиной.

Княжна, одна из всех присутствующих знавшая об этой причине, снова обратилась мыслями к иконе. Выпитый ею на голодный желудок глоток вина оказал неожиданно успокоительное воздействие: лихорадочное возбуждение, владевшее княжной с самого утра, улеглось. Глядя на сидевших и стоявших вокруг французских офицеров, она пыталась и не могла представить себе, какой будет задуманная ею месть. Заколоть капитана Жюно кинжалом? Что ж, будь она какой-нибудь испанкой, это, возможно, удалось бы. Если верить романам, едва ли не каждая испанка носит за корсажем стилет и без промедления пускает его в дело. Но княжна была воспитана несколько иначе и понимала, что, даже решившись совершить убийство, она дрогнет в самый последний момент и ни за что не сумеет довести задуманное дело до конца. При одной мысли о том, чтобы ударить ножом живого человека, ей делалось дурно.

Иное дело — икона. Добыть ее было бы, пожалуй, важнее, чем зарезать уланского капитана, каких в армии Наполеона насчитывались, верно, тысячи. Более того, княжна знала, что сумеет без особенного труда завладеть иконой хотя бы на какое-то время. То, что сработало однажды, должно было сработать снова, тут Мария Андреевна была спокойна. Но что дальше?

А дальше все очень просто, сказала она себе. Главное — добраться до коновязи, а там — ищи ветра в поле.

Это была правда. Держаться на лошади княжна могла не хуже любого из сидевших за столом офицеров, а если принять во внимание ее вдвое меньший вес и ночную темноту, то шансы французов догнать ее сводились почти к нулю. Правда, княжну могли при этом убить. Она помнила об этом, но в глубине души ни на секунду не верила в то, что может на самом деле умереть. Она была слишком молода, чтобы всерьез размышлять о собственной смерти; кроме того, рассуждая здраво, легко было понять, что на войне безопасных мест просто не бывает. Было бы много обиднее погибнуть от своей, русской, пули, сидя в карете вместе с краденими картинами и шубами, чем умереть, пытаясь хоть что-то сделать.

Средь общего шума она отыскала глазами своего воздыхателя лейтенанта Дюпре и сделала ему знак, приглашая подойти. Лейтенант, похоже, только того и дожидался. Пробравшись между своими товарищами, он с поклоном остановился перед княжной.

— Прошу извинить моих друзей, принцесса, — с видимым смущением произнес он. — Солдаты на отдыхе — не самое приятное зрелище. Я почти жалею о том, что привел вас сюда. Единственное, что меня извиняет, это мое горячее желание видеть вас при первой же возможности.

— Ах, оставьте, сударь, — потупив глаза, грустно отвечала княжна. — Я ни в чем не виню ни вас, ни этих господ. Право, это даже лучше, что я нахожусь в обществе. Это позволяет мне хотя бы ненадолго забыть о моем горе. Но впереди ждет ночь — долгие часы одиноких раздумий и душевных мук.

Левая бровь лейтенанта Дюпре медленно поползла кверху: несмотря на свою молодость, он уже неоднократно слышал от разных дам очень похожие слова, означавшие, что кто-то должен прийти и утешить их в их одиночестве. Правда, то были совсем другие дамы, и встречи их с лейтенантом Анри Дюпре происходили при несколько иных, более располагающих обстоятельствах. Коротко говоря, лейтенант не ожидал столь быстрого падения казавшейся неприступной твердыни и был даже слегка разочарован крушением романтического образа княжны, сложившегося в его воображении.

Княжна сделала вид, что не заметила весьма красноречивого и крайне оскорбительного изумления лейтенанта.

— Вы должны меня понять, — продолжала она, — мне так одиноко, так страшно! Последнее утешение, которое мне осталось, это молитва.

После этих слов правая бровь лейтенанта присоединилась к левой: такого поворота он не ожидал и теперь чувствовал себя обманутым, словно княжна уже успела что-то ему пообещать и не сдержала слова. Впрочем, он тут же взял себя в руки: похоже, что его ухаживания все-таки должны были получиться долгими и романтическими, что могло сильно скрасить довольно скучную и однообразную походную жизнь.

— Я понимаю вас, — сказал он самым почтительным тоном. — Моя бедная матушка тоже была очень набожной женщиной. Она могла часами простаивать на коленях у распятия...

— Вот видите! — воскликнула княжна. — Я же лишена даже этой возможности. Мне известно, что все иконы, находившиеся в нашем доме, сейчас находятся где-то здесь, в повозках и солдатских ранцах. Одна из них, наиболее почитаемая моим покойным дедом, князем Александром Николаевичем, стала добычей денщика нашего храброго капитана Жюно. Капитан был так любезен, что предоставил эту икону в мое распоряжение для того, чтобы умирающий князь мог в последний раз приложиться к ней. Теперь икона дорога мне вдвойне. Я не прошу ее вернуть, но мне хотелось бы хотя бы изредка иметь возможность молиться святому Георгию...

— Сен Жорж? — удивился лейтенант. — Странный выбор для девицы...

— Эта икона — единственная память о князе, — напомнила Мария Андреевна. — Я понимаю, что вы имеете в виду, но святой Георгий — не только воитель, но и защитник слабых. А я сейчас, как никогда, нуждаюсь в защите. Я знаю, что вы поймете меня и поможете. Мне неловко во второй раз обращаться к капитану с этой просьбой...

— Я все понял, — перебил ее Дюпре. — Будьте покойны, сударыня, я немедля все устрою.

Он с поклоном отошел от княжны, приблизился к капитану и, склонившись над его плечом, начал что-то тихо и горячо ему говорить. Поначалу капитан хмурился, очевидно, не в силах понять, что ему надо, но потом лицо его прояснилось, он улыбнулся и махнул рукой. Обернувшись к княжне, Жюно отсалютовал ей бокалом и важно кивнул, показывая, что готов удовлетворить ее просьбу, тем более что ему лично это ничего не стоило.

Глава 13

Получив разрешение Жюно, лейтенант Дюпре поспешно покинул дом и вышел во двор, где стояло несколько экипажей, в числе которых находились повозка капитана и карета, в которой ехала княжна. Небрежно ответив на приветствие часового, лейтенант отыскал капитанскую повозку, из которой, как некая часть клади, по-прежнему торчали ноги денщика. Поль спал, о чем свидетельствовал доносившийся из повозки раскатистый храп.

Лейтенант постучал сначала по кожаному верху повозки, а затем и по дощатому борту. Храп прервался всего лишь на мгновение, чтобы тут же возобновиться с удвоенной силой. Торчавшие поверх тюков прямо перед носом у Дюпре босые ноги денщика были грязны и являли собой довольно отталкивающее зрелище. Брезгливо морщась, лейтенант поднял саблю и похлопал ножнами по босой пятке.

Это прикосновение наполовину разбудило денщика. Храп прекратился, в повозке послышалась возня и шлепанье губами, какое издает спросонья разбуженный посреди ночи, но еще не до конца проснувшийся человек. Лейтенант снова хлопнул его ножнами по ноге.

— А? Что? — испуганно воскликнул Поль, решивший, что кошмар минувшей ночи начинается опять. — Не подходи!

— Тише, Поль, вы разбудите весь лагерь, — проворчал Дюпре. — Я к вам с приказом от капитана Жюно.

— С приказом? — снова укладываясь на тюки, спокойно удивился Поль. — Какие могут быть приказы, мой лейтенант, когда я не могу и шагу ступить? Этот проклятый бандит отделал меня до полусмерти, но я, как видите, остался в строю, с моими боевыми товарищами, с моим капитаном... Так чего же еще от меня хотеть? Не понимаю, право, не понимаю!

— Послушай-ка, приятель, — сдерживаясь, сказал Дюпре, который очень не любил капитанского денщика за жуликоватость и нахальную манеру держать себя с офицерами, — если ты на минуту закроешь рот, я с удовольствием объясню тебе, в чем дело. Если же ты сию секунду не замолчишь, я постараюсь сделать так, чтобы ты об этом пожалел. Посуди сам, к чему тебе оставаться в строю, когда ты не можешь выполнить простейшего распоряжения своего капитана? Тебе прямая дорога в лазарет, а оттуда, как водится, на кладбище. Думаешь, капитан Жюно не найдет тебе замены? Найдет, поверь!

— Но, господин лейтенант, — поспешно возразил Поль, — вы меня неправильно поняли! С чего вы взяли, что я отказываюсь служить Франции и моему капитану? Приказывайте, и я пойду в атаку на руках!

— Это не потребуется, — сухо ответил лейтенант. — Где-то в этом возке хранится икона, которую ты украл накануне в усадьбе. Капитан требует вернуть ее владелице.

Денщик досадливо крякнул: икона была самым дорогим его приобретением и одна стоила много больше, чем вся остальная его добыча, вместе взятая. Дело, конечно, было не в самой иконе — эта размалеванная доска казалась Полю лишней обузой, — а в тяжелом золотом окладе, который он намеревался весьма выгодно продать по возвращении домой одному знакомому ювелиру. Мысленно Поль уже распределил и потратил эти деньги, и расставаться со своими мечтами только потому, что капитан Жюно решил услужить очередной дамочке, ему было жаль до слез.

— Сейчас, сударь, — угодливо пробормотал он, возясь в тесной повозке и лихорадочно придумывая, как поступить. — Подождите одну только минуточку, прошу вас. Мне больно двигаться, прошу извинить...

Ход мыслей денщика Поля был прост и делал

большую честь его умственным способностям. Капитан приказал передать хозяйке, то есть этой русской дамочке, ее икону — икону, а вовсе не оклад! Присваивая золото и возвращая дерево, Поль рисковал, но не слишком: он очень сомневался, что в его теперешнем состоянии у капитана поднимется рука подвергнуть его наказанию более жестокому, чем словесный разнос. К словесным разносам Полю было не привыкать; к тому же, в самом крайнем случае, он всегда мог вернуть оклад, хотя и не знал, как ему удастся пережить такую потерю.

Продолжая бормотать, причитать и жаловаться на причиняемую ранами страшную боль, он быстро достал из-под тюка с шубами парчовый сверток, развернул ткань и ощупал задник иконы. Сообразив, каким образом прикреплен оклад, он при помощи карманного ножика отделил его от доски. Лейтенант не мог видеть, что он делает в темноте повозки; да он и не смотрел в сторону Поля, нетерпеливо прохаживаясь поодаль.

— Еще одну секундочку, сударь! — жалобно попросил Поль, торопливо заворачивая золотой оклад в парчу и заталкивая его на место, под тюк с шубами. — Она за что-то зацепилась, я боюсь повредить имущество капитана. Только секундочку... ну, вот! Возьмите, сударь! Всегда рад услужить господину капитану и вам, мой лейтенант...

Дюпре раздраженно выдернул из его рук икону и, сунув ее под мышку, сердито зашагал к дому. Поль проводил его взглядом и, кряхтя, улегся на свое нагретое местечко, с которого его так бесцеремонно согнали. Некоторое время он еще прислушивался к доносившимся из дома звукам, ожидая скандала, но все было спокойно, и Поль с облегчением откинулся на мягкие тюки. Все получилось просто великолепно: он сохранил драгоценный золотой оклад и в то же время избавился от мешавшей ему доски, причем сделал это так, что лучше нельзя было и придумать. Просто бросить изображение Сен Жоржа в костер или в придорожные кусты Поль побаивался: воинственный святой мог рассердиться и устроить ему что-нибудь похуже нескольких порезов на ягодицах; таскать же увесистую доску за собой было тяжело и неудобно.

Вскоре лагерь окончательно угомонился. Заснул и Поль, вновь огласив окрестности своим заливистым храпом, который сливался с доносившимися отовсюду такими же и даже более громкими звуками.

В глухой предутренний час, когда во всей деревне не спали только часовые, да и те заметно клевали носами на ходу, к деревенской околице приблизился ехавший верхом драгунский офицер, который вел в поводу еще одну оседланную, но без седока лошадь. На узком мостике через ручей дорогу ему заступил часовой.

— Послушай, приятель, — обратился к нему драгун, — не здесь ли стоит шестой уланский?

Часовой в ответ выставил перед собой ружье и потребовал назвать пароль.

— Какой пароль, болван! — крикнул драгун. — Еще одно слово, и я отправлю тебя на гауптвахту изучать уставы! Отвечай, здесь ли шестой полк улан, и если здесь, то где мне найти эскадронного командира капитана Жюно!

Грозно встопорщенные усы и уверенный тон драгуна совершенно сбили часового с толку. Он попытался вспомнить, что нужно делать в подобных случаях по уставу, ничего не вспомнил и махнул рукой: в конце концов, перед ним был французский офицер, а не какой-нибудь казак. Перспектива переполошить весь лагерь, подняв ложную тревогу, и быть за это наказанным представилась ему во всех малопривлекательных подробностях. Поэтому часовой выбрал из двух зол наименьшее и довольно толково указал переодетому в драгунский мундир пану Кшиштофу Огинскому дорогу к дому, где квартировал капитан Жюно. После того, как мнимый драгун удалился, ведя в поводу вторую лошадь, часовой снова сунул ружье под мышку и принялся мерно расхаживать взад-вперед по скрипучему деревянному настилу моста, вспоминая Сену и красотку Мими.

Пан Кшиштоф между тем, никем не остановленный, добрался до цели, два раза сбившись с пути и свернув в чужие дворы. Наконец, заглянув в очередные ворота, он увидел посреди двора знакомую карету — ту самую, в которой уехала из имения княжна Вязмитинова. Поодаль уродливым горбом торчал кожаный верх капитанского возка.

Пан Кшиштоф спешился, привязал лошадей к столбу ворот и осторожно вошел во двор. Сердце его билось где-то у самого горла, а в ногах ощущалась знакомая легкость. Чувствуя эту легкость, пан Кшиштоф понимал, что при первом же неожиданном и резком звуке бросится наутек, забыв обо всем на свете. Если он не сделал этого до сих пор, то лишь потому, что икона была нужна ему буквально позарез, а добыть ее теперь было некому, кроме него самого. Кузен Вацлав, несомненно, был убит напавшими на них по дороге сюда бандитами; в противном случае, думал пан Кшиштоф, мальчишка уже давно был бы здесь. Возвращаться, чтобы удостовериться в смерти Вацлава, ему даже не пришло в голову: это было чересчур опасно. Правда, сопляк уже однажды восстал из мертвых, но пан Кшиштоф очень сомневался в том, что это получится у него вторично: лесные разбойники не шутили, и уйти от них можно было либо сразу, как это сделал он сам, либо никогда.

Мысль о том, что он больше никогда не увидит своего кузена, заметно приободрила пана Кшиштофа. Пригибаясь на всякий случай и перебегая между повозками, он приблизился к возку капитана Жюно, из которого по-прежнему торчали босые ступни лежавшего на животе, но при этом все равно ухитрявшегося громко храпеть денщика.

Пан Кшиштоф пошире распахнул ворот мундира

и осторожно, стараясь не шуметь, вынул из ножен саблю. Прошептав короткую молитву святой деве Марии, он схватился свободной рукой за верхнюю дугу навеса, уперся ногой и одним быстрым движением забросил свое мускулистое тело в темные, провонявшие потом и табаком недра возка.

Он сразу же ничком упал на Поля, одной рукой зажал ему рот, а другой приложил к горлу денщика лезвие сабли. Поль замычал, дергаясь и извиваясь под придавившей его тяжестью с такой энергией, словно вовсе не был ранен.

— Тихо, негодяй, — в самое его ухо прошипел пан Кшиштоф. — Тихо, или я перережу тебе глотку!

Денщик сразу же затих и перестал мычать. Его тело обмякло, сдаваясь на милость победителя. Денщик был не самого храброго десятка, и справиться с ним, да еще и раненым, оказалось совсем просто.

— Вот так, — похвалил пан Кшиштоф. — Только попробуй поднять тревогу, и я прорежу тебе еще один рот пониже подбородка, грязная свинья. Я пришел за иконой. За иконой, ты понял?

Денщик снова замычал ему в ладонь.

— Не вздумай шутить со мной, — в последний раз предупредил его пан Кшиштоф и осторожно убрал руку, которой до этого зажимал денщику рот.

Поль с хлюпаньем втянул в себя воздух.

— Пощадите, сударь, — торопливым шепотом забормотал он, — пощадите, умоляю! Я сдаюсь, я сделаю все, что прикажете, только не убивайте беднягу Поля!

— Замолчи, болван, — сказал ему пан Кшиштоф, — и живо подавай мне икону, которую ты украл в усадьбе!

— Но, сударь, мой капитан...

— Икону! — повторил пан Кшиштоф и сильнее прижал лезвие сабли к горлу денщика.

Поль почувствовал, как по коже, щекоча ее, потекла теплая струйка крови, и беззвучно заплакал, стараясь сдерживать рыдания, чтобы не порезаться еще глубже.

— У меня... нет... нет иконы, — с трудом выговорил он то, что было чистой правдой.

— Расскажешь это своему капитану, — тихо прорычал пан Кшиштоф, — завтра, когда иконы у тебя действительно не будет. А пока вот что: я даю тебе на выбор две возможности. Ты можешь отдать мне икону сам и взамен получить от меня отличную верховую лошадь под седлом — у меня как раз завалялась одна лишняя. В противном случае я зарежу тебя, как свинью, найду икону среди этого барахла и уйду, сохранив при этом свою лошадь. Скажи, приятель, какая из этих возможностей тебе больше нравится?

Поль вынужден был признать, что первая из названных паном Кшиштофом возможностей выглядит гораздо привлекательнее второй, хотя и она не является шедевром. В то время, когда он это говорил, до него дошло, что его, быть может, действительно оставят в живых, но лишь при том условии, если он отдаст проклятую икону, которая почему-то вдруг понадобилась всем на свете. Было совершенно очевидно, что, продолжая утверждать, будто иконы нет, он добьется только мучительной смерти, с другой стороны, иконы у него действительно не было, а значит, не было и выхода.

Но выход нашелся: его подсказал изворотливый ум бывшего лавочника. Выход этот был крайне рискованным и в случае неудачи сулил верную смерть. Но точно такую же, притом гораздо более верную, смерть сулило Полю бездействие, и денщик капитана Жюно решил рискнуть. Это была не самая выгодная сделка — обменять тяжелый золотой оклад на кавалерийскую лошадь, — но в придачу к лошади ему была обещана жизнь, а это несколько меняло дело.

— Извольте, сударь, — прошептал он, — протяните вашу руку и возьмите... Здесь, под этим тюком.

Никто не может обвинить старину Поля в жадности; и чего только не сделаешь для такого великодушного и обходительного господина!

— Не вздумай шутить, — с угрозой повторил пан Кшиштоф и, протянув свободную руку, засунул ее под указанный денщиком тюк.

Пальцы его нащупали знакомый парчовый сверток. Под парчой ощущались гладкие выступы и впадины массивного золотого оклада. Несомненно, это была она, та самая икона, за которой столь долго охотился пан Кшиштоф, ежеминутно рискуя собственной жизнью и одну за другой губя чужие. Думать о величии этого момента было недосуг, да и положение, в котором находился Огинский — верхом на жирной туше денщика-француза, — мало подходило для произнесения торжественных речей.

— Благодарю, приятель, — сказал пан Кшиштоф, — теперь ты свободен и можешь спать спокойно. Больше я тебя не потревожу.

С этими словами он полоснул саблей по горлу денщика, разом перерезав его от уха до уха. Поль издал протяжный булькающий хрип, два раза страшно содрогнулся всем телом и замер, обильно заливая кровью тюки со своей и капитанской добычей. Брезгливо морщась, с окровавленными по локоть руками пан Кшиштоф задом выбрался из повозки, прижимая к себе драгоценный парчовый сверток, тоже густо политый кровью денщика. То, что сверток запачкался, поначалу огорчило его, но он тут же подумал, что кровь послужит Мюрату лишним доказательством того, с каким трудом и опасностью для жизни выполнил пан Кшиштоф его поручение.

Убрав саблю в ножны и по-прежнему прижимая к себе сверток, пан Кшиштоф осторожно выбрался на улицу, где стояли его лошади. Одна из них, почуяв его приближение, тихонько заржала, перебирая ногами. Пан Кшиштоф шикнул на нее, и лошадь послушно замолчала, словно понимая важность момента. С огромным облегчением пан Кшиштоф отвязал поводья от столба и вскочил в седло. Его безумная одиссея близилась к концу, он победил и имел полное право гордиться собой.

Он шагом проехал по деревенской улице, превратившейся в спящий военный лагерь, и, завидев впереди мостик через ручей, пустил лошадей в галоп. Часовой на мостике, услыхав топот копыт и заметив приближавшегося всадника, опять взял ружье на руку и заступил дорогу. Разглядев знакомого драгуна, он несколько успокоился, но остался на месте, намереваясь узнать, нашел ли господин офицер капитана Жюно и куда он держит путь в такой неурочный час. Пан Кшиштоф, которому удача придала сил и смелости, не тратя времени на разговоры, взмахнул саблей и срубил часового в точности так, как казаки, упражняясь в искусстве владения саблей, рубят на всем скаку лозу.

Заводная лошадь сшибла часового грудью. Выронив ружье, он отлетел к перилам моста, ударился о них спиной и упал на дощатый настил. Из его разрубленной ключицы хлестала кровь, но он был жив и даже не потерял сознания. Солдат попытался крикнуть, но голос не слушался его, и вместо крика получился хриплый жалобный стон. Тогда часовой дотянулся до лежавшего поодаль ружья и спустил курок.

Выстрел переполошил всю деревню, но было поздно: нарушитель спокойствия уже скрылся. Истекающего кровью часового обнаружили и расспросили. Тот сумел довольно связно передать, что его ранил драгунский офицер, искавший квартиру капитана Жюно. Дежурный офицер, производивший этот допрос, пожал плечами, решив, что часовой либо спит, либо бредит, но все-таки послал вестового за капитаном.

Тем временем пан Кшиштоф скакал по лесной дороге, с каждым ударом лошадиных копыт удаляясь от деревни. Дорога смутно белела впереди него в глухом предутреннем полумраке, из леса длинными косматими прядями начинал выползать туман. Где-то в чаще жутким замогильным голосом крикнула, возвращаясь с охоты, ночная птица; впереди через дорогу быстро и бесшумно перебежала какая-то приземистая тень. Лошадь испуганно шарахнулась от нее в сторону, но пан Кшиштоф лишь раздраженно хлестнул ее перчаткой между ушей и ударил шпорами. Он так ликовал, что напрочь забыл о страхе.

Усталая лошадь незаметно перешла на неторопливую тряскую рысь, а потом и вовсе пошла шагом, не обращая внимания на понукания пана Кшиштофа. Ее бока лоснились от пота, на удилах выступила пена. Пан Кшиштоф и сам едва держался в седле, ощущая ломоту во всем теле. Владевшее им лихорадочное возбуждение понемногу проходило, глаза начинали слипаться, словно веки были налиты свинцом. Пан Кшиштоф понял, что необходимо дать отдых и себе, и лошадям. Теперь, когда он остался один, можно было не торопиться. За несколько часов Мюрат никуда не денется, да и передвигаться теперь, когда письмо неаполитанского короля безвозвратно утеряно, все-таки было безопаснее по ночам.

Уже начинало светать, когда пан Кшиштоф отыскал укромное местечко в лесной чащобе и спешился. Все его тело одеревенело от многочасовой скачки, голова гудела и кружилась от усталости. Привязав лошадей так, чтобы им было удобно пастись, но не сняв с них седел, Огинский со вздохом облегчения опустился на траву и прислонился спиной к стволу огромной, в полтора обхвата, сосны. Испачканный подсохшей кровью парчовый сверток лежал рядом с ним на земле. Золотая ткань сбилась, обнажив уголок оклада. Пан Кшиштоф решил завернуть икону поплотнее, а заодно и полюбоваться своей добычей. Он размотал парчу и в сереньком свете наступающего утра вгляделся в драгоценный трофей.

Он замер, не в силах поверить собственным глазам, и сидел так не меньше минуты. Потом черты его лица исказились, и из его груди вырвался протяжный вопль, более всего напоминавший стенания грешной души в аду. В этом ужасном крике не было ничего человеческого, и один из бородатых оборванцев, как раз в это время устраивавшихся на дневку на дне лесного оврага приблизительно в полуверсте от пана Кшиштофа, услышав этот потусторонний звук, вздрогнул и испуганно перекрестился.

— Вурдалака, — пробормотал он, — как бог свят, вурдалака!

Васька Смоляк, который в это время точил топор, повернул к нему свое изуродованное лицо и презрительно ухмыльнулся, показав редкие кривые зубы.

— И что ты за мужик? — сказал он. — Баба в портках, а не мужик. Вурдалака... Зверь это, понял?

Его собеседник втянул голову в плечи и поспешно кивнул. Он не знал ни одного зверя, который мог бы издать такой вопль, но спорить со Смоляком не стал, потому что Васька, по его мнению, был страшнее десятка вурдалаков.

* * *

Княжна Мария, получив икону, решила не откладывать свой отъезд на завтра. Конечно, проще и безопаснее было бы добраться с уланами капитана Жюно до самой передовой линии, которая, как понимала княжна, уже опасно приблизилась к Москве. Однако, видеть далее капитана и своего воздыхателя лейтенанта Дюпре она просто не могла: общество господ офицеров вызывало у нее физическую тошноту. Кроме того, княжна не без оснований опасалась, что у нее могут снова отобрать икону.

Икона святого Георгия была доставлена к ней без оклада. Причина этого была ясна: французы польстились на золото. Кто именно из них совершил это святотатство, княжне было безразлично: все они представлялись ей шайкой воров и душегубов, чья галантность была призвана маскировать их настоящие лица. Оставаться далее в этой компании княжна не хотела, и никакие доводы разума не могли убедить ее в обратном.

Сборы были недолгими: княжна завернула икону в накидку и села на лавку, которая заменяла ей постель, дожидаясь наступления тишины. Гулявшие в горнице офицеры долго не могли угомониться. Краем уха прислушиваясь к звукам их веселья, княжна пыталась обдумать свой дальнейший путь и предугадать все неожиданные опасности, которые могли подстерегать ее впереди. Опасностей этих было великое множество, но пока что главным неудобством княжне представлялась необходимость ехать в платье на мужском кавалерийском седле. Этот способ езды был ей хорошо знаком и казался намного более удобным, нежели дамская посадка боком; но прежде, вздумав прокатиться по-мужски, она всегда надевала подогнанный по ее фигуре мужской охотничий костюм, дававший ей необходимую свободу. Теперь такой возможности не было, строго говоря, пока что у нее не было даже коня, которого еще предстояло достать.

Княжна грустно улыбнулась, поймав себя на этих мыслях. «До чего же сильны условности, — подумала она, оправляя на коленях платье. — Речь идет о жизни и смерти, а меня заботят приличия, и я даже себе самой говорю, что коня надобно достать, тогда как на самом деле мне предстоит его попросту украсть. Ну, не смешно ли?»

Она прислушалась к своим ощущениям и вздохнула: смешно ей почему-то не было, а было, напротив, одиноко и страшно.

Сальная свеча на столе горела, потрескивая и время от времени стреляя искрами. Шум офицерской попойки постепенно затих, и на смену ему пришла тишина, нарушаемая только треском свечки, песенкой сверчка да изредка доносившимся откуда-нибудь храпом усталых людей. Потом свеча погасла. Другой свечи у княжны не было, и она осталась сидеть на лавке в полной темноте, решив подождать еще час-другой, чтобы все в лагере уснули наверняка.

Через какое-то время глаза княжны привыкли к темноте, и она стала различать очертания предметов. Ей показалось, что по полу шмыгает какая-то быстрая тень, но прошло еще минут десять, пока княжна сообразила, что видит обыкновенную мышь. С трудом подавив острое желание завизжать на всю деревню, она проворно подобрала под себя ноги. В придачу ко всем ее бедам ей не хватало только мыши. Судьба рискованного предприятия оказалась под угрозой из-за мелкого грызуна, и, сколько ни уговаривала себя Мария Андреевна, твердя, что мыши совершенно не опасны, она никак не могла заставить себя спустить ноги с лавки.

Наконец она набралась решимости и осторожно коснулась ступнями пола. Мыши нигде не было видно — вероятно, она удалилась по каким-то своим мышиным делам. Все кругом спали, и княжна поняла, что лучшего времени для побега у нее может просто не быть. Она решительно поднялась, перекрестилась и взяла в руки узелок с иконой.

В это время где-то недалеко, как показалось княжне, на околице деревни, грохнул одинокий выстрел. Лагерь французов проснулся — не вдруг, но все-таки очень быстро. Со всех сторон послышались удивленные и встревоженные голоса, повсюду начали загораться огни. Кто-то прокричал команду, залязгало разбираемое оружие, и прямо под окнами комнаты, где ночевала княжна, наметом проскакал какой-то всадник.

В доме тоже суетились. Совсем недавно заснувшие офицеры, протяжно зевая и ругаясь сонными голосами, застегивали мундиры, навешивали на себя сабли и на всякий случай проверяли кремни в пистолетах. С крыльца доносился властный голос капитана, отдававшего распоряжения. Снова простучали лошадиные копыта, и кто-то подбежал к капитану с докладом. Княжне удалось разобрать, что речь шла о каком-то драгуне, якобы искавшем капитана Жюно. Все это мало походило на начало боевых действий: больше никто не стрелял, и суета в деревне понемногу начала утихать. Но во дворе дома, где квартировал капитан Жюно, суета, напротив, усиливалась с каждой минутой. По дощатому полу в сенях стучали торопливые сапоги, звенели шпоры, в дом вбегали и выбегали озабоченные хмурые люди. Не в силах справиться с тревожным любопытством, княжна оставила икону на лавке и вышла в сени. Было совершенно очевидно, что побег ее сорвался и что виною тому стали какие-то чрезвычайные обстоятельства. Мария Андреевна с замиранием сердца подумала об Огинских, но тут же прогнала эту нелепую мысль: кузены просто не могли так скоро догнать пешком двигавшийся на рысях кавалерийский полк.

На крыльце она лицом к лицу столкнулась с капитаном Жюно. Усатое лицо старого вояки выражало угрюмую озабоченность.

— А, сударыня, — сказал он, увидев княжну. — Вы не спите? Это очень кстати. Мне кажется, нам необходимо кое-что обсудить. Сожалею, что не сделал этого еще утром. Каюсь, с моей стороны это была непростительная слабость — решить, что надоедать вам расспросами в вашем положении будет слишком неучтиво.

— А теперь ваше мнение переменилось? — надменно спросила княжна, не понимая еще, в чем дело, но по тону капитана догадываясь о приближении неприятностей.

— Увы, — ответил Жюно. — Вокруг меня творится какая-то странная путаница, и мне начинает казаться, что вам известно об этом гораздо более моего.

— Я не понимаю ваших намеков, сударь, — холодно сказала княжна. — Я хочу спать. С вашего позволения я отправлюсь в свою комнату, чтобы постараться как следует отдохнуть перед завтрашним днем.

Капитан учтиво, но весьма решительно загородил собою дверь.

— Виноват, принцесса, — сказал он, — но спать вы пойдете тогда, когда я сочту это возможным. Я понимаю, что мои манеры в данный момент оставляют желать много лучшего, но и вы должны меня понять: идет война, и прежде всего я должен думать о долге, и только потом — о манерах.

— Не далее как вчера вы утверждали, что не воюете с женщинами, — сказала княжна. — Ваши воззрения слишком быстро меняются, капитан.

Капитан Жюно наклонил голову, явно пытаясь совладать с раздражением.

— Принцесса, — наконец произнес он подозрительно ровным голосом, — сейчас вы моя гостья, н знайте: всего один шаг отделяет вас от того, чтобы сделаться пленницей. Умоляю вас, не делайте этого шага! Вы что-то знаете, ну, что вам стоит сказать мне? Скажите, что означает вся эта кровавая чепуха, и останемся друзьями!

— Простите, капитан, — ответила княжна Мария, — но я действительно не понимаю, о чем вы говорите. Вам отлично известно, что сразу же после ужина я отправилась в свою комнату и не выходила оттуда. Так что же вы хотите от меня узнать? Поверьте, это не я стреляла на околице!

— Стрелял наш часовой, — нехотя проворчал капитан. — Бедняга, он не жилец. Его зарубили саблей, как и... Впрочем, принцесса, это долгий разговор. Не угодно ли вам пройти в дом и ответить на некоторые мои вопросы?

— Вы говорите со мной как с гостьей или как с пленницей? — спросила княжна. — Впрочем, это все равно. Я понимаю так, что выбора у меня нет — ни как у гостьи, ни как у пленницы.

— Я не стал бы выражаться так прямо, — несколько смягчаясь, ответил капитан, — но в целом это верно. На войне как на войне, сударыня.

Войдя в горницу, капитан крикнул, чтобы принесли еще свечей, и, усадив княжну, уселся сам, широко расставив ноги и упершись ладонями в колени. Принесли свет. Капитан жестом удалил вестового и стал, собираясь с мыслями, набивать трубку. Княжна, облокотясь на стол, спокойно наблюдала за ним. Капитан исподлобья посмотрел на нее, но, встретившись с безмятежным взглядом Марии Андреевны, торопливо и смущенно потупился. Он действительно испытывал неловкость, будучи поставленным перед необходимостью допрашивать женщину, и не просто женщину, а принцессу; но ось происходивших вокруг странных событий действительно располагалась где-то совсем рядом с нею, и не видеть этого мог только слепой.

— Сударыня, — сказал он наконец решительно, отложив в сторону так и не закуренную трубку, — прошу вас, выслушайте меня. Поверьте, я не питаю к вам никаких враждебных чувств и всей душой стремлюсь помочь вам поскорее очутиться в привычной и достойной вас обстановке. Но странные события, происходящие в последние трое суток, неизменно оказываются каким-то таинственным образом связаны с вами. Человек, которого вы представили мне как своего кузена, участвовал во вчерашнем ночном нападении на моего беднягу денщика. Я не понимаю, чем старина Поль мог до такой степени не угодить вашему... гм... родственнику, что тот пытался заколоть его, рискуя собственной жизнью. Этот человек был арестован, но той же ночью, убив часового, бежал вместе со своим сообщником. Непонятно, как им удалось выбраться из подвала. Остается только предположить существование еще одного сообщника, которым, кстати, могли оказаться либо вы, либо ваш слуга. Оставьте, оставьте, — замахал он рукой, видя, что княжна собирается возразить, — пустое! В конце

267

концов, если этот поляк действительно ваш кузен, то желание спасти его жизнь делает вам честь. Я даже готов закрыть глаза на то, что при этом был убит один из моих солдат. Но зачем ему понадобился мой денщик? Причем, прошу заметить, понадобился настолько, что нынешней ночью он повторил свою попытку и на сей раз добился полного успеха. Бедняга Поль лежит в моей повозке с перерезанной глоткой, часовой зарублен... Сам собой возникает вопрос: кто он такой, этот ваш кузен, и чем ему помешал мой денщик?

— Боже мой, — прошептала княжна, — боже мой, как глупо!

Все действительно получилось до крайности глупо: кузены убили двоих французов и едва успели унести ноги, охотясь за иконой, которая в это время уже была у нее. Если бы княжна не испугалась мыши и вышла из дома немного раньше, она бы почти наверняка встретилась с Огинскими и теперь была бы уже далеко.

Тут она заметила, что капитан Жюно, подавшись вперед, разглядывает ее с нескрываемым интересом, и взяла себя в руки.

— Как это глупо! — воскликнула она снова. — Право же, я, как и вы, ничего не понимаю. Нет, в самом деле! Сознаюсь, я вам солгала. Человек, которого я представила как своего кузена, на самом деле мне вовсе не родственник. Мы с ним едва знакомы по Петербургу. Он действительно поляк и до недавнего времени служил в русской армии. Отстав от своей части, он добрался до нашего дома и попросил у меня убежища. Кстати, мне сразу показалось, что вы не поверили в эту историю с кузеном.

— Не поверил, — согласился капитан. — Но мы воюем только с теми, кто выходит против нас с оружием в руках. Дворянин обязан служить, но как только он бросает оружие, он перестает быть нашим врагом. Ваш мнимый кузен, однако же, оказался довольно двуличным типом. Я бы даже сказал, что он склонен к нанесению ударов в спину, если бы не боялся оскорбить вас этим.

Сказав так, он снова внимательно уставился на княжну, явно интересуясь эффектом, который произвели его слова.

Княжна пожала плечами и равнодушно ответила:

— Этот человек мне действительно безразличен. Я сделала для него все, что могла, только из христианского сострадания. Цели же его и методы, коими он их добивается, мне не известны и не вызывают во мне интереса. Война — не мое дело, капитан.

Она с удивлением обнаружила, что лгать, глядя прямо в глаза человеку, очень легко при условии, что человек этот — твой враг. Слова лились с ее губ легко и плавно, голос ничуть не дрожал, и весь вид княжны выражал одно только презрительное терпение и желание поскорее быть оставленной в покое и отправиться в постель.

Капитан внимательно вгляделся в ее лицо, досадливо крякнул и сильно потянул себя за ус.

— Да полно, принцесса, — воскликнул он, — правду ли вы говорите? Вы произвели на меня самое приятное впечатление, и мне не хотелось бы в вас разочароваться.

— Помилуйте, сударь, — холодно ответила княжна, — вы, кажется, изволите меня в чем-то подозревать? Осмелюсь вам напомнить, что менее суток назад я лишилась человека, заменившего мне отца, которого я не помню. Поверьте, если я веду себя так, как я себя веду, то лишь потому, что считаю для себя унизительным демонстрировать слабость перед вами и вашими солдатами, которые закопали князя, русского генерала, героя многих войн и моего деда, наконец, в саду, как... как...

Ее голос дрогнул от ненависти, но капитан Жюно принял эту дрожь за признак готовых вырваться на волю слез. Он заколебался, ощущая сильнейшую неловкость и острое желание махнуть рукой на всю эту нелепую историю: война есть война, здесь случается и не такое. Зачем он, в самом деле, мучает несчастную девочку? Ей и без того не позавидуешь...

Капитан встал и почтительно поклонился княжне.

— Сударыня, — сказал он, — позвольте принести вам свои извинения за этот допрос. Вы должны понять, что я руководствовался исключительно интересами императорской службы, в остальном же я остаюсь вашим покорным и преданным слугой. Сейчас вы можете отдыхать. Единственное, о чем я хотел бы вас покорнейше просить, это не покидать отведенного вам помещения без моего ведома вплоть до нашего прибытия в Москву.

— А вы не боитесь, что в таком случае мое заточение затянется навеки? — не удержавшись, уколола его княжна. — По-моему, вы рано начинаете делить шкуру неубитого медведя.

— Этот русский медведь находится при последнем издыхании, — подавляя зевок, махнул рукой капитан. — Еще одно сражение, и ваш император запросит мира. Вам осталось терпеть совсем недолго, принцесса.

— Этот медведь, — сказала княжна, — не раз удивлял охотников, которые, как и вы, считали его своей добычей. Будьте осторожны, капитан, иначе ваше удивление будет совсем коротким.

— Ах, увольте, принцесса! — воскликнул капитан, заметно раздражаясь, но все еще довольно учтиво. — Я обожаю беседовать с женщинами, но когда они начинают рассуждать о политике, меня берет смертная тоска. Может быть, это звучит неучтиво, но это правда. Гений Наполеона непобедим, и это все, что я могу ответить вам на ваши слова о русском медведе. Прошу вас, ступайте в свою комнату. Мы выступаем на рассвете, а вам, по вашим собственным словам, необходимо отдохнуть. Да, и не удивляйтесь, увидев возле своей двери часового. Я делаю это для вашей же безопасности.

— Так я пленница?

Капитан Жюно в ответ лишь пожал плечами и отвернулся к темному окну, за которым, еще невидимый отсюда, уже потихоньку занимался ранний летний рассвет.

Глава 14

Вацлав Огинский вовремя почувствовал, что его лошадь падает, и успел соскочить с седла, не дав ей придавить себя.

Лошадь была еще жива, но, несомненно, умирала. Она смотрела на Вацлава взглядом, полным молчаливого упрека и тихого удивления, словно пыталась и никак не могла понять, что такое с ней сделали и, главное, за что. Вацлав поспешно отвернулся, чтобы не видеть этого взгляда, и, прихрамывая, зашагал по дороге, тонувшей в сгущавшихся сумерках. Первое время он еще оглядывался, опасаясь погони, но потом убедился, что его никто не преследует, и пошел ровнее.

За каждым поворотом дороги ему мерещился кузен, который поджидал его, держа в поводу запасную лошадь. В шуме собственного дыхания и мерном звуке ударявшихся о дорогу подошв ему слышался лошадиный топот и оклики вернувшегося за ним Кшиштофа. Обнаружив, пусть и не сразу, его исчезновение, кузен просто не мог не вернуться. Но поворот сменялся поворотом, очередная верста заканчивалась и начиналась новая, чтобы тоже в свой черед закончиться, а Кшиштоф все не появлялся.

Постепенно владевшее Вацлавом удивление сменилось тревогой. Поведение кузена казалось ему необъяснимым: ему и в голову не могло прийти, что его попросту бросили на произвол судьбы. Сотни опасностей, которым мог подвергнуться ускакавший вперед Кшиштоф, представлялись ему. Продолжая неустанно шагать вперед по пыльной дороге, Вацлав внимательно вглядывался в черневшие по обочинам кусты, опасаясь увидеть торчащие из них знакомые сапоги. Кшиштоф был убит либо взят в плен, иначе куда ему было подеваться?

Верста за верстой оставались позади. Наступила ночь, сделалось немного прохладнее. Вацлав давно бросил хвостатую драгунскую каску в какие-то кусты и шел, с удовольствием подставляя вспотевший лоб легчайшему ветерку. Ноги его гудели от усталости, глаза закрывались сами собой, но он упорно шагал вперед, не давая себе времени на отдых. Он все еще ухитрялся держать ровный, не слишком спорый, но и не медленный, размеренный солдатский шаг, каким движется обыкновенно на дальних переходах отборная гвардейская пехота. Звякавшие при каждом шаге шпоры мешали ему, он отцепил их и бросил на дорогу. После этого ему показалось, что идти стало легче, и он даже немного прибавил шагу.

Постепенно все его тревоги покинули его, вытесненные одной, самой главной заботой: продолжать идти. Вацлаву, не спавшему вторую ночь кряду и все эти дни почти не знавшему отдыха, приходилось сознательным усилием заставлять себя поочередно переставлять ноги. Он знал, что, если не настигнет улан на ночлеге, то за следующий день они уйдут много дальше — так далеко, что их будет уже не догнать. Что он станет делать, добравшись до лагеря Жюно в таком плачевном состоянии, Вацлав не представлял. Он знал лишь, что должен идти, и идти быстро.

Некоторое время рядом с ним, держась все время в лесу и потрескивая там сухими ветками, бежал какой-то зверь — не то волк, не то одичавшая собака. Вацлав закричал на зверя страшным, хриплым голосом, удивившим и напугавшим его самого, и зверь, еще немного похрустев хворостом, отстал.

Спустя три или четыре часа он все еще шел, хотя

походка его утратила твердость и сделалась неверной и петляющей. Он периодически засыпал на ходу, просыпаясь только, когда спотыкался или сослепу забредал в кусты. В такие моменты Вацлав смутно осознавал все безумие своей затеи, но все-таки продолжал идти, хотя более всего на свете ему хотелось улечься прямо в дорожную пыль и уснуть.

Он очнулся в очередной раз, налетев грудью на что-то твердое и острое. «Сук», — сквозь дремоту подумал Вацлав и открыл глаза, ожидая увидеть перед собой дерево.

Вместо дерева перед ним возвышалась какая-то громоздкая темная масса, в которой Вацлав, проморгавшись, узнал лошадь с всадником. Всадник молча сидел в седле, упираясь в грудь Вацлава острием длинной кавалерийской пики. В темноте было тяжело разобрать, во что он одет и к какой из двух воюющих армий принадлежит.

Лошадь под конником всхрапнула и нетерпеливо перебрала ногами.

— Ну, что, болезный, — по-русски сказал всадник, — проснулся, али еще спишь?

— Кончай его, Нехода, — сказал, появляясь из темноты, второй всадник. — На что он тебе сдался, этот лягушатник? Не видишь разве, что отсталый? Их благородие таких брать не велели.

— Их благородие никаких брать не велели, — проворчал первый верховой, начиная отводить пику назад для удара. — Чисто упырь, не насосется никак.

— Не велико у нас войско, чтобы пленных за собой таскать, — проворчал второй всадник.

— Так-то оно так, — неохотно согласился первый, — да только не по-христиански это — пленных насмерть убивать.

Вацлав, наконец, окончательно пришел в себя и понял, что его вот-вот заколют пикой, причем не французы, а свои, русские. Он ухватился за древко пики и отвел его в сторону.

— Но, балуй! — совершенно как на лошадь прикрикнул на него верховой, которого его товарищ назвал Неходой.

— Погодите, я свой! — крикнул Вацлав.

— Какой такой свой? А ну, дай огня!

Один из всадников принялся со стуком вырубать огонь. Наконец в его руках голубоватым пламенем вспыхнул трут, осветив бороду лопатой, толстые усы, казачью шапку и русский казачий мундир.

— Какой же ты свой, — с неуместной укоризной, как нашалившему ребенку, сказал, всмотревшись в него, Нехода, — когда на тебе мундир французский! Гляди ты, — обратился он к своему товарищу, который с неодобрением разглядывал пленника, — лягушатник, а как по-нашему балакать наловчился! Может, возьмем все-таки?

— Их благородие недовольны будут, — с сомнением отвечал казак.

— Братцы, — вмешался в их беседу Вацлав, — да вы что! Я свой, N-ского гусарского полка корнет Огинский! Я от полка отстал, ранен был! Вот, видите? — и он показал казакам забинтованную голову.

— N-ского полка, говоришь? — с каким-то удивлением переспросил Нехода. — Вот ведь закавыка! Так возьмем, что ль? — снова обратился он ко второму казаку. — А ну, как и правда свой? Неохота грех-то на душу брать. Пущай их благородие сами разбираются.

— И то верно, — согласился второй казак. — Ну, свой, — сказал он Вацлаву, — полезай ко мне сзади. Только саблюку отдай и пистоль, ежели есть. А то кто тебя знает, — туманно добавил он.

Вацлав безропотно сдал оружие и с некоторым трудом взгромоздился на круп казачьей лошади. Обхватив казака руками, он обессиленно привалился к его широкой, пахнущей пылью и конским потом, обтянутой синим сукном спине и закрыл глаза. Лошадь пошла ровным шагом. Судя по шороху и треску ветвей, казаки ехали лесом, ориентируясь в нем так свободно, как будто дело происходило днем. Лишь изредка они беззлобно ругались, когда какая-нибудь ветка хлестала одного из них по лицу.

— Мальчонка совсем, — говорили они о Вацлаве так, словно его здесь вовсе не было, — а туда же — воевать. Ишь, притомился...

Вскоре они спустились в неглубокий, но просторный, густо заросший по краям кустами и деревьями овраг, по дну которого, тихо журча, струился невидимый в предутреннем полумраке ручеек. От ручья поднимался серый туман, сквозь который таинственно и расплывчато мерцали угли догоравшего костра. Из кустов их негромко окликнули, и Нехода назвал пароль: «Кремень». Возле костра, сонно почесываясь, бродила какая-то фигура с ведром. Где-то рядом постукивали копытами и фыркали невидимые лошади, и Вацлав заметил в беспорядке разбросанные среди кустов сплетенные из веток убогие шалаши. Потом в глаза ему бросились составленные в пирамиду ружья, возле которых, надвинув до бровей кивер и зябко ежась от утреннего холодка, прохаживался еще один часовой в гусарском ментике. Не нужно было иметь семь пядей во лбу, чтобы догадаться, что это какой-то воинский отряд, но что это за отряд и, главное, каким образом он оказался в глубоком тылу французской армии, понять было решительно невозможно.

Казаки спешились и помогли Вацлаву спуститься на землю. Ноги у него сами собой подогнулись, и он сел, мысленно проклиная свою слабость.

— Притомился, — со сдержанным сочувствием повторил Нехода.

Его товарищ о чем-то тихо переговорил с часовым-гусаром и, согнувшись, нырнул в ближайший шалаш. Оттуда послышался осторожный шум, какой бывает, когда кого-нибудь осторожно трясут за плечо, пытаясь разбудить.

— Ваше благородие, — монотонно повторял в ша-

лаше казак, — ваше благородие, извольте проснуться...
Ваше благородие...

— Ну, что, что такое? — ответил ему недовольный
и, как показалось Вацлаву, смутно знакомый голос. —
Чего тебе, Воробей?

— Француза привели, ваше благородие, — сказал казак.

— Ну, так отведите в сторонку и шлепните, чего
же меня-то будить? Я ведь, кажется, ясно сказал:
не брать.

— Виноват, ваше благородие, а только он по-нашему лопочет и говорит, что N-ского гусарского полка
офицер. Мундирчик-то на нем французский, а там ле-
ший его знает...

— Какого полка?! N-ского? Ну-ка, ну-ка, подавай
его сюда, поглядим, что это за птица!

В шалаше затеплился оранжевый огонь свечи.
Казак по прозвищу Воробей, все так же, согнувшись,
выбрался из шалаша и махнул рукой Вацлаву.

— Заходи.

Вацлав пригнулся и нырнул в шалаш.

— Садитесь, — сказал ему насмешливый голос.

Он присел на кучу веток, лежавшую у стены,
поднял голову и остолбенел: перед ним на земляной
кушетке, привстав на локте и подперев взлохмачен-
ную со сна голову ладонью, полулежал Синцов.

— Ну-с, господин хороший, — продолжая говорить в том же насмешливом тоне, сказал Синцов, —
так какого, вы говорите...

Он осекся на полуслове и застыл с разинутым ртом,
разглядев, наконец, своего собеседника, которого считал несомненно мертвым.

— Ба, — сказал он наконец, — вот это важно!
Что же это, белая горячка у меня, или трубы Страшного Суда вострубили, а я проспал? Огинский, да ты
ли это?

— Я, — сдержанно ответил Вацлав.

Он не вполне понимал, как себя вести. С одной

стороны, встретить своих и быть без лишних проволочек и разбирательств узнанным и признанным за своего было, несомненно, хорошо и даже превосходно. С другой стороны, Вацлав не забыл о дуэли и о своих натянутых отношениях с Синцовым. Сам он готов был с радостью забыть обо всех разногласиях, но вот как посмотрит на это поручик?

— Выходит, я таки дал маху, — сказал Синцов и сел на земляном уступчике, служившем ему кроватью. — Как же это меня угораздило? Однако рад, искренне рад. Ты, корнет, храбр, а это теперь для России главное. Кто храбр да честен, тот мне и друг, и брат, а кто старое помянет, тому глаз вон. Так?

— В точности так, — с улыбкой согласился Вацлав и подался вперед, протягивая руку.

Синцов тоже привстал, намереваясь, казалось, ответить на рукопожатие, но вдруг задержал протянутую руку на полпути и снова сел.

— А раз так, — сказал он совершенно другим тоном, нехорошо сощурив глаза, — то изволь, как честный человек и мой друг, объяснить мне, какого дьявола на тебе этот мундир? Я слышал, у Наполеона под началом несколько польских корпусов. Так, может, и ты к своим подался?

— Брось, Синцов, — примирительно сказал Вацлав, — ты же знаешь, что это неправда и прямое оскорбление. Неужели ты снова хочешь ссориться?

— Ссориться? — переспросил Синцов. — Нет, брат, ссориться мне сейчас недосуг. Дуэли, перчатки, задетая честь... уволь, не до того! Коли я не прав, так буду прощения просить, хоть бы и на коленях, а коли прав, не обессудь — велю отвести в сторонку и вздернуть на осине, как пса... Эй, Воробей! — крикнул он вдруг. — Вина и мяса господину офицеру! Перекуси пока, — продолжал он, обращаясь к Вацлаву, — а за едой попробуй объяснить мне, как это вышло, что ты не только жив, но и щеголяешь в мундире драгунского офицера.

Вацлав покачал головой.

— Ах, Синцов... Объяснить это совсем не сложно, но сначала мне надобно знать, кому я это объясняю. Что ты делаешь в этом овраге, зачем ты здесь? В моей истории есть вещи, имеющие касательство не только до меня, но и до всего хода войны.

Синцов рассмеялся и звучно хлопнул себя по колену.

— Однако! — воскликнул он. — Кабы мы не были с тобой знакомы, я бы сейчас точно приказал тебя расстрелять. Каков нахал! Но изволь, я объясню. Командир наш, Василий Андреевич Белов, волею господа скончался от ран в тот же день, как мы выступили из усадьбы Вязмитиновых. Доблестное наше российское войско драпает с такою скоростью, что догнать его стоит немалых трудов. Не далее как вчера высланный мною разъезд наткнулся на французов, и не в тылу, а впереди нас. Мы отрезаны, Огинский, и в теперешнем нашем положении мне видятся три пути. Первый — это пробираться лесами к своим, избегая встреч с неприятелем, красться по ночам — короче говоря, снова драпать. Второй — сдаваться к чертовой матери вместе с полковым знаменем и до конца войны бить вшей и жрать брюкву в плену. Я, как самый старший здесь офицер, принял команду и решил пойти третьим путем, то есть остаться в тылу и бить неприятеля из засады, уничтожать обозы с провиантом и снарядами, не давать покоя, пускать кровь — словом, вести партизанскую войну. Посему, ежели окажется, что ты, брат, перебежчик и шпион, не обессудь — повешу, дабы не тратить на тебя патрон.

— А казаки? — зачем-то спросил Вацлав.

— Что — казаки? Казаки прибились. Такие же отсталые от своих, как и мы с тобой. Ты не отвлекайся. Я ответил на твой вопрос, а ныне твой черед.

В это время в шалаш, деликатно кашлянув, просунулся Воробей, неся перед собой блюдо с холодной бараниной и бутылку французского вина. Вацлав невольно проглотил набежавшую слюну. Заметив это, Синцов засмеялся и, жестом отпустив казака, придвинул блюдо к Вацлаву. Огинский с жадностью набросился на еду, не забывая и про вино. За едой, как того и хотел Синцов, он рассказал поручику о своих приключениях, начиная с того момента, когда он очнулся на лужайке у пруда в одном белье, со всех сторон окруженный убитыми, сам едва живой и не понимающий, что с ним произошло.

Слушая его, Синцов хмурился и все подливал ему вина. Первая часть рассказа Огинского не вызывала у него никаких сомнений и была ему даже более ясна, чем самому рассказчику. Вообще, поручик хорошо понимал, что Огинский говорит чистую правду и что у него даже в мыслях не было переходить на сторону неприятеля: он явно был слеплен из совсем другого теста, чем его кузен. Неприветливость Синцова и высказанные им подозрения были вызваны совсем иными причинами, а именно его собственной неблаговидной ролью в описываемых событиях. Поручик считал всю эту историю похоронсппной вместе с убитым на дуэли корнетом; теперь оказалось, что это далеко не так, и он мучился сомнениями, не зная, как поступить. Искренность Огинского не подлежала сомнению, его храбрость вызывала невольное уважение, и если бы не позорная история с тысячей золотых, Синцов без колебаний обнял бы юного храбреца.

Услышав о появлении в усадьбе пана Кшиштофа, Синцов насторожился. Он знал, что старший Огинский негодяй и трус, и не мог понять, что заставило этого человека рисковать своей шкурой. С этого момента он слушал Вацлава, не перебивая, и даже забыл подливать ему вина.

— Ты видишь теперь, — закончив свой рассказ, сказал Вацлав, — что дело важное. Не стану говорить, что от этого зависит судьба России; но все-таки зависит многое, и ты не можешь этого не понимать. Я несказанно рад встретить тебя. То, что я намеревался сделать в одиночку, будет много легче осуществить с нашими гусарами. Скажи теперь, что ты решил. Если ты согласен помочь, я твой должник до гроба, если нет, позволь мне идти дальше и сделать все самому или погибнуть, как погиб мой кузен.

При упоминании о кузене Синцов поморщился: он очень сомневался в том, что пан Кшиштоф погиб или был хотя бы оцарапан. Хитрый поляк наверняка бросил мальчишку на произвол судьбы, предоставив лесным разбойникам довершить то, в чем потерпел неудачу Синцов. Поручик мысленно проклинал ту минуту, когда встретился с паном Кшиштофом и дал впутать себя в грязную историю. Фантастический рассказ корнета был, несомненно, правдив. Если бы Огинский лгал, он наверняка сочинил бы что-нибудь более простое и убедительное.

К тому же, существовала еще икона. Синцову были известны слухи о том, что чудотворную икону святого Георгия собирались доставить к войскам для торжественного молебствия, знал он и то, что икона так и не была доставлена. То обстоятельство, что вокруг иконы все время почему-то вертелся Кшиштоф Огинский, насторожило поручика. Хотя его знакомство с кузеном корнета было совсем кратким, он успел узнать хитрого поляка достаточно, чтобы не верить в его благородные побуждения. Рискуя своей шкурой, пан Кшиштоф явно преследовал какие-то собственные интересы, не имевшие ничего общего с тем, о чем он говорил своему легковерному кузену. Синцов, как и всякий, кто в минуту слабости совершил подлый поступок, был поставлен перед трудным выбором: либо продолжать двигаться по линии наименьшего сопротивления, переходя от малых подлостей к большим, либо попытаться исправить то, что уже было совершено.

Выбор и в самом деле был труден. Продолжать действовать на стороне пана Кшиштофа означало, как смутно начинал догадываться Синцов, в конечном итоге перейти на службу к французам. Это была та последняя черта подлости, которую гусарский поручик Синцов не согласился бы перейти ни за какие деньги. Он понимал уже, как далеко завели его денежные затруднения и глупая, ничем не оправданная неприязнь к молодому Огинскому, и был бы несказанно рад сделать так, чтобы его сговора с паном Кшиштофом не было вовсе. Но вернуть прошлое не представлялось возможным, его можно было только надежно похоронить — разумеется, вместе с паном Кшиштофом.

— О-ох-х, Огинский, — не сдержавшись, тяжко вздохнул он, — провалиться бы тебе вместе с твоим кузеном! Сколько от вас хлопот... Так ты говоришь, уланы?

— Шестой полк улан, — подтвердил Вацлав, пропустив мимо ушей пожелание поручика. — Так ты готов помочь?

— Ах, чтоб тебя! Я хотел бы помочь, но понимаешь ли ты, о чем толкуешь? У меня неполных четыре десятка сабель, а ты говоришь о нападении на полк улан! Как ты себе это представляешь?

— Ваше благородие, — послышался вдруг от двери почтительно приглушенный бас, — ваше благородие, дозвольте слово молвить!

Гусары повернули головы в сторону входа и увидели обрамленную пожухлыми листьями бородатую физиономию Воробья. Казак стоял в неловкой позе, согнувшись в три погибели в низком дверном проеме, и комкал в огромных коричневых ручищах свою шапку. Его широкое лицо имело виноватое и просительное выражение, но черные, как угольки, глаза хитро посверкивали из-под остриженных скобкой волос.

— Ну вот, — обращаясь к Огинскому, недовольно проворчал Синцов, — изволишь видеть — дисциплинка! Мало того, что он без спросу лезет в разговор, так ведь наверняка еще и подслушивал!

— Не велите казнить, ваше благородие, — с очевидно притворным смирением промолвил казак. — Подслушивал, верно, однако ж, не по своей воле. Стенки тут, сами знаете... Разговор ваш, считай, половина лагеря слышала. Меня народ послал, дозвольте слово молвить!

— Полюбуйся на него, — по-прежнему обращаясь к Вацлаву, с отвращением сказал Синцов. — Твоя работа, гордись! Не успел ты появиться в лагере, как у нас уже само собой образовалось новгородское вече. Депутации шлют, так их и разэдак! Расстреляю негодяев!

— Воля ваша, барин, — явно решив пуститься во все тяжкие, сказал казак, которого никто ни о чем не спрашивал. — Можете расстрелять, только дозвольте сперва слово молвить.

— Нет, ну ты погляди! — возмущенно воскликнул Синцов. — Что делают, что вытворяют! Ну, — повернувшись к Воробью и грозно насупив брови, отрывисто бросил он, — говори, с чем пришел! Только знай: коли станешь вздор молоть, расстреляю! Как бог свят, расстреляю!

— Воля ваша, — старательно пряча в усах хитрую ухмылку, с прежним смирением повторил казак, — а только мне народом велено сказать, что за такое дело мы живота не пожалеем. Это дело святое, богоугодное. Господь нас на него благословит и помощью своей не оставит, а с ним мы не то что полк — дивизию в капусту искрошим!

— Видал? — с веселым недоумением разглядывая притворно потупившегося Воробья, сказал Вацлаву Синцов. — Нет, ты видал этих богомольцев? Они уж и господа бога в гусары записали! Ты что же думаешь, борода, — обратился он к Воробью, — неужто у господа бога другого дела нет, как тебя от французской пули беречь?

— Да хоть бы и было, — почтительно, но твердо и упрямо ответил казак. — Все одно смерти не миновать, а дело святое. Да и дела-то, ежели дозволите сказать, на понюшку табаку. Подойти в ночи, куда надобно, с десятком доброконных, и, покуда остальные на околице шуметь станут, взять икону и уйти. Они и опомниться не успеют, вот ей-богу!

— Стратег, — насмешливо сказал Синцов, — одно слово, стратег. Тебя бы в главнокомандующие! Ну, ступай, твое превосходительство. Ступай, кому сказано! Подумать дайте, черти.

— Подумать — это дело хорошее, — степенно произнес неугомонный Воробей. — Все одно светает, до утра уж не поспеть.

— Вон ступай! — прикрикнул на него Синцов. — Распоясались, обормоты... Да слышишь ли, Воробей! Лазутчиков пошли, пускай следят, куда полк пойдет, и сразу мне докладывают! А ты, — повернулся он к Огинскому, — ложись спать. Часа два-три у тебя есть, а после снова в седло. Пойдем за уланами. Но смотри, Огинский: заведешь в засаду — первая пуля твоя.

— Поди к черту, Синцов, — зевнув, ответил Вацлав и закрыл глаза.

Через минуту он уже крепко спал, а Синцов еще долго сидел за сделанным из бочонка столом, медленно пил вино, дымил трубкой и думал, обхватив руками лохматую голову и грызя обкусанные усы.

* * *

Княжна коснулась рукой края ткани, в которую была завернута икона, словно надеясь, что это прикосновение придаст ей сил. За окном было тихо, лишь позади, в сенях, время от времени шевелился, вздыхал и побрякивал амуницией часовой, явно недовольный тем, что ему приходится стоять на посту, а не спать, как это делали сейчас его товарищи. Пробивавшийся сквозь щель под дверью из комнаты княжны свет, по всей видимости, беспокоил и настораживал его: пленница не спала, а значит, и он должен был оставаться начеку и не смыкать глаз.

Княжна задула свечу и сразу увидела, что небо за окошком начало понемногу сереть. Близился рассвет, а с ним и новый день, не суливший ей ничего хорошего. Ее замысел до сих пор не был раскрыт только потому, что капитан Жюно не давал себе труда как следует подумать и связать в одно целое ее упорное желание иметь при себе икону святого Георгия и два имевших места нападения на повозку, где икона хранилась до вчерашнего вечера. Этого, пожалуй, было маловато, чтобы понять настоящую ценность иконы, но кое о чем догадаться было можно. Капитан Жюно казался княжне грубоватым и прямолинейным, как это и положено старому солдату, но законченным глупцом он не выглядел, а это означало, что у нее почти не осталось времени.

Она прислушалась к тишине и, бесшумно ступая, подошла к окну. Дом, в котором остановился капитан, принадлежал, как уже говорилось, деревенскому старосте и был построен просторно и даже с некоторым уклоном в новшества, свойственные господским домам. Сие почти наверняка указывало на старосту как на вора, обкрадывавшего чересчур доверчивых господ, но теперь архитектурные изыски вороватого старосты были только на руку княжне, поскольку среди прочих новшеств окна в доме, как и в господских домах, имели вместо глухих рам такие, что отворялись на две половины.

Створки распахнулись легко и бесшумно. В окне, как картина в простой деревянной раме, виднелся подернутый туманной предутренней дымкой огород, вытоптанный, перекопанный и уже начавший зарастать неистребимой сорной травой. Эта весьма неприглядная картина сейчас казалась княжне недвусмысленным приглашением, тем более что из-за угла пристроенного к дому сарая виднелись хвосты нескольких привязанных там лошадей. Это было искушение, которое могло оказаться гибельным. В смерть свою княжна не верила, но понимала, что в случае, если ее поймают, она лишится и иконы, и последних крупиц свободы, которые у нее еще оставались.

Но понимала она и другое: такого случая ей больше могло не представиться. Сейчас капитан Жюпо ничего не понимал, сердился, считал все происходящее какой-то случайной чепухой и посадил ее под замок только из осторожности. Завтра все могло измениться, и тогда шанс спасти чудотворную икону был бы утрачен безвозвратно. Нужно было решаться. Княжна опять не к месту припомнила романы, коими зачитывалась в прежней своей жизни, и с трудом удержала нервный смешок: уж очень действия героинь этих романов не походили на то, что намеревалась предпринять она. Это рассуждение самым неожиданным образом успокоило ее и убедило в правильности задуманного безумного предприятия. Отбросив колебания, княжна Мария взяла под мышку сверток с иконой, стала на лавку и, подобрав юбки, принялась протискиваться в окно.

Она бесшумно спрыгнула на мягкую землю огорода и, не оглядываясь, замирая от страха, пустилась бежать к коновязи. Добежав до угла сарая, Мария Андреевна остановилась, перевела дыхание и выглянула во двор. Лагерь французов спал. Часового у коновязи не было, но лошади стояли расседланные, и, сколько ни оглядывалась княжна, ей не удалось заметить поблизости ни одного седла, кроме того, на котором, как на подушке, сладко спал под плетнем укрытый попоной усатый улан. Впрочем, даже если бы седла и были под рукой, времени на то, чтобы возиться с ними, все равно уже не осталось: небо на востоке все более светлело, и княжна заметила, что без труда различает очертания окружающих предметов.

Княжна быстро оценила ситуацию. Прежде ей ни разу не-доводилось ездить верхом вообще без седла.

Удила тоже отсутствовали, и все, на что она могла рассчитывать, это коротенький недоуздок. При том условии, что за беглянкой была возможна погоня, такая задача казалась по силам далеко не каждому мужчине; к тому же, сам собой возникал вопрос, куда в таком случае девать икону. Третьей руки княжна не имела, а те две, что дала ей природа, были нужны ей для того, чтобы не свалиться с лошади.

Поспешно развернув сверток, княжна соорудила из него некое подобие заплечного мешка, как это делают крестьянки, выходящие на полевые работы с привязанным за спиной младенцем. Завязав концы накидки на груди, она проверила надежность узла и подвигала плечами. Убедившись, что икона не выпадет ни при каких обстоятельствах, княжна подкралась к крайней в ряду лошади и отвязала недоуздок от сосновой жерди, игравшей роль коновязи. Лошадь, почуяв незнакомого человека, всхрапнула и сердито забила копытом. Шепча ласковые слова, княжна отвела ее в сторону, крепко вцепилась обеими руками в лошадиную гриву и с ловкостью, которой сама от себя не ожидала, одним махом взлетела лошади на спину.

Высокая рыжая кобыла поднялась на дыбы и испустила короткое пронзительное ржание. Изо всех сил цепляясь за гриву и сдавив лошадиные бока коленями, княжна ударила ее пятками в живот и била до тех пор, пока лошадь, перепрыгнув по пути плетень, стрелой не понеслась по улице.

Вслед ей, хотя и далеко не сразу, понеслись встревоженные крики. Уже в двух шагах от околицы княжна услыхала позади себя выстрел и почти сразу же почувствовала сильный безболезненный удар в плечо, как будто кто-то с размаху толкнул ее твердой широкой ладонью. Этот толчок едва не сбросил ее с лошади. Княжна с трудом выправила посадку и лишь с большим опозданием поняла, что стреляли по ней и что удар, который она почувствовала, был вызван попавшей в нее пулей.

«Почему же, в таком случае, я до сих пор жива? — подумала она, погоняя лошадь. — Я, верно, ранена и непременно истеку кровью. Но отступать поздно. Чему быть, того не миновать. Может статься, что рана моя вовсе не смертельна».

Обернувшись через плечо, она разом забыла и о своей ране, и об опасности истечь кровью и умереть где-нибудь в придорожных кустах. Позади нее, отставая не более чем на сто саженей, бешено нахлестывали своих коней не менее десятка полуодетых, взлохмаченных со сна улан. Обнаженные сабли тускло блестели в сереньком предутреннем полусвете; люди и лошади одинаково скалили зубы и выкатывали глаза, как будто каждый улан составлял со своим конем одно свирепое существо, наподобие мифических кентавров, но с двумя головами. Вид этих двухголовых кентавров был страшен и не предвещал ничего хорошего. Княжна почувствовала неприятную слабость во всем теле, но не могла понять, вызвана эта слабость обыкновенным испугом или является следствием потери крови.

Уланы настигали. Один из них поднял пистолет, целясь в лошадь, на которой скакала княжна. Мария Андреевна страшным, как ей казалось, голосом закричала на лошадь и, изо всех сил рванув недоуздок, заставила ее резко свернуть налево, в распахнутые ворота какого-то разоренного крестьянского двора, посреди которого на пепелище торчала одна закопченная русская печь. Лошадь при этом с трудом устояла на ногах, едва не расшибив княжну о воротный столб.

Марию Андреевну вдруг охватил знакомый восторг бешеной, без оглядки на опасность, скачки. Она знала это ощущение, но никогда прежде оно не было таким сильным и необузданным. Если бы у нее был при себе пистолет, она непременно стала бы отстреливаться — просто потому, что в подобных обстоятельствах, по ее мнению, непременно нужно было это делать, — чем наверняка погубила бы себя. Пистолета у нее, однако, не было, и ей оставалось только погонять лошадь, заставляя ее нестись сломя голову и брать препятствия, перепрыгнуть через которые не стал бы пытаться ни один здравомыслящий наездник. Напуганная стрельбой и криками лошадь неслась, как птица, перелетая через канавы и плетни. Половинный по сравнению с весом любого из улан вес княжны весьма существенно облегчал ей эту работу, и погоня мало-помалу начала отставать.

Разрыв еще более увеличился, когда, перемахнув через ручей, лошадь княжны зашлепала копытами по болотистой низине, за которой начинался густой смешанный лес. Здесь ничтожный вес Марии Андреевны дал себя знать особенно сильно. Поняв, что погоня не удалась, уланы дали вслед беглянке несколько выстрелов и повернули коней в сторону деревни.

Капитан Жюно, узнав о причине переполоха, лишь пожал плечами.

— Девчонка спятила, — равнодушно сказал он. — Вообразила себя Жанной д'Арк или кем-то в этом роде, наверное. Вы в нее не попали? Нет? Ну, и пусть убирается к дьяволу. В этой дикой стране живут одни сумасшедшие.

— Может быть, она шпионка? — высказал свое предположение толстый лейтенант.

— Шпионка? — поднял брови капитан. — Интересная мысль... И что же ценного, на ваш взгляд, она могла здесь узнать? Что мы имеем честь служить в шестом уланском полку его величества императора Наполеона? Но это написано на нашем полковом знамени и ни для кого не является секретом. Что мы движемся на Москву по Старой Смоленской дороге? Но ведь это и так понятно! Право, Жак, вы меня удивляете. Сумасшедшая, просто сумасшедшая...

— Я знаю, почему она сбежала! — давясь от смеха, выкрикнул один из офицеров. — Поверьте, господа, она сбежала от ухаживаний нашего Анри!

Лейтенант Дюпре вспыхнул. Присутствующие разразились хохотом, посыпались рискованные остроты, и инцидент, таким образом, был благополучно всеми забыт. Лишь капитан Жюно, возвращаясь в избу, чтобы приготовиться к назначенному на семь часов утра выступлению, задумчиво хмурил густые брови и сильнее обыкновенного дергал себя за левый ус.

Та, которую капитан Жюно назвал сумасшедшей, между тем все дальше углублялась в лес. Смешанный, светлый от белых березовых стволов перелесок как-то незаметно сменился мрачной еловой чащей, такой густой и темной, что в ней, казалось, до сих пор держалась ночь, увязнув в колючих еловых лапах. Крупные продолговатые шишки, размером и формой напоминавшие большие огурцы, гроздьями висели на ветвях и лежали под ногами. Травы здесь почти не было, лишь кое-где на прогалинах виднелись чахлые листья папоротника. Этот лес казался заколдованным, словно перенесенным сюда из старой сказки о тридевятом царстве.

Вспотевшая, взмыленная лошадь двигалась медленным шагом, время от времени встряхивая головой, чтобы отогнать насекомых. Княжна плохо представляла себе, в каком направлении она едет, хотя понимала, что знать это ей следовало бы в первую очередь. В лесу можно было плутать неделями, оставаясь при этом на месте, и, в конце концов, выехать прямиком на какой-нибудь французский пост. Мария Андреевна грустно усмехнулась: перспектива повстречать французов была не самой грозной из подстерегавших ее в лесу опасностей. Она была одна, без оружия, без еды и в такой одежде, которая могла считаться дорожной лишь условно. Ее платье было недурно приспособлено для путешествия на мягких подушках кареты, но в тот самый миг, как княжна решилась выпрыгнуть в окно деревенского дома, платье это начало свой недолгий, но скорбный путь к превращению в грязную рваную тряпку. Но что платье! В лесу наверняка было полно волков. Правда, для волков теперь хватало легкой добычи, вследствие чего они не имели нужды нападать на живого человека. Но страшнее волков были лихие люди, о которых она слышала от Вацлава Огинского и, вскользь, от французов.

Думая об опасностях, она вдруг вспомнила о своей ране. Если рана действительно была, то теперь Марии Андреевне полагалось бы уже истечь кровью; она, однако же, чувствовала себя только немножечко усталой после бессонной ночи и бешеной скачки с препятствиями. Это странное обстоятельство нуждалось в немедленном разъяснении. С этой целью Мария Андреевна спешилась и сняла со спины узел с иконой.

Ее недоумение разрешилось в тот же миг, как она увидела икону. В самом ее уголке, скрытом ранее под окладом, обнаружилось неглубокое круглое отверстие, на дне которого поблескивала свинцом расплющенная пуля. Прислонив икону к мшистому камню, княжна опустилась на колени и истово перекрестилась, положив земной поклон. Святой Георгий спас ее от неминуемой смерти; значит, то, что она делала, было угодно богу. Все дурные мысли, все сомнения разом оставили княжну: теперь она точно знала, что сделала все верно и что так же будет впредь.

Она поднялась с колен, снова пристроила узел с иконой на спину и двинулась через лес, ведя в поводу лошадь. По дороге она пыталась сообразить, куда ее занесло, но в конце концов пришла к выводу, что нужно подождать восхода солнца, чтобы поточнее определить свое местонахождение. План дальнейших действий был ей ясен: нужно было пробираться в сторону Москвы сквозь всю занятую французами территорию, чтобы вверить икону первому же встретившемуся русскому офицеру. Этого, по разумению княжны, было более чем достаточно, чтобы взятое ей на себя дело можно было считать благополучно завершенным.

Княжна шла лесом не менее часа, понемногу продвигаясь в том направлении, где, по ее мнению, осталась Смоленская дорога. Вскоре взошло солнце, позолотив верхушки вековых елей. Его косые лучи тут и там проникали сквозь густое переплетение ветвей, кладя на покрытую толстым слоем опавшей хвои землю неподвижные пятна света. Марию Андреевну все ощутимее клонило в сон, и теперь она высматривала не столько дорогу, сколько укромное местечко, в котором могла бы прикорнуть на несколько часов, чтобы набраться сил перед дальним путешествием.

Владевшее ей до сих пор неприятное чувство покинутости и растерянности как-то незаметно прошло. Возможно, причиной тому было явившееся ей чудо, когда икона спасла ее от выпущенной впопыхах французской пули, а может быть, просто молодость брала свое, но в душе княжны сами собой установились мир и покой. Ступая по мягкому ковру прошлогодней хвои, она радовалась солнечному свету, пению птиц и открывавшимся ей на каждом шагу живописным, хотя и несколько мрачноватым картинам. Княжна не замечала этой мрачности, чувствуя себя так, словно некоторое время была мертва, а теперь вновь вернулась к жизни. Она не забыла о своей утрате, но это ясное утро непостижимым образом примирило ее с уходом из жизни старого князя. Княжна вдруг обнаружила, что может думать о нем почти без боли. Боль и ожесточение были временными, зато любовь казалась вечной.

Потом где-то впереди, немного левее избранного княжной направления, вдруг послышалось конское ржание. Лошадь княжны фыркнула, затрясла головой и, вытянув шею, громко заржала в ответ. Мария Андреевна испуганно обхватила лошадиную морду обеими руками, но было поздно: сигнал услышали, и чужая лошадь заржала снова.

Княжна замерла на месте, уверенная, что ее вот-вот обнаружат. Вероятнее всего, лошадиное ржание доносилось с дороги, по которой двигался высланный в погоню за нею разъезд. Мария Андреевна не знала, что предпринять: оставаться на месте было страшно, двигаться же казалось еще страшнее, поскольку каждый шаг мог привести ее прямиком в руки улан. Княжне вдруг представилось, что она играет со смертью в жмурки: безглазая старуха слепо шарила вокруг своими костлявыми руками, хватая пальцами воздух, а Мария Андреевна пряталась от нее. Лошадь играла здесь роль колокольчика, который время от времени давал водящему знать, в какой стороне ему искать того, кто прячется.

Княжна простояла на месте не менее получаса, прижимая к себе лошадиную голову, гладя ее, шепча дрожащим голосом ласковые слова и до звона в ушах прислушиваясь к лесным звукам. Лошадиное ржание не повторилось. Не было слышно ни стука копыт, ни шороха ветвей, ни человеческих голосов — ничего, кроме обычного лесного шума, такого привычного, что при иных обстоятельствах он мог показаться полной тишиной.

Наконец, бесцельность дальнейшего стояния на месте сделалась очевидной. Погоня, если то была она, прошла стороной. Княжне подумалось, что она могла ошибиться, приняв ржание случайно оказавшейся поблизости лошади за признак приближавшейся облавы. Понемногу она начала успокаиваться, хотя сердце все еще сильно билось у нее в груди. Одно было хорошо: сон с нее как ветром сдуло.

Она снова двинулась в путь, ведя за собой предательницу-лошадь. Любопытство оказалось сильнее испуга, и теперь княжна немного изменила курс, стараясь идти туда, откуда слышалось ржание чужой лошади. Вероятнее всего, именно там проходила дорога. Чтобы не заблудиться, разумнее всего было бы идти вдоль дороги лесом, и Мария Андреевна решила, что поступит именно так. Неприятных встреч с французами было легко избежать, обходя их стороной под покровом ночной темноты; в остальном же приходилось полагаться на бога и защиту чудотворной иконы, которая уже один раз продемонстрировала княжне свои чудесные свойства.

Очень скоро еловый лес кончился, уступив место привычной мешанине берез, осин, молодых дубов и изредка попадавшихся среди этой лиственной мелочи мачтовых сосен. Идти стало не легче, но много веселее. Княжна бодро шагала вперед, всякую минуту ожидая увидеть в просвете между деревьями светлую пыльную ленту большака. Дороги, однако же, все не было, а вскоре обнаружилось, что ее и быть не могло. Скорее благодаря везению, чем своему умению ориентироваться в лесу, княжна набрела на место, откуда, по всей видимости, и слышалось так напугавшее ее лошадиное ржание. Это была неглубокая, со всех сторон окруженная кустами и молодыми деревьями ложбинка, на дне которой еще слабо дымился засыпанный землей костерок. Судя по следам и совсем свежему навозу, здесь совсем недавно стояли две лошади. Выросшая в деревне и знавшая толк в лошадях княжна готова была поклясться, что лошадей было именно две, и что ушли они отсюда совсем недавно. Что же касалось костра, то его наверняка жгли совсем не лошади, а те, кто на них ездил.

Княжна Мария догадывалась, кто это мог быть. Ночное нападение на лагерь французов, смерть денщика капитана Жюно, следы поспешно покинутого лесного убежища, две лошади — все это прямо указывало на присутствие кузенов Огинских, которые, судя по всему, были живы и оставались верны своему обещанию отбить у французов похищенную икону. Вероятно, раздавшееся в лесу лошадиное ржание спугнуло их так же, как и княжну, заставив покинуть свое убежище и скрыться в неизвестном направлении.

Мария Андреевна едва не заплакала от досады, поняв, как близко от нее находился Вацлав. Они прошли едва ли не в двух шагах и разминулись, не узнав друг друга. Теперь ей предстоял долгий и полный опасностей одинокий путь, но гораздо хуже было сознавать, что кузены станут и дальше подвергать себя смертельному риску, пытаясь спасти то, что и без них уже было благополучно спасено.

«Спасено, — горько подумала княжна. — Да полно, спасено ли? Много ли проку от того, что икона теперь не у капитанского денщика, а у меня? Раньше она лежала среди тюков с ворованными вещами, а теперь скитается вместе со мной по лесу, и никто не знает, выберемся ли мы отсюда когда-нибудь...»

В то время, как княжна предавалась этим горьким мыслям, пан Кшиштоф Огинский, сидя верхом и ведя в поводу запасную лошадь, торопливо пробирался прочь от места своего бессонного ночлега. Пан Кшиштоф был близок к полному отчаянию, но сдаваться не собирался. Он потерпел очередную неудачу, его травили, как дикого зверя, по лесу шныряли посланные за ним в погоню конные разъезды — о, он знал, что за лошадь откликнулась на предательское ржание одной из его проклятых кляч! — но пан Кшиштоф был полон решимости довести начатое дело до конца просто потому, что другого выхода у него не было. Он торопился, стремясь не упустить из виду улан и не зная, что икона, ради которой он рисковал жизнью, уже находится в том самом месте, которое он только что с такой поспешностью покинул.

Глава 15

В темноте зашуршали кусты, негромко хрустнула под чьей-то ногой сухая ветка, и хрипловатый голос негромко произнес:

— Готово, ваше благородие.

Эти слова означали, что пластуны, посланные в деревню, где остановился на ночлег шестой уланский полк, благополучно вернулись, сняв французских часовых. Заранее отправленный в деревню лазутчик вернулся еще раньше и донес, что повозка, за которой следили весь день, стоит в одном из крайних дворов, и утверждал, что найдет ее с закрытыми глазами.

— Ну, с богом, православные, — сказал Синцов, кладя ладонь на эфес сабли.

— Постой, — остановил его Вацлав Огинский, сидевший рядом с ним на низкорослой соловой лошадке. — В последний раз говорю тебе: давай я сделаю это сам. Одному легче проскользнуть туда незамеченным, тем более что часовые сняты.

Синцов презрительно хрюкнул.

— Ишь чего выдумал! Шалишь, брат! Ты, значит, в деревню пойдешь, а нам что же — в лесу сидеть, конину жрать и собственный пуп разглядывать? И потом, вот хоть убей ты меня, но я тебе до конца не верю. Не обессудь, корнет, но война — дело такое... — Он неопределенно повертел ладонью в воздухе. — Тонкое, в общем, дело. Это у штабных на карте все ясно и красиво получается: первая колонна марширует туда-то, вторая туда-то, а третья еще куда-то, черт знает, куда. А на самом деле, как ты мог убедиться, это такая чертова каша... И каждый в этой каше вытворяет, что бог на душу положит. Очень мне не хочется, Огинский, чтобы ты опять потерялся, — закончил он с неопределенной угрозой в голосе.

Вацлав в ответ лишь пожал плечами. Рядом с Синцовым ему было неуютно. Он наконец-то находился среди своих, но в то же время как будто в плену. Весь день поручик не спускал с него внимательных глаз, как будто опасался, что Вацлав вот-вот ударится в бега. Это было довольно оскорбительно, но Вацлав понимал, что у Синцова есть веские причины для подозрений. Богатый и знатный поляк, у которого, помимо принесенной российскому императору присяги, не было никаких личных причин для вражды с французами, вполне мог вызывать к себе определенное недоверие. И недоверие это неминуемо должно было заметно усилиться после его отсутствия и появления вновь, но уже при французском мундире... На месте Синцова Вацлав вел бы себя совсем по-другому, удовлетворившись честным словом офицера, но теперь, когда все в его жизни так перепуталось, молодой Огинский уже не знал, чей взгляд на вещи был вернее — его или Синцова. Ему оставалось только делом доказать правдивость своих слов и чистоту намерений, а уж после, когда все станет ясно и понятно, потребовать у поручика извинений, которые тот, кстати, сам обещал принести.

— С богом, — негромко повторил Синцов и тронул шпорами бока лошади.

Маленький отряд, составленный из Синцова, Огинского, троих казаков и пятерых знакомых Вацлаву гусар, шагом спустился с пригорка и двинулся в сторону деревни. Копыта лошадей, стремена, уздечки, ножны сабель — словом, все, что могло издавать лишний шум, — были обмотаны тряпками, заглушавшими звуки. Всадники двигались через туман легко и беззвучно, как привидения. Вацлав не сразу заметил, что они уже въехали в деревню — так легко и спокойно, как бы между делом, совершилось это событие.

Обернувшись через плечо, он успел разглядеть еще две группы всадников, которые сначала ехали следом за их партией, а потом куда-то свернули.

— Что это? — тихо спросил он у Синцова. — Зачем?

— Это, брат, стратегия, — с усмешкой ответил поручик. — Икона, знаешь ли, иконой, а война войной. Неужто ты думал, что я упущу случай немного пощипать этих лягушатников?

Неподвижный ночной воздух казался спертым, как в закрытом помещении. Пахло дымом походных кухонь, лошадиным потом и навозом, в тишине разносился многоголосый храп.

— Здесь, ваше благородие, — остановив коня, шепнул казак.

Вацлав разглядел прямо перед собой какие-то ворота, выглядевшие весьма нелепо из-за того, что забор вокруг них был снесен — вероятно, на дрова. За воротами виднелись повозки, коновязь и покосившаяся крестьянская изба с голыми стропилами.

— Ну... — начал было Синцов, но его прервал внезапно поднявшийся на другом конце деревни крик. Крик усилился, хлопнул одинокий выстрел, и тут же в темноте принялись стрелять пачками, словно там разгорелось настоящее сражение. Заржали лошади, раздался будоражащий кровь лязг металла о металл. Вспыхнула соломенная кровля, и сразу сделалось светлее.

— С добрым утром, господа, — сквозь зубы процедил Синцов и, с лязгом выхватив из ножен саблю, поднял ее над головой. — Братцы! Руби их в песи! Ура!

Еще в одном месте, ближе к центру деревни, завязался бой. Маленький отряд Синцова ворвался во двор, рубя направо и налево. Кто-то из казаков — Вацлаву показалось, что это был Воробей, — метнулся к коновязи. На всем скаку спрыгнув с коня, он принялся резать недоуздки и разгонять перепуганных лошадей. Другой казак возился у зеленых зарядных ящиков, деловито, как будто вокруг него не было никакого боя, раскладывая под ними костерок. Остальные метались по двору, размахивая саблями, паля во все стороны из пистолетов, крича во все горло и производя такой адский шум, словно их здесь было никак не менее полутора сотен.

Навстречу Вацлаву откуда-то вывернулся знакомый толстый лейтенант — пеший, в расстегнутом мундире, с саблей в одной руке и пистолетом в другой. Он выстрелил почти в упор, промахнулся, отбил саблей удар Вацлава и бросился бежать. Огинский, ноздри которого были забиты пороховым дымом от прозвучавшего почти у самого лица выстрела, погнался за ним, занося саблю для еще одного, послед-

297

него, удара, и едва не выпал из седла, когда чья-то железная рука поймала его за воротник.

— Икону! — в самое его ухо проревел Синцов. — Икону ищи, рубака! С этими мы без тебя разберемся!

Несколько придя в себя и сообразив, наконец, что от него требуется, Вацлав кивнул головой и, привстав на стременах, нашел взглядом знакомый кожаный верх капитанской повозки. В это время Синцов, двинув коня, сбил с ног и зарубил улана, который целился в Вацлава из ружья. Огинский этого даже не заметил — он уже пробивался к повозке, прорубая себе путь сквозь толпу повскакавших со своих мест, бестолково мечущихся французов. Они сопротивлялись слабо и беспорядочно, но их все-таки было чересчур много.

Добравшись до повозки, Вацлав спешился и, забравшись внутрь, стал лихорадочно перекапывать горой сваленное здесь добро. Он развязывал, разрывал и распарывал саблей узлы и тюки, выкидывая их содержимое вон, прямо под ноги дерущихся. Здесь были шубы, платья, мундиры, ордена, золотая и серебряная посуда, какие-то вазы, шкатулки, подсвечники и даже две картины, но иконы не было. На то, чтобы опустошить повозку, Вацлаву потребовалось пять минут. После этого он выбрался наружу и остановился с саблей в руке по колено в ворохе тряпья, не зная, как быть дальше.

— Ну?! — свирепо крикнул подскочивший Синцов, низко наклонившись с седла. При свете разгорающегося пожара Вацлав заметил, что левая щека поручика целиком залита кровью. — Нашел?

— Ее здесь нет! — крикнул в ответ Вацлав. — Может быть, в другом месте?..

— Некогда! Некогда, корнет! В другом месте поищешь в другой раз, когда у тебя под началом будет дивизия или хотя бы эскадрон! Уходим! В седло, корнет, в седло!

— Но княжна!.. — спохватившись, крикнул Вацлав.

— В седло! — рявкнул Синцов и, обернувшись, выстрелом из пистолета свалил набежавшего из темноты рослого улана. — Убьют, дурак! Будет тебе тогда и княжна, и икона, и крестный ход с песнопениями...

Просвистевшая у самого уха Вацлава ружейная пуля подтвердила его слова. Огинский вскочил в седло и огляделся.

Изба, неизвестно кем и когда подожженная, уверенно разгоралась. Бой, несомненно, близился к концу: несмотря на отчаянные усилия гусар и казаков французы, наконец, поняли, что имеют дело с горсткой храбрецов, и перешли от обороны к нападению. Если бы уланам удалось сесть на лошадей, судьба партии Синцова решилась бы в минуту, но лошади были предусмотрительно угнаны догадливым Воробьем, а пешие, вооруженные чем попало уланы были совсем не то, что уланы конные. Строго говоря, даже героические усилия капитана Жюно, который, стоя на крыльце горящего дома с саблей в руке, надрывал глотку, организовывая сопротивление, были не способны внушить этому стаду растерянных, перепуганных до смерти людей хотя бы некоторое подобие дисциплины; но все же их по-прежнему было слишком много, и постепенно они начали это сознавать.

Увидев капитана, Вацлав понял, что нужно делать. Дико крича и раздавая во все стороны разящие сабельные удары, он направил лошадь в самую гущу толпы, пробиваясь к крыльцу. За его спиной Синцов разразился площадной бранью, но, сообразив, что задумал корнет, присоединился к нему. Этот неожиданный натиск смял и опрокинул и без того нестройные неприятельские ряды. Вацлав прорвался к самому крыльцу и схватился с капитаном.

Жюно оказался первоклассным бойцом. Широко расставив ноги в ботфортах и подбоченясь левой рукой, он мастерски отражал атаки конного противника, ни на волос не сойдя с места. Казалось, его ноги приросли к крыльцу, а сабля в правой руке порхала с такой легкостью, будто была вырезана из картона. В ударах, которые наносил этот порхающий клинок, однако же, чувствовались изрядные сила и вес. Губы капитана кривились в презрительной усмешке: он чувствовал, что превосходит противника силой и опытом. Кроме того, на него работало время. Капитан уже понял, что силы партизан ничтожны по сравнению с полком, и теперь от него требовалось только одно: дожить до того момента, когда противник будет раздавлен численным превосходством французов.

Вацлав тоже понимал это. Понимал он и то, что, задерживая отступление, рискует не только своей жизнью, но и жизнями товарищей. Не понимал он только того, что риск этот был напрасным с самого начала, поскольку ни иконы, ни княжны в лагере французов не было уже почти сутки. Не зная об этом, он атаковал капитана с яростью отчаяния, удвоив усилия, и, наконец, добился своего: его сабля с глухим стуком плашмя опустилась на капитанскую макушку. Глаза капитана Жюно страшновато скосились к переносице, колени подогнулись, и он, выронив саблю, начал падать.

Вацлав успел схватить его за воротник мундира, но втащить грузное тело капитана на лошадь ему не удалось: француз оказался для него чересчур тяжел. Совершенно неожиданно для Вацлава на помощь к нему подоспел Синцов. Зажав саблю в зубах, чтобы освободить себе руки, и от этого сделавшись похожим на свирепого морского пирата, поручик низко нагнулся с седла и оторвал капитана Жюно от крыльца. Вдвоем они перевалили обмякшее тело своего пленника через седло Вацлава, и в это мгновение раздался оглушительный взрыв, а за ним второй и третий. Подожженные казаками зарядные ящики рвались один за другим, разбрасывая во все стороны горящие, разломанные доски, опрокидывая повозки, убивая и калеча людей.

Лошадь Вацлава испуганно поднялась на дыбы, бесчувственное тело капитана Жюно выскользнуло из рук

Синцова и упало на землю. Огинский увидел окованное железом колесо, которое, медленно вращаясь, летело прямо на него, обрамленное язычками пламени. Тугая волна горячего воздуха толкнула его в грудь и опалила лицо, норовя опрокинуть вместе с лошадью. Потом что-то громыхнуло еще раз, вдвое сильнее прежнего, и это было последнее, что запомнил Вацлав.

Он очнулся довольно скоро. Разоренный, заваленный телами убитых и раненых двор был мрачно освещен дымным заревом. Вовсю полыхавшая в двух шагах от Вацлава изба распространяла вокруг себя непереносимый жар. Огинскому показалось, что волосы, потрескивая, дымятся у него на голове. Тут же он обнаружил, что смотрит на мир всего одним глазом, и испугался, решив, что второй глаз потерян безвозвратно. Впрочем, недоразумение это тут же разрешилось: оказалось, что глаз закрыт сбившейся на лицо повязкой.

Размотав и отшвырнув от себя грязный бинт, Вацлав огляделся. В двух шагах от себя он увидел придавленного трупом лошади Синцова. Поручик не подавал признаков жизни, будучи не то без сознания, не то убитым наповал.

Капитан Жюно лежал на уже начинавшем гореть крыльце. Его волосы и мундир тлели, распространяя отвратительный запах паленой шерсти, но капитан этого не чувствовал. Его горло было пробито насквозь острым обломком доски. Судя по зеленому цвету, доска эта ранее была частью зарядного ящика, подорванного казаками. Но Вацлава поразило не это. К доске под прямым углом был приколочен короткий поперечный брусок, так что все вместе создавало грубое подобие креста, косо торчавшего над телом капитана. Огинский не мог не усмотреть в этом знака свыше: по крайней мере, один из похитителей иконы умер весьма символично.

С улицы все еще доносились панические крики и дальняя стрельба. Огонь припекал все сильнее. Вац-

301

лав, шатаясь, поднялся на ноги и отступил подальше от пламени, плохо представляя себе, что намерен делать.

Во дворе было пусто, если не считать убитых и раненых людей, нескольких бьющихся в агонии лошадей и перевернутых, изуродованных экипажей, из которых три или четыре тоже горели. Это напоминало картину какого-то грандиозного побоища, наподобие того, что Вацлаву довелось видеть в Смоленске. Он снова огляделся, пытаясь понять, удалось ли хоть кому-то из его товарищей уйти из этого пекла живым. Неподалеку он заметил мертвого казака Неходу, широко открытые глаза которого отражали красные блики пламени. Немного дальше виднелся залитый кровью, разрубленный у шеи гусарский ментик, и еще один... Больше убитых русских здесь, кажется, не было. Вацлав вздохнул с некоторым облегчением и, шатаясь на нетвердых ногах, подошел к Синцову.

Поручик дышал и, судя по виду, был попросту контужен. Вацлав высвободил его ногу из-под лошадиной туши. Синцов застонал и открыл глаза.

— Корнет, ты? Вот это гвозданyло... Говорил я Неходе: не спеши поджигать... Слушай, мы живы или уже померли?

— Живы, — ответил Вацлав. — Встать можешь? Отсюда надо уходить.

— Наших... много? — спросил Синцов, садясь и тряся головой. Из волос у него густо посыпалась земля и какой-то мелкий мусор.

— Я насчитал троих, — ответил Вацлав. — Не знаю, как в других местах.

— В других местах должно быть меньше, — проворчал Синцов. — В других местах никому не надо было вертеться на одном квадратном аршине и ждать своей погибели. Так что вылазку, наверное, можно считать удачной.

— Гибель этих людей на моей совести, — грустно

сказал Вацлав. — И, главное, все было напрасно. Ни иконы, ни княжны... Ты вправе считать меня предателем, Синцов.

— Предатель не предатель, а болван ты отменный, — кряхтя и силясь подняться на ноги, огрызнулся поручик. — Эти люди, про которых ты говоришь, были солдатами и сложили головы за Отечество, а не за какую-то икону... и, уж тем более, не за твою княжну. Напрасно? Да как у тебя язык повернулся?! Французов побито без счета, взорван пороховой парк, добрая половина лошадей разбежалась по окрестностям или выведена из строя... напрасно! Как же напрасно, когда вечером был уланский полк, а к утру от него остались одни ошметки? Думай, что говоришь, корнет. Доля наша такая — либо грудь в крестах, либо голова в кустах. Так чем ты еще недоволен? Встать помоги, богомолец!

Огинский поставил его на ноги, что потребовало от обоих немалых усилий. Синцов постоял немного и сделал несколько неверных, припадающих шагов.

— Ладно, — сказал он, — пойдем, корнет.

— Постой, — сказал Огинский. — Отдай мне саблю.

— Что?! — вскрикнул Синцов, крепче стискивая рукоять клинка. — Ты что это задумал? Уж не в плен ли меня решил взять?

— Именно. Или ты предпочитаешь, чтобы это сделал один из них?

Вацлав кивнул в сторону деревенской улицы, откуда доносились крики, топот людских и лошадиных ног и отрывистый, злой бой барабана. Синцов задумчиво посмотрел туда, окинул взглядом французский мундир Вацлава и вдруг широко ухмыльнулся в подпаленные усы.

— Пардон, мосье, — сказал он на скверном французском. — Это я как-то не сообразил. Что ж, сдаюсь. Вверяю, так сказать, жизнь и честь.

С этими словами он протянул свою саблю Вацлаву эфесом вперед, а сам подобрал обломок какой-то жерди и двинулся со двора, опираясь на эту дубину, как на трость.

На улице царила суета. Кто-то седлал уцелевших лошадей, кто-то драл глотку, подавая команды, которых никто не слушал, и пытаясь руководить боем, который давно закончился. Тут и там мелькали нелепые фигуры безлошадных улан, тащивших в руках седла. Синцов, которому это зрелище, по всей видимости, доставляло огромное удовольствие, на глазах у нескольких таких безлошадных кавалеристов, сбившихся в кучку, вдруг оседлал свою палку и, придерживая ее одной рукой, резво перебрал ногами, а второй рукой сделал такое движение, словно размахивал над головой саблей. Одновременно он страшно выкатил глаза и, как будто пантомимы ему показалось мало, во все горло крикнул:

— Тпру! Но! Иго-го!

Кавалеристы угрожающе подались вперед, и один из них, бросив седло, схватился за саблю.

— Назад! — крикнул им Вацлав. — Это мой пленник! Пошел! — скомандовал он Синцову.

— Это еще что за птица? — недовольно проворчал кто-то из улан. — Откуда здесь, черт возьми, взялись драгуны?

— Из Парижа, господа, прямо из Парижа! — насмешливо ответил Вацлав и отвернулся от французов с самым безразличным видом.

— Славно, — негромко сказал Синцов, — ах, как славно! Ну, скажи, Огинский, разве это не славно? — повторил он, указывая на творившийся кругом дикий бедлам, и повторял это на разные лады до самой околицы.

Вацлав не разделял его веселья. С окончательной потерей иконы он еще как-то мог смириться, но мысль о том, что княжна Мария Андреевна, вероятнее всего, осталась в подожженном казаками доме и сгорела заживо, повергала его в ужас и отчаяние.

* * *

Мария Андреевна была жива, но незадолго до нападения партии Синцова на деревню, где ночевал шестой полк улан, с ней случилось происшествие, хотя и не столь непоправимое, как смерть, но чреватое самыми неприятными последствиями. Вернее, происшествий с ней случилось целых два, и были они, что называется, одно другого краше. Несколько позже, вспоминая свои тогдашние приключения, княжна не раз думала, что всевозможные неприятные происшествия могли бы идти не так густо — тогда, вероятно, каждое из них запечатлелось бы в памяти как отдельное грандиозное событие, сходное по своему значению с падением Рима или постройкой на Неве города Санкт-Петербурга. Но несуразные и смертельно опасные оказии, никого не спрашиваясь, шли густой полосой, и запомнились они княжне именно так: сплошной полосой невзгод, лишений и риска.

Первое происшествие, мало того, что таило в себе смертельную угрозу, было еще и донельзя нелепым. Такое могло бы произойти с какой-нибудь городской барышней, перепутавшей лесные дебри с аллеями Летнего сада, но никак не с княжной Вязмитиновой, выросшей в деревне и делившей свое время между книгами и охотой. Лесные приметы она знала с детства, и только ее усталостью и глубокой задумчивостью можно было объяснить то обстоятельство, что Мария Андреевна заметила болото лишь тогда, когда ее лошадь увязла в вонючей болотной жиже по бабки и остановилась, будучи явно не в силах сдвинуться с места.

Обратив внимание на странное поведение своей лошади, княжна тут же заметила еще одну неприятную деталь, а именно то, что лошадь не просто стояла на месте, но и продолжала потихонечку погружаться.

Пытаясь подавить чувство тревоги, княжна огляделась по сторонам. Близился час заката, в небе не было ни облачка, но даже золотой предвечерний свет нисколько не скрашивал мрачного и унылого безобразия, которое окружало Марию Андреевну со всех сторон. Повсюду, куда ни глянь, сколько хватал глаз, простиралась поросшая жухлой осокой плоская кочковатая равнина, утыканная торчавшими вкривь и вкось корявыми, полумертвыми от избытка влаги соснами и осинами. Кое-где между этими полутрупами белели стволы сгнивших на корню берез. С одной из них вдруг сорвался ворон, шумно захлопал крыльями и с пронзительным карканьем улетел искать падаль, которой по обочинам Старой Смоленской дороги в тот год лежало более чем достаточно.

Пока княжна осматривалась, с каждой секундой все более проникаясь витавшим над этим гиблым местом духом безнадежности и пытаясь сообразить, как ее сюда занесло, лошадь ушла в болото по колено.

— Мама, — жалобно сказала княжна, беспомощно озираясь в поисках подмоги, которой не было и не могло быть.

Никто не отозвался, лишь где-то далеко каркнул ворон, да одна из мертвых берез, не выдержав собственного веса, вдруг рухнула со страшным треском, заставив княжну вздрогнуть всем телом. Она подумала, не прочитать ли ей на всякий случай «Отче наш», но потом решила, что сейчас у нее на это просто нет времени. Если бог позволил ей забраться в эту топь, то он либо на время забыл о ней, либо послал ей это испытание с какой-то одному ему известной, но вполне конкретной целью. В любом случае, помолиться можно было и на ходу.

Княжна спрыгнула с лошадиной спины, замочив подол платья и сразу почувствовав, как жадно, с готовностью подалась под ногами трясина. Первым ее побуждением — княжны, естественно, а не трясины — было бежать отсюда со всех ног. Перепрыгивая с кочки на кочку и обходя болотные оконца, она, пожалуй, могла бы вернуться на твердый берег, с которого так опрометчиво съехала, даже не заметив этого печального события. Но для этого нужно было бросить лошадь.

Княжна упрямо тряхнула головой. При этом выбившиеся из прически пряди спутанных, жестких от грязи волос хлестнули ее по щекам.

— Дудки! — громко сказала княжна неизвестно кому и вздрогнула, услышав, как глухо и жалко прозвучал ее одинокий голос над пустынной гладью болота.

Стиснув зубы, княжна вцепилась обеими руками в недоуздок и стала тянуть изо всех сил, пытаясь помочь лошади выбраться из трясины. Та, словно поняв, что речь идет о ее жизни и смерти, забилась, вытягивая шею и напрягаясь всем телом. Эти совместные усилия привели лишь к тому, что обе — и лошадь, и княжна — еще глубже ушли в трясину. Лошадь протяжно заржала, и Марии Андреевне в этом ржании послышалась мольба.

Бросив бесплодные попытки вытащить из трясины лошадь, которая была едва ли не вдесятеро тяжелее нее, княжна занялась вызволением собственных, уже успевших увязнуть по колено, ног. Эта операция потребовала изрядного хладнокровия и немалых усилий, так что, когда Мария Андреевна снова посмотрела на лошадь, между поверхностью болота и брюхом несчастного животного оставалось не более одного вершка свободного пространства.

Торопясь изо всех сил, но все же двигаясь медленно, как во сне, княжна бросилась к ближайшему дереву. Чахлая осинка почти без сопротивления уступила ее усилиям и послушно вывернулась с корнем. Княжна подсунула тонкий ствол под лошадиное брюхо и поспешила за следующей жердью.

Она трудилась, выбиваясь из сил, в кровь обдирая ладони, ломая ногти и уже понимая, что все ее усилия совершенно бесплодны. Наконец, настал момент, когда ей уже не удалось протолкнуть очеред-

307

ную жердь под лошадиное брюхо. Тогда княжна бросила вырванную с корнем березку под ноги, снова схватилась за недоуздок и стала тянуть, издавая протяжные стоны от нечеловеческих усилий и упрашивая лошадь поднатужиться.

Лошадь судорожно билась, пытаясь вырваться из вязкого плена, но только погружалась еще глубже. Внезапно послышался неприятный хруст, и княжна увидела беспомощно задравшиеся кверху концы жердей, подсунутых ею под лошадиное брюхо. Гнилое дерево не выдержало непосильной тяжести. Жерди переломились одна за другой, и лошадь прямо на глазах стала уходить в гнилую стоячую воду. Теперь это происходило намного быстрее, чем вначале, словно трясина, устав играть со своими жертвами, решила покончить со всем одним махом.

Мария Андреевна боролась до самого конца, хотя отлично видела, что только напрасно выбивается из последних сил. Это стало ей ясно почти сразу, но она никак не могла себя заставить просто повернуться спиной к погибающему в муках животному и уйти.

Когда все было кончено и на поверхности болота надулся и лопнул последний воздушный пузырь, княжна с трудом высвободила опять увязшие по колено ноги и побрела в ту сторону, где вдалеке узкой синеватой полоской виднелся росший на твердом берегу лес. Бредя по болоту, она как никогда остро ощутила свою полную ничтожность по сравнению с равнодушной природой, способной раздавить загордившегося человека мимоходом, даже не заметив этого. Эта огромная, слепая и равнодушная сила кажется незаметной, побежденной и поставленной на службу человеку, когда вы сидите в уютном кресле и читаете книги об опасных путешествиях при свете настольной лампы или смотрите на проплывающие мимо пейзажи из окна почтовой кареты, обмениваясь ничего не значащими замечаниями со своими спутниками. Однако, столкнувшись с этой безликой мощью один на один, человек вдруг понимает, насколько он, царь природы, слаб и беспомощен без своих колес, ружей и топоров. В такие минуты жизнь человеческая, представляющаяся каждому из нас драгоценной и значительной, предстает в истинном свете, и оказывается, что цена ей весьма невелика.

По дороге от места, где утонула лошадь, до твердого берега княжна ощутила все это в полной мере. Ей удалось добраться до леса без приключений, миновав бездонные болотные окна и больше ни разу не угодив в трясину, но равнодушное молчание плоской болотистой равнины проникло, казалось, в самую ее душу, льдом сковав сердце и навеяв предательские мысли о тщете человеческих усилий. Это была старая приманка, которой смерть испокон веков прельщала тех, кто ослабел от невзгод, и лишь свойственное молодости жизнелюбие помогло Марии Андреевне не опустить руки, поддавшись этому последнему искушению.

В то время как княжна, выбиваясь из последних сил, с головы до ног перепачканная грязью, в мокром разорванном платье и с непокрытой головой приближалась к пологому травянистому берегу болота, с ней приключилось второе из упомянутых опасных происшествий. Происшествие это, хотя и показалось княжне поначалу весьма приятным и даже счастливым, на самом деле было много хуже первого.

В десяти минутах ходьбы от берега княжна была замечена человеком, который присел на краю болота отдохнуть и выкурить трубку. Человек этот был высок, широкоплеч, приятен лицом и черноус, но вид имел самый унылый и раздраженный. Его синий с красной, как у снегиря, грудью французский драгунский мундир был расстегнут, каска с украшенным конским хвостом гребнем лежала рядом на земле. Поодаль, позванивая удилами, пощипывали траву две высоких кавалерийских лошади одинаковой рыжей масти, покрытые форменными синими чепраками. Большая драгунская сабля лежала у одинокого путника на коленях, а заряженный пистолет прятался в редкой траве, прямо у него под рукой.

Путник этот был, конечно же, пан Кшиштоф, пробиравшийся лесами вслед за шестым полком улан. Пан Кшиштоф смертельно устал, не выспался, был с головы до ног искусан комарами и пребывал в состоянии крайнего раздражения и уныния. История с похищением иконы надоела ему смертельно. Хуже всего в этой истории было то, что она никак не желала заканчиваться. На протяжении какой-то недели пан Кшиштоф совершил столько безумно храбрых, по-настоящему отчаянных поступков, сколько никогда не думал совершить на протяжении всей жизни. Он якшался с бандитами, убивал, грабил, пробирался по ночам в неприятельский лагерь, снимал часовых, дрался на саблях с целой толпой врагов, он даже отдал в чужие руки последние свои деньги — целую тысячу рублей золотом! — и все это только для того, чтобы, преодолев все препятствия, очутиться на берегу комариного болота в чужом мундире с пустыми карманами. Какие бы отчаянные усилия ни предпринимал пан Кшиштоф для достижения цели, она, прямо как линия горизонта, становилась тем дальше, чем скорее он к ней бежал. Проклятая икона, которую Мюрат задумал подарить своему императору, как живая, все время выворачивалась у пана Кшиштофа из рук. Пан Кшиштоф был суеверен, и такое странное поведение раскрашенного куска дерева мало-помалу начало вызывать в его душе недоумение и страх. Возможно, святому Георгию было небезразлично то, что происходило с иконой, а это был совсем не тот противник, с которым пану Кшиштофу хотелось бы помериться силами.

Он привалился спиной к шершавому стволу сосны и принялся неторопливо набивать трубку, изредка раздраженно отмахиваясь от комаров и хмуря густые, красиво очерченные брови. Его так и подмывало бросить это дело, но сделать это было не так-то просто. Он зашел слишком далеко, и теперь было довольно тяжело понять, что проще: выйти из игры или доиграть до самого конца. Ведя свою партию в этой игре, пан Кшиштоф как-то незаметно для себя оказался вне закона, сделавшись чужим и для русских, и для французов.

Последняя мысль неожиданно привлекла к себе его внимание. Пан Кшиштоф сердито фыркнул в усы. Чужой! Да, так оно и есть, так оно и было с самого начала! Он не француз и не русский, он поляк и не имеет никаких обязательств ни перед одной из воюющих сторон. Пусть себе грызутся, он тут ни при чем. Кто бы ни одержал верх в этой грызне, его несчастной родине от этого лучше не станет...

Увлекшись этими рассуждениями, Огинский едва не пустил слезу от жалости к своей несчастной родине, но вовремя спохватился, что его никто не видит, а, значит, и изображать патриота ему не перед кем. Отбросив посторонние мысли, он стал думать о том, что сделает с капитаном Жюно и толстым лейтенантом по имени Жак, если кто-нибудь из них подвернется ему под руку. В это время на глаза ему попалась одинокая фигура, которая, шатаясь и поминутно падая, приближалась к нему из глубины гиблого болота.

Пан Кшиштоф поспешно ретировался за дерево и лишь после этого, немного успокоившись, стал наблюдать за приближением незнакомца. Тот двигался совсем медленно, находясь, по всей видимости, в последней степени усталости, так что прошло минут десять, прежде чем пан Кшиштоф понял, что перед ним не незнакомец, а незнакомка. Он видел существо неопределенного возраста, но, несомненно, женского пола, одетое в потерявшее форму и цвет, мокрое, сплошь покрытое грязью тряпье, бывшее некогда, судя по некоторым признакам, дорожным платьем, какие носят дамы из высшего сословия. Такие же грязные и мокрые волосы прядями свешивались на лицо, почти целиком скрывая его. За спиной у женщины было приспособлено нечто вроде дорожного мешка, сооруженного из куска ткани, концы которого были связаны узлом на груди.

Пан Кшиштоф задумчиво покусал усы и, потеряв к незнакомке всякий интерес, снова опустился на землю, на всякий случай оставаясь при этом за деревом. Появление незнакомки со стороны болота было странным, но не более того. Непосредственной опасности для пана Кшиштофа в этом появлении не было, а лезть в грязь, чтобы помочь какой-то сумасшедшей добраться до берега, Огинский не намеревался. И так доберется, невелика птица! К тому же, начав помогать попавшей в беду даме, пришлось бы и далее продолжать в том же духе. Это была бы совершенно ненужная обуза, и пан Кшиштоф решил сделать вид, что ничего не видел.

Это решение, однако же, не помешало ему исподтишка наблюдать за незнакомкой, и вскоре он, не удержавшись, тихонько присвистнул от удивления: незнакомка оказалась княжной Вязмитиновой, которая, по его расчетам, должна была сейчас ехать в своей карете под усиленным конвоем французских улан.

Пан Кшиштоф сделал безотчетное движение, намереваясь встать и протянуть княжне руку помощи, но тут же снова опустился на землю, подумав: и что с того, что это княжна?

В самом деле, никакой личной выгоды встреча в лесу с княжной Вязмитиновой пану Кшиштофу не сулила. Ему вспомнился его план женитьбы на Марии Андреевне, но сейчас им обоим было, пожалуй, не до брачных игр. В остальном же княжна обещала стать ему такой же обузой, как и любая другая женщина, а может быть, еще большей. За ней нужно будет ухаживать, отгонять от нее мух, разводить для нее огонь, кормить ее, наконец... И вообще, на кой черт сдалась она пану Кшиштофу, эта русская княжна?! И как, интересно знать, ее занесло в это болото? Зачем она вообще здесь, а не с французами?

Как раз в тот момент, когда пан Кшиштоф уже собирался встать и потихонечку удалиться, пока его не заметили, княжна оступилась на скользкой травянистой кочке и, взмахнув руками, с жалобным криком упала сначала на одно колено, а потом и на бок. При этом ее развернуло почти на сто восемьдесят градусов, так что пан Кшиштоф получил отличную возможность разглядеть то, что висело у нее за спиной. Это был какой-то завернутый в ткань прямоугольный плоский предмет, имевший подозрительно знакомые очертания. Пан Кшиштоф на глаз прикинул размеры этого таинственного предмета, ради которого княжна рискнула сбежать от капитана Жюно, и замер, как охотничья собака, унюхавшая в камышах утиный выводок.

«Может ли это быть? — лихорадочно думал он, в то время как его рука, действуя сама по себе, нежно поглаживала рукоятку пистолета. — Нет, этого быть не может. Не может быть, чтобы икона сама вышла ко мне в руки из этого гнилого болота, на которое я набрел совсем случайно. Что это — божий промысел или рука дьявола? Нет, о чем я, это же невозможно... Но что, в таком случае, княжна делает здесь одна? Ведь уланы Жюно как шли, так и продолжают идти по столбовой Смоленской дороге в сторону Москвы. Я видел это сам не более часа назад. Значит, княжна от них сбежала... Зачем? Она знает про икону, она сама подбивала нас с Вацлавом выкрасть ее, она даже пыталась нам помочь... Неужели у нее получилось то, в чем мы с кузеном потерпели неудачу?»

Тут он заметил, что его рука сама собой уже подняла пистолет и навела его прямо в голову княжне. Указательный палец пана Кшиштофа лежал на спусковом крючке и уже напрягся, готовясь закончить дело одним махом. Пан Кшиштоф заставил себя опустить пистолет и подумать.

Княжна была ему совершенно безразлична, и он убил бы ее без колебаний, если бы не одно обстоятельство: окрестные леса были далеко не так безлюдны, как это могло показаться. В версте отсюда проходила дорога, на которой мог оказаться конный разъезд французов. Но не французов боялся пан Кшиштоф. Ему уже пришлось столкнуться с двуногими обитателями здешних лесов, и он вовсе не стремился к возобновлению знакомства. Мужики из окрестных деревень рыскали кругом, охотясь на французов. Выстрел мог привлечь этих негодяев, а французский мундир пана Кшиштофа послужил бы им отличным поводом для убийства. Разумеется, этого могло и не произойти, но рисковать, полагаясь на случайность, пан Кшиштоф не хотел — он уже был сыт по горло случайностями и риском. Кроме того, справиться с княжной можно было, вовсе не прибегая к пистолету.

Осторожно спустив курок, Огинский сунул пистолет за пояс и, придерживая на боку саблю, шумно сбежал с берега. Заметив его, княжна вздрогнула и подалась назад, словно собираясь укрыться там, откуда только что пришла.

— Постойте, княжна! — размахивая рукой, закричал пан Кшиштоф. — Мария Андреевна, не бойтесь! Это я, Кшиштоф Огинский!

Глава 16

До наступления темноты они преодолели еще добрых восемь верст и остановились на ночлег в гуще молодого березняка. Пан Кшиштоф, за эти дни превратившийся в бывалого лесного жителя, быстро отыскал укромное местечко под огромным сосновым выворотнем, отгреб в стороны сухие листья, собрал охапку хвороста и разложил небольшой костерок.

Сухой хворост горел, почти не давая дыма. Княжна подсела к огню, чтобы подсушить то, что осталось от ее платья, а заодно поджарить на палочке собранные ею по дороге грибы. Занимаясь хозяйственными делами, пан Кшиштоф угрюмо думал про себя, что его предсказания начинают сбываться: вытащив эту девчонку из болота, он автоматически превратился в няньку при ней. Впрочем, кое-что полезное в присутствии княжны все-таки было, даже если сбросить со счетов икону: сам пан Кшиштоф ни за что не догадался бы, что грибы можно просто поджарить на палочке, а не заказать в ресторане, как составную часть какого-нибудь мясного блюда. Он с трудом мог отличить белый гриб от мухомора и потому принял протянутый княжною прутик с нанизанными на него шляпками с некоторой опаской.

Впрочем, грибы оказались хотя и не деликатесом, но все-таки вполне съедобной пищей. Пан Кшиштоф моментально управился со своей порцией и принялся набивать трубку, благосклонно кивая в такт словам княжны, рассказывавшей о своих приключениях. Сочувственно улыбаясь, он между делом раздумывал о том, как лучше поступить с девчонкой: зарезать ее, как свинью, или просто бросить на произвол судьбы.

— Ну, а вы? — закончив свой рассказ, задала княжна вопрос, который давно вертелся у нее на кончике языка. — Что было с вами? Где Вацлав?

— Убит, — небрежно обронил пан Кшиштоф и тут же, спохватившись, придал лицу похоронное выражение. — Как это ни прискорбно, мой кузен погиб в схватке с лесными бандитами. Полагаю, княжна, что это сделал кто-то из ваших крестьян.

— Но как же... Нет, я не верю, — с неожиданной твердостью заключила княжна. — Не обижайтесь, пан Кшиштоф, я вовсе не обвиняю вас во лжи. Просто вы уже однажды ошиблись, могли ошибиться и в другой раз. К тому же, мои крестьяне... нет, они не могли просто так убить ни в чем не повинного человека.

— Мне жаль, княжна, — сказал пан Кшиштоф, мысленно проклиная черта, который дернул его за язык и заставил ввязаться в этот ненужный спор, — но мой кузен, как и я, был одет в мундир французского драгуна. Вероятно, нас приняли за мародеров, у которых мы, кстати, отобрали одежду, лошадей и оружие. В него попали сразу, я видел, как он упал и как к нему подбежал какой-то человек с топором... Мне самому с огромным трудом удалось отбиться, уложив на месте не менее пятерых мерзавцев.

— Все равно, — упрямо повторила Мария Андреевна, — здесь наверняка какая-то ошибка. Вы что-нибудь не так поняли, не заметили чего-нибудь... Я понимаю, был бой, схватка, вы рубились с... Не знаю, но я чувствую, что Вацлав жив.

Пан Кшиштоф с большим трудом подавил вспыхнувшее раздражение. Она, видите ли, чувствует! Впрочем, сказал он себе, мне нет никакого дела до того, что эта девчонка выдает желаемое за действительное. Она чувствует... Да на здоровье! Ее чувства, как и она сама, не имеют никакого отношения к делу. Не спорить же с ней, в самом-то деле — еще, чего доброго, начнет подозревать, что я не горю любовью к своему кузену...

— Вы устали, княжна, — сказал он участливо, — вам просто необходимо отдохнуть. Теперь, когда чудотворная икона спасена, осталось всего ничего — добраться с нею до Москвы. Для этого лучше всего двигаться по ночам, но сейчас вы должны уснуть. Один день ничего не решит, зато я буду уверен, что вы не свалитесь от истощения по дороге. Это было бы преступлением с моей стороны — дать вам довести себя до такого состояния.

— Нам надо торопиться, — ответила княжна, с заметным усилием ворочая языком, — но я вижу, что вы правы. При одной мысли о том, чтобы встать, у меня начинает болеть все тело.

— Вот видите! — воскликнул пан Кшиштоф. — Конечно же, я прав! Я, позволю себе заметить, старый солдат, и я сразу вижу, когда человек нуждается в отдыхе. Да и лошадям небольшая передышка не повредит.

Он отвязал от лежавшего поодаль седла шинельную скатку, расстелил ее на земле и деликатно отвернулся, попыхивая трубкой, пока княжна устраивалась на ночлег. Вскоре до его слуха донеслось ровное глубокое дыхание Марии Андреевны, свидетельствовавшее о том, что княжна крепко уснула.

Между тем окончательно стемнело, в небе зажглись звезды, и над верхушками леса поднялась почти полная луна. Пан Кшиштоф больше не подкидывал в костер хвороста, и тот потух, оставив после себя только тускло светящееся красное пятно, обрамленное по краям белым пеплом. Яркий лунный свет окрасил весь мир в два контрастных цвета — черный и голубовато-серебристый. Завернутая в облепленную болотной грязью женскую накидку икона лежала на виду, притягивая к себе взгляд пана Кшиштофа. Огинский набил трубку, выкатил из костра уголек и закурил, вслушиваясь в дыхание княжны и пытаясь понять, не притворяется ли она. Слова Марии Андреевны о том, что она не верит в гибель Вацлава, поселили в душе пана Кшиштофа смутную тревогу. Если она позволила себе открыто усомниться в его словах, то в мыслях княжна могла пойти гораздо дальше и заподозрить пана Кшиштофа в чем угодно. А вдруг она ему больше не верит? Вдруг произошло что-то, что помогло княжне разглядеть его истинное лицо? Например, этот чертов француз, капитан Жюно, мог между делом, просто для поддержания разговора, проболтаться о письме Мюрата... Ведь недаром первым движением княжны при виде пана Кшиштофа была попытка убежать! Кто знает, чего она испугалась — французского мундира или того, кто был внутри этого мундира?

Одним словом, на пане Кшиштофе горела шапка.

Он просидел у погасшего костра не меньше часа,

давая княжне как следует погрузиться в сон. Когда дальнейшее бездействие сделалось уже нестерпимым, Огинский осторожно поднялся и на цыпочках подошел к Марии Андреевне. Он помахал ладонью у нее перед лицом, пощелкал пальцами и даже замахнулся на нее кулаком, рассчитывая, что, испугавшись этого жеста, княжна перестанет притворяться. Все эти ухищрения не возымели никакого действия — княжна продолжала как ни в чем не бывало лежать с закрытыми глазами и ровно, глубоко дышать через нос. Оставалось только признать, что она либо действительно спит, либо обладает совершенно стальными нервами, в чем пан Кшиштоф, всегда несколько свысока смотревший на женщин, склонен был сомневаться.

Пятясь и не спуская с княжны настороженных глаз, пан Кшиштоф подошел к лошадям и одну за другой оседлал обеих. Он решил оставить княжне жизнь, но добавить к этому по-королевски щедрому дару еще и верховую лошадь пан Кшиштоф не собирался. Лишняя лошадь могла понадобиться ему самому — в крайнем случае, ее можно было кому-нибудь продать. Покончив с этим делом, он снова присмотрелся к княжне и нашел, что она по-прежнему спит. Видимо, девица и в самом деле смертельно устала. Наверное, она не проснулась бы, даже если бы пан Кшиштоф бил над ней в полковой барабан, но проверять это предположение на практике у Огинского не было ни малейшего желания.

Осторожно присев, он коснулся пальцами иконы, пробежал ими по шероховатой ткани, не глядя, откинул край материи и только после этого повернул голову. Наученный горьким опытом, он больше не хотел покупать кота в мешке и хотел убедиться, что берет именно икону, а не что-либо иное.

Это была она. Даже в рассеянном лунном свете пан Кшиштоф различил фигуру конного витязя в плаще, попиравшего мерзкого змия; различил он и еще одну деталь, которой ранее не было на иконе, а именно пулевое отверстие в ее правом верхнем углу. Заметив на дне оставленного пулей углубления холодный блеск металла, пан Кшиштоф с невольным уважением посмотрел на княжну: да, девчонке пришлось потрудиться, чтобы сделать за него всю грязную работу.

Более не осторожничая, пан Кшиштоф резким движением запахнул накидку и поместил икону в седельную сумку. В другой сумке, завернутый в окровавленную парчу, лежал золотой оклад. Затянув ремень сумки, пан Кшиштоф на секунду припал головой к луке седла и закрыл глаза, не в силах поверить своему счастью. Ему было страшно даже подумать о том, что всего несколько дней назад икона точно так же лежала в седельной сумке, а он, чистый, сытый, счастливый и довольный собой, прямой дорогой ехал навстречу Мюрату — навстречу богатству, уважению, почету... Видимо, какие-то высшие силы все-таки пытались препятствовать ему в этом деле, как препятствовали всегда и во всем, иначе отчего бы из всех возможных случайных встреч ему выпала именно встреча с ненавистным кузеном? Да, подумал пан Кшиштоф, на Вацлаве я крепко споткнулся, но, слава всевышнему, теперь все это осталось позади — и Вацлав, и этот индюк Жюно, и княжна...

Он одним движением забросил в седло свое послушное, налитое силой, крупное тело и, в последний раз оглянувшись на продолжавшую мирно спать княжну, легонько тронул шпорами лошадиные бока.

Через полчаса пан Кшиштоф выехал на узкую лесную дорогу, которая шла приблизительно в нужном ему направлении. Он не знал точно, где сейчас находится Мюрат, но предполагал, что король Неаполя должен быть впереди, с авангардом. Так или иначе, необходимую информацию можно было получить у кого-нибудь из французских офицеров — кроме, разумеется, тех, что служили в шестом уланском полку. Пан Кшиштоф был по горло сыт шестым уланским.

Он даже подумал, а не попросить ли ему у Мюрата в качестве прибавки к жалованью голову капитана Жюно или толстого лейтенанта, но потом решил, что с деньгами, которые ему заплатит маршал, он сумеет решить все свои проблемы самостоятельно. Жизнь военного полна неожиданностей, а на войне их, военных, очень часто убивают. Пан Кшиштоф считал, что ему не составит труда найти человека, который за определенное вознаграждение согласится во время очередной атаки совершенно случайно выстрелить не в русских, а в голову капитана Жюно.

Усталые лошади шли шагом, и Огинский не погонял их, опасаясь, что в темноте животные могут покалечиться или, того смешнее, расшибить его о какое-нибудь не к месту оказавшееся на дороге дерево. Лес был полон подозрительных шорохов и потусторонних звуков, издаваемых ночными птицами. Слыша их протяжные вопли, пан Кшиштоф каждый раз невольно вздрагивал, хотя и знал, что опасаться ему следует совсем иного. Рассказывая княжне о нападении разбойников, он сильно приврал, но факт оставался фактом: в лесу было полно людей, готовых пристукнуть одинокого путника только за то, что он имел глупость попасться им на глаза.

В это самое время те, кого пан Кшиштоф мысленно — не без оснований — именовал разбойниками, были совсем рядом, приблизительно в полуверсте от него. Людей этих было двое. Они ехали верхом на гнедых, только вчера отбитых у французов, пузатеньких обозных лошадях. У одного из них поперек седла лежал кавалерийский карабин, другой был вооружен драгунским палашом и двумя парами пистолетов, рукоятки которых смешно и нелепо торчали у него из-за пояса, делая его похожим на подставку для зонтов. На груди у него тускло поблескивал медный солдатский крест, свисавший с вытертых шнуров юнкерской гусарской венгерки. Васька Смоляк не снимал этот крест ни днем, ни ночью, показывая его своим товарищам в качестве доказательства собственного беспардонного вранья. Один из прибившихся к шайке Смоляка крестьян принес с собой новое словечко — «партизаны». Словечко это Смоляку понравилось, и теперь свою шайку он именовал не иначе как партией, а себя — командиром партии, их высокоблагородием ротмистром Смоляком.

Их высокоблагородие ротмистр Смоляк был недоволен. Минувшей ночью он со своими людьми ухитрился упустить буквально из рук двоих французских драгун при трех лошадях. Такая охулка сама по себе была непростительна, но много хуже казалось Смоляку то, что один из драгун был, вне всякого сомнения, тем самым до невозможности шустрым барином, который едва не пристрелил Смоляка после нападения на кирасирский конвой. Это черноусое лицо с надменно выпяченной нижней губой и презрительно сощуренными глазами Смоляк запомнил очень даже хорошо и точно знал, что минувшей ночью ошибки быть не могло. Обидчик, которому Смоляк поклялся отомстить страшной местью, был у него в руках и ухитрился ускользнуть.

Весь прошедший день Смоляк посвятил выслеживанию пана Кшиштофа. Он напал на его след и даже видел его один раз издалека, но возле болота опять потерял и до сих пор так и не смог отыскать. Теперь, после целого дня бесплодных поисков, Васька Смоляк в компании кузнеца из соседней деревни, по имени Илья, которого он именовал своим адъютантом, возвращался в свой лагерь, разбитый на дне лесного оврага.

— Мужики сказывали, — нарушил молчание «адъютант» Илья, — будто в Березовке мародеров человек двадцать вторую ночь ночует.

Он говорил не «мародеры», а «миродеры» — так ему, вероятно, было понятнее.

Смоляк скривился: двадцать французских солдат при желании могли оказать весьма ощутимое сопротивление его «партии», в которой насчитывалось всего около трех десятков вооруженных чем попало мужиков. Кроме того, у него на завтрашний день были совсем другие планы. Он уже понял, что его обидчик, московский барин с польским акцентом, почему-то всегда оказывается там же, где и шестой полк французских улан. Почему это происходит, Смоляк не знал, но считал такое пристрастие «своего» барина весьма для себя полезным.

— Ну-к, што теперь? — презрительно откликнулся он на замаскированное безразличным тоном предложение кузнеца. — Вона, в Гороховке их цельный полк. Может, ты и их повоевать хочешь? Силы у нас мало, Илюха. Только зря животы покладем, а толку никакого. Нету на то моего командирского согласия.

Илья украдкой вздохнул. Каторжная физиономия и манера ведения боевых действий «их высокоблагородия» нравились ему все меньше с каждым днем. Кузнец, как и добрая половина Смолякова отряда, начинал склоняться к мысли, что «их высокоблагородие» — никакое не благородие, а точно такой же «миродер», как и французы, только свой, русский, из мужиков. Рассказы Смоляка о его военных подвигах уже не впечатляли людей так, как вначале, зато мелкий разбой, которым Смоляк занимался на дорогах, говорил сам за себя. Накануне Илья краем уха слышал, как двое мужиков подговаривались уйти от Смоляка и податься к гусарам, которые как будто партизанили где-то поблизости. Кузнец ничего не сказал об этом «их высокоблагородию», но и уходить с мужиками не стал, поскольку все еще дорожил своим званием «адъютанта».

— Завтра с утра, — сказал Смоляк, — в Гнилой лощине пошарим. Чует мое сердце, там он, нехристь, схоронился.

— Да что ты ищешь-то? — в сердцах спросил кузнец. — Чего ты к нему привязался? Да он, лягушатник, небось, давно уж до своих добег. Сам говоришь, в Гороховке ихнего брата целый полк. Там он, больше ему податься некуда.

— Это лягушатник не простой, — важно ответил Смоляк. — Не твоего ума дело, понял? Мой это лягушатник. Нужен он мне, и баста. И в Гороховке его нету, помяни мое слово. Завтра в Гнилую лощину пойдем.

Пользуясь темнотой, кузнец пожал плечами. По большому счету ему было все равно — идти в Гнилую лощину или лежать в землянке, почесывая поясницу. Он, конечно, предпочел бы пощупать топором обосновавшихся в Березовке «миродеров», но спорить со Смоляком было не только бесполезно, но и очень опасно.

В это время со стороны Гороховки, где ночевал французский кавалерийский полк, послышалась приглушенная расстоянием ружейная пальба. Начавшись с нескольких данных вразброд выстрелов, она постепенно достигла густоты настоящего сражения, и так же постепенно пошла на убыль.

— Чего это они? — спросил Смоляк, но кузнец не успел ответить: со стороны деревни вдруг долетел удар такой силы, что даже находившиеся в двух верстах оттуда Смоляк и Илья невольно вздрогнули и пригнулись. Над лесом поднялось багровое зарево, в деревне еще несколько раз громыхнуло, и наступила тишина.

Взрыв порохового парка шестого уланского полка заставил насторожиться пана Кшиштофа. Не понимая, что произошло, Огинский пришпорил лошадь, инстинктивно стремясь поскорее выяснить причину взрыва. Что-то подсказывало ему, что там, вблизи центра событий, он будет в большей безопасности, чем на этой лесной дороге.

Это был тот самый случай, когда внутренний голос толкает человека на необдуманные поступки, чреватые самыми неприятными последствиями. Вглядываясь в разгоравшееся над вершинами деревьев дымное багровое зарево, пан Кшиштоф скакал прямо в руки Смоляка, который, поминутно оглядываясь назад, ехал ему навстречу по той же дороге, скрытый от «своего барина» уже только одним поворотом.

* * *

После ночного нападения на деревню из пятидесяти сабель, что были под началом Синцова, в строю осталось чуть более тридцати человек. Потери считались только убитыми; раненые не пожелали покинуть партию. Шестой уланский потерял почти половину своих лошадей, весь пороховой парк и не менее сотни человек убитыми. О результатах вылазки Синцову доложил казачий есаул с аккуратно перевязанной чистой тряпицей головой.

— Радость-то какая, ваше благородие, — закончил он, — что вы живым вернулись! Мы-то, грешным делом, вас похоронить успели. Как оно рвануло...

— Точно так, — язвительно перебил его Синцов, — как оно рвануло, так вы и штаны потеряли. Улепетывали без памяти, аники-воины... Ну, шучу, шучу! Вылазкой я доволен, а что убитые есть, так на то и война. Каждый из наших рубак пятерых лягушатников с собой прихватил — это ли не победа? Ну, ступай, есаул, ступай.

— Ты прямо полководец, — заметил Вацлав Огинский, садясь на привычное место у стены шалаша и отстегивая саблю. — Речи произносишь... Быть тебе генералом, не иначе.

— В рядовые бы не разжаловали, и то хлеб, — буркнул Синцов, валясь на свой земляной топчан. — За своеволие и неторопливость в воссоединении с основными силами армии... А мне надоело от самого Вильно пятиться! Я вам не рак! Я, брат, гусар... А ты молодец, корнет. Потешил душеньку! Кабы не ты, я бы на этих улан когда бы еще зуб наточил. И вел ты себя как подобает... Право, зря мы с тобой стрелялись.

Вацлав нахмурился.

— Ты сам говорил: кто старое помянет... — напомнил он. — Стрелялись-то мы совсем по другому делу.

— Помню, помню я, из-за чего стрелялись, — проворчал Синцов. — Признаю, что был неправ, и приношу свои извинения. Теперь доволен? Жалко, княжны тут нет, я бы ей ручку поцеловал, прощения бы попросил... Как думаешь, простила бы?

Огинский помрачнел.

— Боюсь, что этой возможности у тебя уже не будет, — сказал он. — Мне кажется, что княжна... что она осталась в той избе.

Синцов вскочил, словно его ткнули шилом, ударился головой о низкую крышу шалаша, едва не пробив ее насквозь, выругался и сел.

— Говорил я Неходе: не спеши поджигать, — повторил он. — Ах, дьявол! Брось, Огинский, этого не может быть.

— Хотелось бы на это надеяться, — не слыша собственных слов, ответил Вацлав, — но ты сам знаешь: на войне как на войне.

Горячка боя, наконец, отпустила его, и он с опозданием осознал, что значила для него смерть Марии Андреевны. Боли не было. Вацлав чувствовал себя так, словно кто-то вынул из него душу и положил на ее место камень — холодный, шершавый и невыносимо тяжелый. Жизнь потеряла смысл. Не было ни цвета, ни запаха, ни вкуса — ничего, кроме легкой печали о том, что могло бы быть, но чего теперь не будет никогда.

Синцов смотрел на него и незаметно ощупывал под ментиком туго набитый золотыми кругляшками кошелек, который совсем недавно спас его от пули Огинского. Поручик окончательно запутался. Молодой Огинский был храбр, несомненно честен, явно неглуп и не помнил зла. Иными словами, перед Синцовым сидел человек, которого при иных обстоятель-

325

ствах он почел бы за великую честь иметь своим
другом. Те его качества, кои Синцов причислял к не-
достаткам — титул, принадлежность к польской на-
ции, богатство и чересчур, по мнению поручика,
утонченное воспитание, — говоря по совести, нельзя
было ставить ему в вину, поскольку все это Огинский получил с самого рождения вместе с фамилией
и внешностью. В остальном же это был лихой гусар
и отменный товарищ. Синцов отлично понимал, что
изрядно виноват перед корнетом, но не знал, что ему
теперь делать. Его так и подмывало признаться во
всем, но язык не поворачивался начать этот трудный
разговор, особенно теперь, когда погибла княжна
Вязмитинова.

— Что ж, корнет, — сказал он, — поверь, я скор-
блю не меньше твоего. Я был виноват перед княжною и не успел загладить свою вину. Что сказать тебе, не знаю. Ведь ты был влюблен в нее, кажется?

— Оставим это, — ответил Вацлав. — Теперь это
уже не имеет значения. Я думаю о том, куда могла
подеваться икона.

— Что ж икона? — пожал плечами Синцов. —
Икона — не человек, она не может бегать. Если она
находилась в доме, то наверняка сгорела дотла. Как
ни жаль, но о ней, видимо, придется забыть. Скажи,
что ты теперь намерен делать?

Вацлав непонимающе взглянул на него.

— Что делать? Вот странный вопрос... Ты разве
не примешь меня под свое начало?

Синцов сильно потер ладонями щеки. Он ждал
именно такого ответа и не знал, как к нему отнес-
тись. С точки зрения пользы для дела присутствие
Огинского в партии было настоящим подарком: поручик имел кое-какие планы относительно расшире-
ния своей партии и активизации партизанских действий в тылу противника, так что каждый храбрый
офицер был для него теперь дороже золота. Но рядом с корнетом Синцов ощущал сильнейшую нелов-

кость, от которой, он знал, ему не удастся избавиться до самой смерти.

— С радостью, — отвечал он. — Да и как я могу тебя не принять? Мы, — он сделал широкий жест рукой вокруг себя, показывая, что имеет в виду всю свою партию, — не банда какая-нибудь, а армейский гусарский полк. Знамя наше при нас, значит, полк жив. А ты офицер нашего полка, и офицер боевой, настоящий. Как я могу тебя не взять? Одно скажу: чертовски рад твоему возвращению. И вот что, корнет: мыслю я, что здесь, в тылу неприятеля, от нас будет гораздо больше пользы для отечества, нежели во фронте, под началом немца Барклая. Я тут составил рапорт на имя князя Багратиона, в коем излагаю свои соображения по поводу пользы войны партизанской. Писание сие надобно доставить в ставку. Дело это рискованное и важное. Я бы послал казака, да вот беда: а ну, как в виду неприятеля пакет доведется уничтожить? Надобно, чтобы курьер мог на словах передать князю суть моего замысла. Понимаешь ли, о чем я толкую?

— Вполне, — ответил Вацлав. — Почту за честь выполнить сие поручение и приложу все силы к тому, чтобы добиться у князя не только одобрения, но и подкреплений.

— О! — воскликнул Синцов. — Вот это важно! Мне бы сюда казачью сотню, я бы тут такое устроил!

Вацлав покивал головой, показывая, что понимает и разделяет замысел поручика, и вышел из шалаша. Глаза у него горели, словно под веками было полно песка, но спать он не мог. Молодой Огинский чувствовал себя так, как чувствует себя человек, проскакавший без единой остановки двести верст и достигший, наконец, цели путешествия: внутри него все еще продолжалось стремительное движение, в то время как сам он уже никуда не двигался, и корнет не знал, куда себя девать. Его безумные приключения закончились внезапно и совсем не так, как он ожидал. Победа партии Синцова над целым полком улан для Вацлава Огинского обернулась сокрушительным поражением: княжна Мария погибла, и икона, вероятнее всего, погибла вместе с нею. Теперь ему, корнету Огинскому, предстояло жить дальше: повиноваться приказам, ходить в поиски, атаковать неприятельские транспорты, насмерть рубиться с французской кавалерией, получать кресты и очередные звания, играть в карты с товарищами, пить вино и опять по команде садиться в седло... Это было именно то, о чем совсем недавно он так горячо мечтал, но теперь эта жизнь казалась ему пустой и никчемной. Шанс совершить великое дело и завоевать любовь княжны был им окончательно упущен. Вацлав не видел, в чем его вина, но чувствовал себя виноватым и почему-то даже более одиноким, чем тогда, когда впервые очнулся на месте дуэли и обнаружил себя раздетым и брошенным.

Небо над оврагом, где был разбит лагерь партизан, уже приобрело стальной блеск, какой бывает обыкновенно перед самым восходом солнца. В лагере все еще продолжалась обычная суета: кто-то расседлывал взмыленных, возбужденных после боя лошадей, кто-то перевязывал раненого товарища. В подвешенных над кострами котелках булькало варево, распространяя вокруг сытный дух приготовляемого мяса, где-то вжикали бруском по стали — очевидно, точили затупившуюся саблю. Люди были возбуждены, повсюду слышались разговоры и смех. Вацлав вдруг понял, что хочет поскорее уехать.

Желание это было неразумно, и молодой Огинский хорошо понимал, что много умнее сейчас было бы хорошенько отдохнуть перед дальней дорогой. Тем не менее, чувство, что он находится совсем не там, где должен быть, и делает совсем не то, что должен бы делать, становилось все сильнее с каждой минутой.

Побродив вокруг лагеря, но так и не успокоившись, он вернулся в шалаш Синцова. Поручик уже спал, оглашая окрестности храпом, от которого, казалось, сотрясались сплетенные из веток стены шалаша. Вацлаву стоило немалых трудов растолкать его. Объяснить ничего не соображавшему со сна Синцову, зачем ему понадобилось так скоро ехать, оказалось еще сложнее.

— Ни черта не понимаю, — пробормотал Синцов, растирая заспанное лицо ладонью. — Сбесился ты, что ли? Которые сутки ты не спишь? Вот и видно, что умом тронулся... Заснешь в седле и въедешь прямо в руки каким-нибудь мародерам, хорошо ли это будет?

— Авось, не въеду, — нетерпеливо ответил Вацлав. — Если что, прикорну где-нибудь в лесу. Не спрашивай, зачем я тороплюсь, я и сам этого не знаю, но чувствую, что просто не могу усидеть на месте. Ты понимаешь ли меня?

Синцов внимательно оглядел его и тяжело вздохнул.

— Чего ж тут не понять... Только смотри, корнет: я тебя посылаю, чтоб ты донесение доставил, а подвиги твои мне ни к чему... Мне надобно, чтобы ты живым добрался до Багратиона и, коли будет на то его воля, вернулся с подкреплением. Выполни это, и я тебя по гроб жизни не забуду. Иных условий не ставлю, но это исполни, прошу тебя, как брата. Запретить надеяться я тебе не могу, но о долге не забывай.

— Надеяться? — переспросил Вацлав. — На что же надеяться? О чем ты, Синцов?

— Не о чем, а о ком, — поправил его поручик. — Я, признаться, надежд твоих не разделяю; ну, да бог с тобой, езжай. Ежели ты прав и княжна жива, я буду только рад.

Вацлав вздрогнул: ему казалось, что он вовсе и не думал о княжне. Поразмыслив, он, однако же, понял, что Синцову удалось разглядеть в нем то, о чем он и сам не подозревал. Им вдруг овладела уверенность, что Мария Андреевна жива и нуждается в его немедленной помощи.

— Есаул! — не вставая с топчана, закричал Синцов. — Прикажи седлать! Я тебя провожу, — сказал он Вацлаву. — Дорог здешних ты знать не можешь, так что мне будет спокойнее, ежели я сам поставлю тебя на правильный путь. Черт бы тебя побрал с твоей горячкой! Таки не дал выспаться...

Час спустя, умывшись, плотно закусив и имея при себе короткий рапорт Синцова, написанный на грязноватом клочке бумаги, Вацлав покинул лагерь верхом на сильной донской лошади. Его сопровождали Синцов и двое гусар, знакомых Огинскому по службе в полку. Этот эскорт тяготил Вацлава, который не знал, чего больше в хлопотах Синцова: заботы или подозрения. Впрочем, Вацлава это не особенно волновало: он был занят совсем другими мыслями.

Они ехали лесом, держа путь напрямик к одной из лесных дорог, что шла более или менее параллельно столбовой Смоленской дороге. Синцов не хотел, чтобы его курьер подвергал себя излишнему риску, двигаясь по столбовой дороге в самой гуще неприятельской армии. Вацлав не возражал, понимая необходимость такой предосторожности. К тому же, если княжна была жива и как-то ухитрилась сбежать от своих конвоиров, она тоже не стала бы двигаться по Старой Смоленской, где ее легко могли поймать. Вацлав не понимал, откуда у него появилась эта уверенность в том, что Марии Андреевны не было в сгоревшей избе; Синцов, отбросив иносказания, прямо говорил ему, что он принимает желаемое за действительное.

Двигаясь гуськом, лошади спустились в неглубокую, поросшую кустарником лощину. Ехавший впереди гусар вдруг остановился и поднял руку, подзывая спутников к себе. На земле у копыт его лошади белел круг свежего пепла, от которого все еще ощутимо веяло теплом. Пошарив кругом, гусары обнаружили следы временного ночлега небольшой группы вооруженных людей: примятую траву, сломанные ветки и оброненный кем-то промасленный войлочный пыж.

— Догадываешься, кто? — спросил Синцов у гусара, угрюмо разглядывая поданный ему пыж.

— Точно так, ваше благородие, — отозвался гусар. — Они это, басурманы.

— Французы? — удивился Вацлав.

— Да нет, — криво улыбаясь, ответил Синцов, — не французы. Эти, пожалуй, пострашней любых французов будут. Ну, чего спрашиваешь-то, когда они тебя самого дважды чуть было не порешили! Бандиты, разбойники, лесные людишки... Мне один мужик из соседней деревни сказал, что верховодит у них какая-то каторжная рожа — без ноздрей, зато в гусарском мундире и даже с крестом. Дай срок, изловлю и на березе вздерну. Озорует, чертяка, ни своих, ни чужих не щадит. Ох, доберусь я до него!

— Да, — сказал Вацлав, — с таким соседом, пожалуй, не уживешься.

— Вот именно! Ты смотри, корнет, чтобы этот сосед тебе на дороге не повстречался. Бог, говорят, троицу любит, так что гляди в оба.

Выехав на дорогу, они простились, и Вацлав, пришпорив коня, пустил его в галоп.

Был десятый час утра, становилось жарко. Огинский скакал по лесной дороге, зорко вглядываясь в каждый поворот. Он снова был один, предоставленный самому себе, и мог рассчитывать только на себя самого. Округа кишела мародерами и ушедшими в леса крестьянами, кое-кто из которых, как он уже имел случай убедиться, был весьма рад случаю безнаказанно побесчинствовать на дороге. Вскоре ему повстречалось свидетельство одного из подобных бесчинств: прямо посреди дороги лежал труп рыжей кавалерийской лошади — судя по синему чепраку, французской. Вацлав натянул поводья, чтобы как следует рассмотреть показавшуюся ему подозрительно знакомой лошадь. Точно таких же лошадей они с Кшиштофом отбили у встреченных на дороге драгун.

Вацлав заколебался, не зная, что предпринять. Ему казалось, что эта убитая лошадь может пролить какой-то свет на судьбу его бесследно исчезнувшего кузена. В пыли вокруг лошадиного трупа осталось множество следов — и конских, и людских. Присмотревшись повнимательнее, Вацлав по нескольким обломанным веткам определил место, где всадники свернули с дороги в лес. Близ этого места в кустах что-то блестело, и, подойдя поближе, молодой Огинский поднял с земли драгунскую каску с прикрепленным на гребне конским хвостом.

Каска эта только усилила его сомнения. Точно такая же красовалась на голове кузена, когда Вацлав видел его в последний раз, но это вовсе не означало, что Кшиштоф был здесь. Лошадь и каска могли принадлежать совсем другому человеку, действительно служившему в драгунском полку, в форму которого сейчас были по необходимости одеты оба кузена. Такое совпадение, впрочем, казалось маловероятным, и, если бы не письмо Синцова к князю Багратиону, Вацлав непременно предпринял бы расследование этого происшествия, не колеблясь ни минуты.

«О чем это я? — подумал он со стыдом. — Кузен наверняка подвергается смертельной опасности, а я думаю, помочь ему или махнуть на это дело рукой! Письмо? Ну, что же письмо? Письмо есть не просит. Синцов сам предлагал мне отдохнуть до завтра. Значит, никакой особенной срочности в этом письме нет, и я могу немного задержаться».

Он вернулся к лошади и еще раз внимательно ее осмотрел. Притороченные к седлу кожаные сумки были расстегнуты. Из одной высовывался краешек какой-то темной ткани. Потянув за него, Вацлав вытащил из сумки смятую женскую накидку. У него вдруг сильно забилось сердце, хотя такая накидка могла принадлежать кому угодно.

Решение было принято. Вынув из-за пояса пистолет, Вацлав углубился в лес, ведя в поводу коня и внимательно глядя по сторонам в поисках оставленных похитителями следов.

Глава 17

Разбуженная прозвучавшим в занятой французами деревне взрывом, княжна Мария испуганно села и огляделась по сторонам. Костер догорел, хотя от золы еще веяло теплом, и местами из-под нее красновато светился жар. Пана Кшиштофа поблизости не было. Предполагая, что ее спутник, встревоженный раздавшимся в ночи странным звуком, отошел в сторону, чтобы постараться выяснить причину шума, княжна окликнула его по имени. Никто не отозвался. Мария Андреевна решила, что паниковать раньше времени не стоит, и хотела было снова прилечь, но тут до нее дошло, что она не слышит ни одного из тех привычных звуков, которые всегда выдают присутствие поблизости лошадей.

Это уже было более чем странно, по правде говоря, это было страшновато. Отбросив шинель, которой была укрыта, княжна встала и подбросила в костер немного заготовленного паном Кшиштофом хвороста. Ей пришлось всего дважды подуть на угли, чтобы хворост вспыхнул с сухим треском. Пляшущие языки пламени осветили огромный сосновый выворотень, под которым спала княжна, и лесную прогалину, где не было ни лошадей, ни пана Кшиштофа, ни, как с испугом убедилась княжна, с таким трудом спасенной ею иконы.

Мария Андреевна тряхнула головой. Все это было слишком похоже на страшный сон, чтобы разум мог сразу воспринять и осмыслить то, что видели глаза. Огинский, лошади, икона — все это словно провалилось сквозь землю, не оставив после себя никаких следов. На минуту княжна даже усомнилась в собственном здравомыслии, решив, что невзгоды последних дней расшатали ее рассудок, и что бегство из деревни, икона, болото и пан Кшиштоф ей попросту привиделись в бреду.

Однако, пережив первый шок, ее разум воспротивился такому предположению. Княжна чувствовала себя на удивление здоровой и отлично помнила все, что с нею произошло. Она осмотрела свое испачканное болотной грязью платье, коснулась рукой конской попоны, которой была укрыта вместо одеяла, нашла лошадиные следы и даже кучку свежего конского навоза, которая, хотя и выглядела весьма неблагородно, яснее всех остальных примет говорила о том, что лошади здесь были, и были совсем недавно.

Следующее предположение княжны было самым близким к истине: она подумала, что пан Кшиштоф по какой-то неведомой причине решил бросить ее здесь и тайно бежал, похитив икону. Не успев додумать эту мысль до конца, Мария Андреевна до глубины души возмутилась собственной, как ей казалось, низости: разве можно было подозревать кузена Вацлава Огинского в столь подлом поступке после того, как он спас ей жизнь? Спасение жизни, о котором думала княжна, заключалось в том, что ей помогли выбраться из болота, протянув руку, в чем она, в общем-то, вовсе не нуждалась.

Она присела у огня, ломая голову над тем, что было бы очевидно любому другому человеку на ее месте. Исчезновение пана Кшиштофа с лошадьми и иконой наверняка имело какую-то вполне рациональную причину. Беда заключалась в том, что княжна этой причины не видела, а та, что лежала на самом виду, ее не устраивала по моральным соображениям. Выросшая вдали от светского общества с его интригами и сплетнями, княжна привыкла судить об окружающих по себе, и эта прекрасная во всех отношениях привычка порой мешала ей видеть то, что лежало прямо у нее перед носом. Она вертела странное исчезновение пана Кшиштофа так и этак, выстраивая самые невероятные гипотезы и находя всевозможные оправдания, но, как ни поворачивала она это ночное происшествие, с какой стороны его ни разглядывала, все получалась какая-то непонятная гнусность и подлая чепуха. Как ни крути, а оставить ее в лесу одну, без оружия, без лошади, без еды и воды, не потрудившись не то что объясниться, но даже и попрощаться, было со стороны пана Кшиштофа, мягко говоря, некрасиво.

В конце концов княжна почувствовала, что с нее довольно. От всех этих предположений и гипотез у нее начала раскалываться голова, а ни одного благовидного объяснения исчезновению пана Кшиштофа найти так и не удалось. Пан Кшиштоф был княжне, в общем-то, безразличен, но вместе с ним пропала икона, а это уже было весьма дурно. Может быть, Огинский решил поскорее доставить икону к русской армии и для скорейшего достижения этой благородной цели избавился от обузы, которой, несомненно, должна была представляться ему княжна?

— Довольно! — вслух воскликнула Мария Андреевна, сердито вороша прутиком угли. — Так можно сойти с ума. Если он доставит икону в Москву, это будет прекрасно. Чего мне еще желать?

Княжна несколько кривила душой: желаний у нее было множество, но все они в настоящее время казались невыполнимыми.

С трудом дождавшись рассвета, она тронулась в путь. Занятая все теми же неотвязными мыслями, она поначалу сбилась с пути и чуть было снова не вернулась к болоту, но вовремя заметила свою ошибку и изменила направление. Результатом этой ошибки стал изрядный крюк, который вывел ее на дорогу не там, где она должна была выйти на нее, двигаясь по прямой, а гораздо дальше, почти рядом с тем местом, где лежала одна из лошадей пана Кшиштофа, позже обнаруженная Вацлавом. Увидеть следы присутствия старшего из кузенов княжне, однако же, довелось не сразу, потому что, едва выбравшись из лесной чащи на дорогу, она была остановлена строгим окриком, раздавшимся из придорожных кустов.

Княжна остановилась. Бежать было некуда, разве что обратно в лес, но и этот выход представлялся весьма сомнительным: княжна не знала, сколько человек скрывалось в кустах и что это были за люди. Зато она успела хорошо усвоить другое: французская поговорка «а ля гер ком а ля гер» ныне вовсю действовала на просторах Смоленской губернии, позволяя сильным вооруженным мужчинам иногда, просто чтобы не утратить сноровки, стрелять в спину безоружным женщинам.

Кусты зашевелились, и на дорогу выбралась некая бородатая личность в лаптях и крестьянском, подпоясанном веревкой, армяке. За поясом у этой личности торчал остро отточенный топор, а загрубевшие от крестьянской работы руки сжимали старинное ружье, живо напомнившее княжне тот самопал, с которым незабвенный Архипыч выходил на крыльцо встречать незваных гостей.

— Куда, барышня, путь держите? — угрюмо поинтересовался этот персонаж, настороженно вглядываясь в кусты за спиной у княжны. — Извольте со мной проследовать. Ныне времена такие, что барышням без охраны никак невозможно...

Человек этот был послан на дорогу Васькой Смоляком, чтобы снять седло с убитой ночью во время пленения пана Кшиштофа лошади. Лошадь застрелил сам Смоляк, но после этого доведенный до отчаяния своим вечным невезением пан Кшиштоф, выхватив саблю, оказал такое сопротивление, что «их высокоблагородию» стало не до седла. Он разрядил в обезумевшего Огинского все три оставшихся у него пистолета и ухитрился ни разу не попасть, если не считать попаданием тот выстрел, который сбил шапку с головы «адъютанта» Ильи и едва не размозжил кузнецу череп. Дело могло закончиться для Смоляка весьма плачевно, если бы Илья, которому просвистевшая над самой макушкой верная смерть внезапно добавила проворства, не сшиб пана Кшиштофа с ног ударом ружейного приклада. Огинский попытался подняться на ноги, удивив разбойников невиданной среди дворянского сословия крепостью черепа, и кузнецу ничего не оставалось, как ударить его прикладом снова, на сей раз посильнее. Второй удар пришелся по спине. Приклад ружья с треском отлетел, а пан Кшиштоф, издав невнятный звук, повалился лицом в пыль и более не шевелился.

Разъяренный Смоляк выхватил из-за голенища ржавый кинжал, пал подле пана Кшиштофа на одно колено и перевернул свою жертву на спину, намереваясь перерезать беззащитному противнику глотку. И только теперь в неверном свете полыхавшего над лесом далекого пожара «их высокоблагородие» узнал в этом человеке «своего барина», которого так долго и безуспешно выслеживал по всей округе.

Просто прирезать такую важную птицу Смоляк, конечно же, не мог. Он хотел насладиться испугом и агонией своего обидчика в полной мере, и потому велел Илье грузить пленника на свободную лошадь, которая, уныло мотая опущенной головой, стояла над трупом своей товарки, не в силах освободиться от уздечки, которой была привязана к луке надетого на мертвую лошадь седла.

Таким образом, представлявшее немалую ценность кавалерийское седло было в суматохе забыто на обочине лесной дороги, а вместе с ним здесь же, в пыли, остались и седельные сумки, в одной из которых лежала икона, а в другой — снятый с нее золотой оклад.

Пана Кшиштофа доставили в лагерь и, хорошенько связав и забив ему рот кляпом, бросили под куст — отсыпаться и приходить в себя. Смоляк во всеуслышание объявил, что утром будет вершить суд над французским шпионом. Об иконе он ничего не знал, но забытое седло, вещь весьма полезная и дорогостоящая, не давало ему покоя, и он почти сразу отправил за ним одного из местных мужиков, с которым и повстречалась княжна.

Пленивший княжну мужик не отличался большой сообразительностью, но даже он понимал, что изловленную на дороге барышню необходимо доставить к «их высокоблагородию» Смоляку — для снятия допроса, а может, и для чего-нибудь еще. Барышню было немного жаль, но посланник Смоляка никогда не испытывал большой нежности к дворянскому сословию, так что совладать с неуместным чувством жалости ему удалось сравнительно легко.

Теперь перед ним, однако же, стояла двойная задача: дотащить на спине до лагеря кавалерийское седло и при этом доставить туда же свою пленницу. Посланец Смоляка задумался, почесывая под шапкой затылок. Потом его физиономия расплылась в довольной улыбке: он нашел выход. Можно было прибыть в лагерь без лишних хлопот и даже с приятностью, если, к примеру, заставить барышню нести седло. Сначала, однако, седло нужно было снять, а за это время пленница могла убежать.

— Пожалуйте вперед, барышня, — шмыгнув носом, сказал бородатый конвоир и повел стволом ружья, указывая направление.

— Голубчик, — сказала ему Мария Андреевна, — а может быть, вы меня отпустите? Вы же видите, я безоружна и тоже пострадала от французов.

— Пожалуйте вперед, — с недоброй усмешкой повторил мужик. — От француза оне пострадали, — передразнил он, — экая беда приключилась! А я, может, от вашего барского рода всю свою жизнь страдаю, так как мне-то быть прикажете? Ишь, чего удумали — отпустить!

— Послушайте, голубчик, ну что вы такое говорите? Как я могла вас обидеть, если я вас даже не знаю?

— А тебе, барышня, знать меня вовсе и не обязательно, — проворчал непреклонный конвоир. — Твое дело вперед меня иттить. А ежели шалить вздумаешь, не обессудь. Я, барышня, белке в глаз с двадцати шагов попадаю, и жалеть тебя я не стану. Понятно ли?

— Да уж куда понятнее, — сказала Мария Андреевна и, не тратя более слов, двинулась в указанном конвоиром направлении.

Было совершенно очевидно, что ничего хорошего ее не ожидает. Нужно было бежать, но, судя по жесткому, равнодушному взгляду мужика, тот не шутил, когда предупреждал о своем умении стрелять и готовности применить оружие в случае побега пленницы. Церемониться он явно не собирался, и княжна невольно припомнила смутные слухи, от которых ее очень тщательно, но не всегда успешно оберегал дед. Это были слухи о сожженных дворянских усадьбах и заколотых вилами помещиках, о запоротых насмерть кнутами крестьянах и воинских командах, которые приходилось вызывать для усмирения кровавых бунтов. Она всю жизнь считала эти рассказы едва ли не выдуманными из головы для красного словца; ей никогда даже в голову не приходило, что однажды она может сделаться героиней одного из подобных рассказов. Теперь, однако же, происходило именно это, и княжна со всей очевидностью поняла, что жизнь ее буквально висит на волоске. В эту минуту она подвергалась опасности гораздо более грозной, чем во время своего французского «плена» или даже побега. Ее вели на смерть, в этом можно было не сомневаться.

— Послушай, любезный, — останавливаясь, сказала она, — я внучка князя Вязмитинова, княжна Мария Андреевна, и если с моей головы упадет хотя бы один волос, тебе придется за это отвечать.

Вместо ответа в спину ей уперлось твердое дуло ружья, принуждая ее возобновить движение.

— Ишь ты, — проворчал конвоир, — княжна... Отвечать, говоришь? Это перед кем же? Ты, ваше сиятельство, сама помысли: зачем же мне отвечать, ежели никто ничего не узнает? А ну, стой. Пришли...

Мария Андреевна и сама уже увидела, что они пришли. Поперек дороги лежал труп рыжей кавалерийской лошади с аккуратно подстриженными гривой и хвостом. Синий французский чепрак и притороченные к седлу кожаные сумки дополняли картину — это, без сомнения, была одна из лошадей пана Кшиштофа. В придорожных кустах поблескивала драгунская каска, которая красовалась на голове старшего Огинского во время их последней встречи.

— Вот и ладно, — сказал конвоир самым мирным тоном. — Стало быть, нашли. Теперь, ваше сиятельство, сними-ка седло. Надобно его забрать, чтобы, значит, неприятелю не досталось. Их благородие ротмистр Смоляк, атаман наш, как раз за этим седлом меня и послал. Давай, ваше сиятельство, поспешай, а то как бы басурманы не наехали.

— Ротмистр? — со вспыхнувшей было надеждой обернулась к нему княжна.

— Говорит, ротмистр, а как оно по правде есть, не нашего ума дело, — рассудительно ответил конвоир. — Я, знамо дело, досель ротмистров без ноздрей как-то не встречал, ну, да чего на свете не бывает. Может, и правду говорит, что его по навету в каторгу сослали, а может, и брешет — кто ж его разберет?

— Голубчик, — всплеснула руками княжна, — да как же это! Ведь он же наверняка беглый каторжник, бандит, душегуб! Как же вы его слушаетесь?

— А так и слушаемся, — отвечал крестьянин. — Уж на что барин наш был душегуб, а ничего, сорок годов его слушались, и дальше бы пришлось, кабы не француз... Да ты седло-то сымай, поторапливайся! А под их благородием, под Смоляком-то, дышать малость вольготнее, чем под барином нашим. Да ты подпругу, подпругу сперва ослобони!

Княжна и без его советов отлично знала, что нужно делать, чтобы снять с лошади седло, но виду не подавала, продолжая бестолково возиться с ремнями и застежками. Она тянула время, потому что уже успела

340

заметить высунувшийся из-под клапана седельной сумки краешек своей старой накидки — той самой, в которую была завернута икона.

— Эка, недотыкомка! — искренне потешаясь, комментировал ее действия конвоир. — Это ж сумка, в сумку-то не лезь! Седло сымай, кому говорят!

Рука Марии Андреевны тем временем скользнула под расстегнутый клапан сумки и ощупала икону. Княжна не знала, зачем она это делает: возможно, чтобы попрощаться. а может быть, в надежде на защиту...

Она замерла и даже перестала дышать, когда ее пальцы нащупали еще какой-то предмет, находившийся в сумке вместе с иконой. Не веря себе, княжна осторожно сомкнула ладонь на удобно изогнутой деревянной ручке, большой и указательный пальцы, словно действуя по собственной воле, легли туда, куда должны были лечь.

— Сумку, говорю, оставь! — прикрикнул конвоир. — Скорей давай, твое сиятельство, чего возишься!

Он шагнул вперед и, отставив в сторону руку с ружьем, наклонился вперед, чтобы посмотреть, в чем загвоздка. В следующее мгновение он замер и, не разгибаясь, в странной скрюченной позе попятился назад, не отрывая взгляда от черного жерла пистолетного дула, глядевшего ему прямо в лоб.

— Положи ружье, — дрожащим голосом скомандовала Мария Андреевна, — и ступай отсюда. Сейчас я тебя отпускаю, но больше не попадайся на моей дороге.

Конвоир медленно разогнулся и вдруг улыбнулся прежней нехорошей улыбкой. Дрожащий голос княжны, очевидно, вселил в него уверенность, что она не отважится выстрелить.

— Что ж ты, барынька, — сказал он, — что ж это ты задумала? Нешто грех на душу взять хочешь? Нельзя это, барынька, да и не твоего благородного ума это дело — из пистолей-то по людям палить. Смотри, ручки белые переломаешь... А ну, бросай оружию! — вдруг рявкнул он, резким движением беря наизготовку свое ружье.

Княжна сама не помнила, как спустила курок. В последнее мгновение у нее в голове молнией промелькнула мысль, что пистолет, наверное, не заряжен. Пистолет, однако, исправно выпалил, издав показавшийся княжне оглушительным звук и так подпрыгнув, что и в самом деле едва не вывихнул ей кисть руки. Из дула вылетело целое облако дыма. Вскрикнув, княжна выронила пистолет и отпрыгнула назад.

Когда дым рассеялся, она увидела своего конвоира, который, зажимая ладонью рану в плече, тяжело возился на земле, силясь подняться и все время беспомощно валясь на бок. Между пальцами у него сочилась темная кровь, помутневшие от боли глаза смотрели на княжну с немым удивлением. Этот взгляд Мария Андреевна запомнила на всю жизнь, хотя в тот момент, казалось, даже не обратила на него внимания.

— Ох, — простонал раненый, — о-ох! Говорил ведь: все вы, баре, душегубы, все как есть...

Он попытался поднять здоровой рукой ружье, но не удержал и бессильно выронил в пыль. Княжна попятилась от него и, не сводя глаз с ружья, присела над убитой, уже закоченевшей лошадью. Она вынула из сумки икону. Во второй сумке обнаружился завернутый в золотую парчу оклад. Княжне подумалось, что этот оклад еще добавляет таинственности к непонятному образу пана Кшиштофа, но сейчас ей было не до отгадывания шарад.

Связав икону и оклад в один парчовый узел, она зачем-то затолкала свою накидку в пустую седельную сумку, в последний раз оглянулась на раненого и скорым шагом двинулась по дороге.

Придя в себя и оглядевшись по сторонам, пан Кшиштоф поспешно зажмурил глаза и притворился мертвым, как жук, которого пощекотал травинкой любознательный ребенок. Увиденная паном Кшиштофом картина была, пожалуй, худшей из всех, какие он мог вообразить. Сплетенные из веток убогие шалаши, кострища и расхаживающие между ними бородатые, скверно одетые и еще хуже вооруженные люди яснее всяких слов говорили о том, что его угораздило живым попасть в лагерь лесных разбойников.

Руки у него были надежно спутаны за спиной, связанные ноги совершенно затекли и ничего не чувствовали, а челюсти ломило так, будто некий уездный Самсон, не найдя в округе ни одного льва, упражнялся на пане Кшиштофе в разрывании звериных пастей. Попытавшись пошевелить языком, пан Кшиштоф понял, что рот у него забит какой-то шершавой тряпкой. В придачу ко всем несчастьям, тряпка эта явно была не первой свежести и жутко воняла псиной.

Осторожно приоткрыв левый глаз, пан Кшиштоф огляделся еще раз, чтобы полнее уяснить свое положение. Положение было, бесспорно, бедственным, но то, что увидел пан Кшиштоф со второй попытки, окончательно повергло его в пучину отчаяния. Поодаль, у слабо дымящегося костра, засунув руки за пояс и насмешливо поглядывая в его сторону, стоял человек, облик которого наводил на мысль о ночном кошмаре. Сначала пан Кшиштоф узнал юнкерскую форму N-ского гусарского полка с солдатским крестом на шнурах венгерки. Форма эта, так же, как и крест, некогда принадлежала Вацлаву Огинскому. Однако, насколько помнил пан Кшиштоф, у его кузена никогда не было ни всклокоченной пегой шевелюры, ни растрепанной бороды, ни лилового клейма на лбу, ни вырванных ноздрей. Все эти приметы принадлежали совсем другому человеку. Пан Кшиштоф почувствовал, что у него мутится разум, но тут же до него дошло очевидное: никакой мистикой тут даже не пахло, и человек, на которого он смотрел, был не Вацлавом Огинским с головой Васьки Смоляка, а Васькой Смоляком, который зачем-то вырядился в старый мундир Вацлава.

Смоляк был последним человеком, с которым пан Кшиштоф хотел бы увидеться, поэтому Огинский быстренько зажмурил открытый глаз и затаил дыхание. Эта уловка ему не помогла: Смоляк уже заметил, что его пленник пришел в себя. По его сигналу на голову пана Кшиштофа выплеснули ведро холодной воды, а чтобы пленнику не вздумалось и далее разыгрывать обморок, кто-то чувствительно пнул его сапогом, угодив прямиком в копчик.

Пан Кшиштоф застонал и открыл глаза. Смоляк сидел перед ним на корточках, с притворным участием разглядывая его грязное и окровавленное лицо.

— Что, барин, несладко? — спросил он с издевкой. — Небось, не чаял встретиться-то? Нехорошо мы с тобой распрощались, барин, не по-людски. Задолжал я тебе, али не помнишь? А я вот помню. Накрепко запомнил, барин! Васька Смоляк в долгу не остается, это тебе надобно было знать, прежде чем... Ну, да теперь все одно. Чего мертвого-то поучать? А ты нынче мертвый, барин, и даже еще мертвее. Помнишь Смоленскую дорогу-то? А, вижу, что помнишь.

Пан Кшиштоф замычал, вертя головой и пытаясь вытолкнуть кляп. Смоляк смотрел на него, наморщив изуродованный лоб, и в глазах его горел сумасшедший огонек.

— Али сказать что хочешь? Может, повиниться? Ну, давай, говори.

С этими словами Смоляк вырвал изо рта пана Кшиштофа вонючую тряпку. Огинский с наслаждением втянул в себя воздух, закашлялся, тряхнул головой и задышал полной грудью.

— Постой, — прохрипел он, — погоди, Смоляк. Убить успеешь, ты послушай сначала. Только людей своих убери подальше, не надо им этого слышать.

— А у меня от народа секретов нет, — гордо заявил Смоляк, но при этом сделал жест, чтобы их оставили одних.

— Откуп тебе дам, — быстро заговорил пан Кшиштоф. — Икону видел?

— Ну, — настороженно сказал Смоляк, не видевший никакой иконы и не понимавший, о чем идет речь.

— Оклад золотой, — продолжал пан Кшиштоф, — ему цены нет. Возьми себе. Там, в сумке...

— Погоди, барин, — начиная понимать, что к чему, и от этого хмурясь, сказал Смоляк. — Уж больно ты ловок. Ежели икона у меня, так какой же твой откуп? Али ты надумал мне мое же подарить? Где, говоришь, икона-то?

— В седельной сумке, — сказал пан Кшиштоф и вдруг насторожился. — Ты почему спрашиваешь? Ты что, ее не взял?!

— Не взял, так возьму, — успокоил его Смоляк. — Тебе-то чего теперь петушиться? Ежели тебе сказать более нечего, тогда прощевай, барин.

— Погоди, — остановил его Огинский. — Икона эта непростая. Мне французский маршал за нее такие деньги обещал, каких ты в глаза не видел. Тебе столько за сто лет не награбить, клянусь богом.

— Э, барин, — протянул Васька, — большие деньги ты мне, помнится, уже сулил. И чем дело кончилось, я тоже не забыл.

Тон его был равнодушным, но пан Кшиштоф заметил блеснувший в глазах каторжника алчный огонек и удвоил свои усилия.

— Мы с тобой тогда как раз эту икону и отбивали, — признался он. — Я за ней два месяца охотился, извелся весь... Бери все, все до копейки, только жизнь оставь!

Смоляк вдруг помрачнел.

— Ну, барин, берегись, коли соврал! Ты меня знаешь, я тебя из-под земли достану. Так, говоришь, в сумке? Вот незадача-то...

— Что, что такое? — встревожился пан Кшиштоф.

— Послал я на дорогу за твоим седлом верного человека, — задумчиво проговорил Смоляк, — да что-то долгонько его нету... Оклад, говоришь, золотой? И много ли золота?

— Много, — ответил пан Кшиштоф.

Их глаза встретились и одновременно расширились от одной и той же ужасной мысли.

— Золото — вещь тяжелая, — вслух высказал пан Кшиштоф то, о чем думал Смоляк. — Такую тяжесть не всякая верность выдержит. Догонять его надо, Смоляк. Слышишь? И людей своих с собой не бери, возьми меня.

— Тебя-то? Гляди, друг какой сыскался...

Но правота пана Кшиштофа была очевидна даже для Смоляка. Подумав не больше минуты, «их высокоблагородие» потребовал коней для себя и для барина. Правда, пана Кшиштофа вопреки его ожиданиям так и посадили в седло связанным, для верности примотав запястья к луке седла, а ноги стянув просунутой под лошадиное брюхо веревкой. Это было неприятно, но вполне закономерно: Смоляк больше не хотел оставаться в дураках.

Провожаемые недоумевающими взглядами присутствующих, они покинули лагерь и двинулись к дороге по неприметной лесной тропинке — той самой, по которой навстречу им, озираясь и держа наготове взведенный пистолет, шагал Вацлав Огинский. Неизвестно, что так упорно сводило кузенов в одну точку пространства и времени — судьба, божья воля или слепой случай, — но они шли навстречу друг другу, с каждым шагом приближаясь к развязке.

Свернув с дороги в лес, Вацлав вскоре обнаружил широкий кровавый след, идти по которому было столь же легко, как если бы кто-то потрудился прибить к деревьям таблички с нарисованными стрелками. Он был уверен, что это кровь Кшиштофа, и все время ускорял шаг. Вскоре, однако, он обнаружил лежавшего в кустах рядом с тропой крестьянина в лаптях и армяке, вооруженного топором и старинной фузией, коей место было в музее стрелкового оружия. Раненый был жив, но без сознания. Огинский догадался, что видит перед собой одного из беспокойных «соседей», о которых предупреждал его Синцов. Тем не менее, он потратил несколько минут на то, чтобы наспех перевязать раненому плечо. Тот застонал от боли, когда его переворачивали, но так и не очнулся.

Оставив беднягу дожидаться помощи в кустах, Вацлав двинулся дальше, но вскоре вынужден был остановиться, заслышав впереди стук лошадиных копыт и чей-то голос. Он попятился в кусты вместе с лошадью, и вовремя: через минуту из-за поворота тропинки показались двое всадников.

Вацлав сразу же узнал кузена. В следующую минуту он увидел веревки, которыми было перевито тело Кшиштофа, и каторжную физиономию его конвоира. Уже поймав Смоляка на мушку, он узнал свой мундир, и последние сомнения исчезли.

Вацлав выстрелил. Смоляк покачнулся в седле, взмахнул руками, пытаясь удержать равновесие, и с шумом завалился в кусты. Выскочив из укрытия, Вацлав саблей перерезал путы на ногах и руках кузена. Пан Кшиштоф молчал, не в силах произнести хоть что-нибудь. Внезапное появление кузена, который никак не желал умереть до конца и все время воскресал, совершенно ошеломило его.

Впрочем, Вацлаву было не до разговоров. Не зная, сколько человек следовало за паном Кшиштофом и Смоляком, он подскочил к последнему и завладел парой торчавших у него за поясом пистолетов, один из которых сразу же протянул кузену. Он уже собирался вскочить в седло, но тут его внимание привлек блестевший на груди разбойника солдатский крест — его, Вацлава, боевая награда, украденная у него, пока он лежал без памяти.

Наклонившись над каторжником, Огинский сорвал с грязной венгерки свой орден. От этого рывка Смоляк застонал и открыл глаза. Взгляд его остановился на лице Вацлава и вдруг прояснился: Смоляк узнал одну из своих жертв.

— А, барчук, — с трудом выговорил он. На губах его пузырилась розовая от крови пена. — Крестик... свой... молодец. Только... не того застрелил, барчук. Помяни мое слово... не того.

Глаза его закрылись, голова бессильно упала на плечо, и Васьки Смоляка не стало. Вацлав ничего не понял, но слышавший предсмертные слова каторжника пан Кшиштоф решил, что сказанного вполне достаточно. Он поднял так опрометчиво переданный ему Вацлавом пистолет и навел его на спину ненавистного кузена.

— Умри, мерзавец! — крикнул он и спустил курок.

Случись на его месте кто-то другой, Вацлав Огинский был бы убит наповал, но пану Кшиштофу опять не повезло. В тот момент, когда он издал свой боевой клич, крупный слепень опустился на морду его лошади и впился почти в самый глаз несчастного животного. Лошадь изо всех сил замотала головой и прянула в сторону в тот самый миг, когда раздался выстрел.

Пуля просвистела у самого уха Вацлава. Слова умирающего каторжника, непонятный выкрик Кшиштофа и этот негромкий свист слились в сознании Вацлава Огинского воедино, мигом прояснив всю картину. Он резко обернулся и увидел бледное, искаженное ненавистью лицо кузена и черные точки его злобно суженных глаз. Пистолет в его руке начал медленно подниматься, но пан Кшиштоф не стал ждать: рванув поводья, он развернул лошадь и, вонзив шпоры в ее бока, с громким шорохом и треском скрылся в лесу.

Эпилог

Ранним утром 25 августа 1812 года, когда до начала Бородинского сражения оставалось немногим меньше суток, в избу, которую занимал командующий 1-й армией князь Петр Иванович Багратион, вошел казачий урядник. Он доложил, что близ деревни казаками задержан француз-перебежчик, который хорошо изъясняется по-русски и требует личного свидания с их превосходительством. Немало удивленный такой оказией, князь велел впустить перебежчика.

В избу в сопровождении двух казаков вошел одетый в пыльный и изрядно потрепанный французский мундир молодой человек.

— N-ского гусарского полка корнет Огинский, — представился он, — с донесением к вашему сиятельству.

— N-ского полка? — удивился Багратион. — Этот полк, насколько мне известно, целиком сложил головы под Смоленском.

— Осмелюсь доложить, ваше сиятельство, не целиком, — возразил молодой человек. — Имею передать вашему сиятельству донесение поручика Синцова, принявшего командование над остатками полка и ныне ведущего партизанскую войну в тылу неприятеля. Знамя полка нами сохранено, следовательно, полк жив. Поручик Синцов испрашивает вашего одобрения на продолжение боевых действий в неприятельском тылу и просит подкрепления.

С этими словами он протянул князю сложенный вчетверо грязноватый листок бумаги, густо исписанный каракулями Синцова. Высоко подняв брови, князь принял бумагу и быстро прочел. Лицо его прояснилось.

— Так вы, стало быть, Огинский... Признаться,

наслышан о вас и ваших подвигах. Что касается рапорта, то я доложу главнокомандующему. Думаю, он отнесется благосклонно и подкрепление даст.

— Простите, ваше сиятельство, — почтительно перебил его Вацлав, — вы сказали — главнокомандующему? Надеюсь, это не...

— Не Беннигсен, нет, — с едва заметной улыбкой успокоил его Багратион, — и вообще не немец. Светлейший князь Михаил Илларионович Кутузов.

— Слава богу! — воскликнул Вацлав. — Стало быть, за судьбы кампании можно быть спокойным.

— Экий вы, право, оптимист... Впрочем, вся армия настроена так же, как вы. Что ж, корнет, отдохните, приведите себя в порядок... переоденьтесь непременно, не то как бы вас сгоряча не подстрелили... а в десятом часу, ежели будет желание, пожалуйте на торжественный молебен во славу российского оружия.

— Я католик, ваше сиятельство, — осторожно напомнил Вацлав.

— Бог един для всех, — сказал Багратион. — И потом, мне кажется, вам будет интересно узнать, что буквально вчера к войскам была доставлена чудотворная икона святого Георгия Победоносца, похищенная французами и счастливо возвращенная усилиями некоторых патриотов, в числе коих мне, помнится, упоминали и вас.

— Но как же? — бессвязно спросил ошеломленный Вацлав. — Кто?..

Багратион засмеялся и ласково потрепал его по плечу.

— Одна обворожительная особа, — сказал он, — которой, как мне кажется, будет весьма приятно вас увидеть. Ступайте, корнет. Россия вас не забудет.

...На следующий день, ровно в шесть часов утра, выстрелом орудия наполеоновской гвардейской артиллерии началось Бородинское сражение. Вацлав Огинский дрался в первых рядах и счастливо пережил великую битву. Через неделю, простившись с княжной Марией Андреевной, которая уезжала в свое имение в Ростове, поручик Огинский во главе казачьей сотни отправился обратно в неприятельский тыл, где успешно соединился с партией Синцова. Самого Синцова Вацлав, увы, не застал: поручик был убит наповал во время атаки на неприятельский транспорт и похоронен с воинскими почестями на деревенском погосте. Гусары, провожавшие в последний путь своего командира, рассказали Вацлаву странную вещь: на груди Синцова, рядом с нательным крестом, висел на кожаном шнурке золотой червонец, в самой середине которого была видна расплющенная в блин и намертво впаявшаяся в золото пистолетная пуля.

Литературно-художественное издание

Воронин Андрей

РУССКАЯ КНЯЖНА МАРИЯ

Роман

Ответственный за выпуск *В. В. Адамчик*

Подписано в печать с готовых диапозитивов 27.12.01.
Формат 84×108^1/$_{32}$. Печать высокая с ФПФ. Бумага
типографская. Усл. печ. л. 18,48. Тираж 15 000 экз.
Заказ 2268.

«Современный литератор». Лицензия ЛВ № 319
от 03.08.98. 220029, Минск, ул. Киселева, д. 47, к. 4.

При участии ООО «Харвест». Лицензия ЛВ № 32
от 10.01.2001. РБ, 220013, Минск, ул. Кульман,
д. 1, корп. 3, эт. 4, к. 42.

Республиканское унитарное предприятие
«Полиграфический комбинат имени Я. Коласа».
220600, Минск, ул. Красная, 23.